第2版

最新歯科技工士教本

有床義歯技工学

全国歯科技工士教育協議会　編集

Dental Technology for Removable Dentures

医歯薬出版株式会社

This book is originally published in Japanese
under the title of :

SAISHIN-SHIKAGIKOSHI-KYOHON YUSHO-GISHI-GIKOGAKU
(The Newest Series of Textbooks for Dental Technologist-Dental Technology for Removable Dentures)

Edited by Japan Society for Education of Dental Technology
© 2017 1st ed.
© 2024 2nd ed.

ISHIYAKU PUBLISHERS, INC
7-10, Honkomagome 1 chome, Bunkyo-ku,
Tokyo 113-8612, Japan

発刊の序

わが国の超高齢社会において，平均寿命の延伸に伴って健康寿命をいかに長くすることができるかが，歯科医療に課せられた大きなミッションです．一方，疾病構造の変化，患者からのニーズの高まり，歯科医療器材の開発などが急速に進展してきたなかで，歯科医療関係者はこれらの変化に適切に対応し，国民にとって安全，安心，信頼される歯科医療を提供していかなければなりません．このような社会的背景に応えるべく，優秀な歯科技工士の養成が求められています．歯科技工士教育は，歯科技工士学校養成所指定規則に基づき，各養成機関が独自性，特色を発揮して教育カリキュラムを構築していかなければなりません．長年の懸案事項であった歯科技工士国家試験の全国統一化が平成28年2月の試験から実施されました．国家試験が全国統一されたことで試験の実施時期，内容などが極めて公平，公正な試験となり，歯科技工士教育の「スタンダード化」ができたことは，今後の歯科技工士教育の向上のためにも大きな意味があると考えられます．

全国歯科技工士教育協議会は，平成26年11月に，歯科技工士教育モデル・コア・カリキュラムを作成しました．これは歯科技工士が歯科医療技術者として専門的知識，技術および態度をもってチーム医療に貢献できるよう，医療人としての豊かな人間形成とともに，これまでの伝統的な歯科技工技術を活かしながらも，新しく開発された材料，機器を有効に活用した歯科技工学を修得できるよう，すべての歯科技工士学校養成所の学生が身につけておくべき必須の実践能力の到達目標を定めたものです．また，全国統一化された国家試験の実施に伴って，平成24年に発刊された国家試験出題基準も近々に見直されることでしょう．さらに，これまで歯科技工士教育は「歯科技工士学校養成所指定規則第2条」によって修業年限2年以上，総時間数2,200時間以上と定められていますが，実状は2,500時間程度の教育が実施されています．近年，歯科医療の発展に伴って歯科技工技術の革新，新しい材料の開発などが急速に行われ，さらに医療関係職種との連携を可能とした専門領域での技術習得を十分に培った資質の高い歯科技工士を適正に養成していくためには，教育内容の大綱化・単位制を実施しなければなりません．

歯科技工士教本は，これまで多くの先人のご尽力により，常に時代のニーズに即した教育内容を反映し，歯科技工士教育のバイブル的存在として活用されてまいりました．教本は，国家試験出題基準や歯科技工士教育モデル・コア・カリキュラムを包含し，さらに歯科技工士教育に必要と思われる内容についても掲載することによって，歯科技工士学校養成所の特色が発揮できるように構成されていますが，今回，国家試験の全国統一化や教育内容の大綱化・単位制への移行を強く意識し，改訂に努めました．特に大綱化を意識して教本の名称を一部変更しています．たとえば『歯の解剖学』を『口腔・顎顔面解剖学』，『歯科技工学概論』と『歯科技工士関係法規』を合本して『歯科技工管理学』と変更したように内容に準じて幅広い意味合いをもつタイトルとしていますが，国家試験出題基準などに影響はありません．また，各章の「到達目標」には歯科技工士教育モデル・コア・カリキュラムに記載しております「到達目標」をあてはめています．

今回の改訂にあたっては，編集委員および執筆者の先生方に，ご多忙のなか積極的にご協力いただきましたことに改めて感謝申し上げます．編集にあたりましては十分配慮したところですが，不備，不足もあろうかと思います．ご使用にあたりましてお気づきの点がございましたらご指摘いただき，皆様方の熱意によりましてさらに充実した教本になることを願っています．

本最新歯科技工士教本が，本教本をご使用になり学習される学生の方々にとって，歯科技工学の修得のためのみならず，学習意欲の向上に資することができれば幸甚です．

最新歯科技工士教本の製作にあたりましては，全国歯科技工士教育協議会の前会長である末瀬一彦先生が，編集委員長として企画段階から歯科技工士教育の向上のために，情熱をもって編集，執筆を行っていただきました．末瀬先生の多大なるご尽力に心より感謝申し上げます．

2017年1月

全国歯科技工士教育協議会

会長　尾﨑順男

第2版の序

2017年に旧来の歯科技工士教本から大幅に見直された最新歯科技工士教本として『有床義歯技工学』の初版が出版されて7年が経ちました．初版は前年から実施された歯科技工士国家試験の全国統一化や全国歯科技工士教育協議会の作成による歯科技工士教育モデル・コア・カリキュラムを念頭に執筆されました．今回，歯科技工士国家試験出題基準2019年版が2023年版として改定されたのを受け，本教本『有床義歯技工学』の改訂を実施するに至りました．

初版の序で書いた我が国の65歳以上の高齢者が総人口に占める割合27.3％は，昨年秋の発表では29.1％と増え，100歳以上の高齢者6万5千人は9万2千人となるなど，超高齢化のスピードの速さに驚くばかりです．高齢者では有床義歯を必要する者が多いことから，もともと最新歯科技工士教本シリーズの中で最もページ数の多かった『有床義歯技工学』の，科目としての重要性はゆらがないと思われます．

また，初版からの7年間での歯科医療技術，歯科材料の進歩は著しく，CAD/CAMクラウンに代表されるデジタル技術の波が有床義歯分野にも押し寄せてきています．インプラント治療はますます一般化し，多くの診療所で実施されるようになりました．そのような背景から，2023年版の歯科技工士国家試験出題基準には「インプラント被覆のオーバーデンチャー」や「CAD/CAMシステムによる義歯」といった新たな項目が追加されました．全体としては大項目から中項目への階層分けが大幅に見直され，受験者が理解しやすいように，よく整理されたと思います．

『有床義歯技工学』第2版は，この歯科技工士国家試験出題基準2023年版を反映することを主な目的として小幅な改定となっています．限られた教育時間の中で歯科技工士として将来にも役立つ知識は何かを念頭におき，新たな項目を追加するにあたり，必要性の低い項目については一部割愛等するなど，内容の厳選に努めたつもりです．ただし，教本の価格を抑えるため白黒写真が多いことなど，悩ましい課題も残されています．今後も本教本を利用される方々からのご意見，ご指摘をいただければ，引き続き加筆，修正を進めたいと考えています．

最後に短い執筆期間にも関わらず，快く改訂原稿の執筆をお引き受けいただいた先生方に厚く感謝を申しあげます．

2024年2月

鈴木哲也

第1版の序

　我が国では65歳以上の高齢者が総人口に占める割合は昨年秋で27.3%とすでに4人に1人を超え，100歳以上の高齢者も6万5千人に達するという驚くべき超高齢社会となっています．8020運動によって，比率としての8020率は大幅に向上しているものの，総数においては有床義歯を必要とする高齢者は依然として多数存在しています．しかも，それらの高齢者においては，顎堤の吸収，不正な残存歯列，唾液の減少など難症例が多く，さらには何らかの全身疾患を有し，多数の薬剤を服用している場合がほとんどです．このような有床義歯を取り巻く現状を考えると，チーム医療の一員として活躍できる歯科技工士の育成が必要不可欠です．

　そこで10年ぶりの改訂にあたっては，まず歯科医師との連携の観点から，全国の歯科大学で現在使われている教科書を調べ，記述内容の相違の有無をチェックしました．特に用語については『歯科補綴学専門用語集　第4版』に準じることとし，同義語として「使用が望ましくない用語」とされている用語は極力外しました．また，臨床の場を意識して，臨床写真を増やすとともに診療室と技工室での作業の関連をイメージしやすいよう配慮しました．特に前半の全部床義歯技工学の部分では半数以上の写真が入れ替わっています．新たにノンメタルクラスプデンチャーやジルコニアフレームなど新規技術についても一部加えました．

　本書『有床義歯技工学』は，前回の改訂で『全部床義歯技工学』と『部分床義歯技工学』をあわせ，重複箇所を除いて1冊にまとめられたという経緯があります．今回も全体の流れを重視しつつも，全部床義歯技工学と部分床義歯技工学それぞれに関わる部分で重複がないか，記載の離齬がないかを再度見直しました．さらに，今回最新歯科技工士教本のシリーズすべての教本を改訂しているため，先行して出版された『歯科理工学』をはじめとする他の科目で教える内容との整合性や重複についても，できる限りチェックしました．それでも最新歯科技工士教本シリーズの中で最もページ数の多い教本です．限られた教育時間の中で歯科技工士として将来にも役立つ必要な知識は何かを常に念頭おき，内容の厳選に努めたつもりです．本教本を卒業後も知識の整理のために活用していただければと願っています．今後，本教本を利用される方々からご意見，ご指摘をいただければ，できる限り早期に修正，加筆し，充実をはかっていければと考えております．

　最後に，短い原稿執筆期間にも関わらず，快く執筆をお引き受けいただいた先生方に厚く感謝を申しあげます．

2017年1月

鈴木哲也

最新歯科技工士教本 有床義歯技工学 第2版

I　有床義歯技工学総論

1　有床義歯技工学概説　小正　裕，柿本和俊　3

1　有床義歯とは………………………………………………………………3
2　有床義歯技工学の意義と目的………………………………………………4
3　有床義歯の種類……………………………………………………………4
　　1）全部床義歯　4
　　2）部分床義歯　5
4　固定性補綴装置（ブリッジ）との相違………………………………………6

2　有床義歯の具備条件　小正　裕，柿本和俊　7

1　形態的要件…………………………………………………………………7
　　1）顎関節　7
　　2）有床義歯に関連のある筋　7
　　3）抜歯創の治癒経過　9
　　4）歯列弓と顎堤弓　9
　　5）咬合彎曲とスピーの彎曲　9
　　6）ボンウィル三角　11
　　7）基準平面　11
2　機能的要件…………………………………………………………………12
　　1）咬合力　12
　　2）咀嚼能率　12
　　3）発音　13
3　審美的要件…………………………………………………………………14
　　1）顔貌と歯の形態　14
　　2）歯の色調　15
　　3）SPA要素　15
4　生物学的要件………………………………………………………………15
　　1）支台歯に加わる力とその影響　15
　　2）クラスプの装着による歯肉への影響　16
　　3）床縁による残存歯歯肉の変化　16
　　4）義歯床による顎堤の変化　16

Ⅱ　全部床義歯技工学

3　全部床義歯の特性　小正　裕，柿本和俊　19

1　全部床義歯の構成要素　19
1）人工歯　19
2）義歯床　19

2　全部床義歯の種類　21
1）使用目的による分類　21

3　全部床義歯の口腔内での維持，安定および支持　21
1）義歯の維持　22
2）義歯の安定　23
3）義歯の支持　23

4　全部床義歯の製作順序　鈴木哲也，安江　透　24

1　歯科診療所と歯科技工所における作業の関連　24
1）個人トレーの製作　24
2）咬合床の製作　24
3）ろう義歯の製作（人工歯排列）　24
4）義歯の完成　25

5　全部床義歯の印象採得に伴う技工作業　鈴木哲也，安江　透　28

1　無歯顎　28
1）上顎の解剖学的ランドマーク　28
2）下顎の解剖学的ランドマーク　29
3）無歯顎の対向関係　31

2　無歯顎の印象とトレー　32
1）無歯顎の印象の特徴　32
2）印象法の種類　33
3）概形印象と研究用模型の製作　33
4）個人トレー　34

3　精密印象と作業用模型　38

1）ボクシング　38

2）石膏の注入　39

3）作業用模型の仕上げ　40

6　全部床義歯の咬合採得に伴う技工作業　鈴木哲也，安江　透　41

1　咬合床製作のための作業用模型の処理 ……………………………………………… 41
1）床外形線の記入　41

2）基準線の記入　42

3）リリーフ　43

4）ポストダム（後堤法）　43

2　咬合床の製作 ………………………………………………………………………… 44
1）基礎床　44

2）咬合堤　44

3）歯科医師による咬合採得　45

3　全部床義歯に用いられる咬合器 …………………………………………………… 48
1）平均値咬合器　48

2）半調節性咬合器　48

4　作業用模型の咬合器装着 …………………………………………………………… 49
1）咬合平面板　49

2）フェイスボウ　49

3）スプリットキャスト法　49

4）下顎作業用模型の装着　49

5　咬合器の調節 ………………………………………………………………………… 52

6　ゴシックアーチ描記装置の取り付け ……………………………………………… 53

7　全部床義歯の人工歯排列と歯肉形成　鈴木哲也，安江　透　56

1　人工歯 ………………………………………………………………………………… 56
1）人工歯の種類　56

2）前歯部人工歯の選択　57

3）臼歯部人工歯の選択　58

2　人工歯排列 …………………………………………………………………………… 60
1）前歯部人工歯の排列　60

CONTENTS

2）臼歯部人工歯の排列　65

3　歯肉形成 ･･･ 76

1）唇側の歯肉形成　76

2）頬側の歯肉形成　77

3）舌側の歯肉形成　77

4）口蓋部の歯肉形成　77

5）床縁の形成　77

4　ろう義歯の試適 ･･･ 80

8　全部床義歯の埋没と重合　鈴木哲也，安江　透　　81

1　埋没の前準備 ･･ 81

1）スプリットキャスト　81

2）テンチの歯型（テンチのコア）　81

2　埋没 ･･ 82

1）加熱重合レジンの埋没　82

2）常温重合レジンの埋没　85

3　流ろう ･･･ 85

4　義歯床用レジンの重合 ･･･････････････････････････････････････ 86

1）加熱重合レジンの重合　86

2）常温重合レジンの重合　88

3）ポリスルフォン樹脂の成形　88

9　全部床義歯の咬合器への再装着，削合および研磨　小正　裕，柿本和俊　89

1　咬合器再装着の方法と特徴 ････････････････････････････････ 89

1）スプリットキャスト法　89

2）テンチの歯型法　90

3）フェイスボウトランスファー法　90

2　人工歯の削合 ･･･ 91

1）咬合小面　91

2）選択削合と自動削合　92

3）人工歯咬合面の形態修正と研磨　99

3　研磨 ･･ 99

最新歯科技工士教本　有床義歯技工学　第2版

1）義歯の作業用模型からの分離　99

2）研磨の目的　100

3）研磨の要点　100

4）義歯の洗浄と完成後の保管　102

Ⅲ　部分床義歯技工学

10　部分床義歯の特性　永井栄一，椎名芳江　104

1　部分床義歯の構成要素　104

1）部分床義歯の構成要素　104

2）部分床義歯の安定を得るために必要な3要素（支持，把持，維持）の概念と
それを担う義歯構成要素　105

2　残存歯，欠損の分布状態による分類　106

1）残存歯と欠損部の位置関係による分類　106

2）ケネディーの分類　106

3　咬合圧の支持様式による分類　107

1）歯根膜負担（歯根膜支持）　107

2）歯根膜粘膜負担（歯根膜粘膜支持）　108

3）粘膜負担（粘膜支持）　108

4　咬合圧支持域による分類　108

5　義歯の目的別による分類　108

1）最終義歯（本義歯）　108

2）暫間義歯（仮義歯）　110

11　部分床義歯の製作順序　永井栄一，椎名芳江　111

1　歯科診療所と歯科技工所における作業の関連　111

12　部分床義歯の構成要素　永井栄一，椎名芳江　115

1　支台装置　116

1）クラスプ（鉤）　116

2）レスト　133

3）アタッチメント　138

4）テレスコープ義歯　142

5）補助支台装置　146

2　連結子　147

1）連結子の必要条件　147

2）連結子の目的　147

3）連結子の利点と欠点　148

4）連結子の分類　148

3　義歯床　154

1）義歯床の役割　154

2）義歯床用材料　155

3）床外形線の決定　155

4）床縁の形態と位置　156

5）義歯床の厚さ　157

6）緩衝腔　157

4　人工歯　157

13　部分床義歯の印象採得に伴う技工作業　永井栄一，椎名芳江　158

1　印象採得に伴う技工作業　158

1）部分床義歯の印象　158

2）研究用模型　159

3）個人トレー　161

2　作業用模型の製作　163

1）ボクシング　164

2）石膏の注入および作業用模型の仕上げ　164

3　オルタードキャスト法　165

14　部分床義歯の咬合採得に伴う技工作業　永井栄一，椎名芳江　168

1　咬合採得に伴う技工作業　168

1）咬合床の製作　168

2）歯科医師による咬合採得　171

2　咬合器への作業用模型の装着　171

1）咬合平面板を使用して作業用模型を装着する方法　171

2）フェイスボウを使用して作業用模型を装着する方法　172

3）咬合器の顆路調整　172

15　クラスプの製作　永井栄一，椎名芳江　173

1　支台歯の前処置　173
1）ガイドプレーン（誘導面）　173

2）レストシート　174

2　サベイヤーの構造と使用方法　174
1）サベイヤーの使用目的　174

2）サベイヤーの構造および種類　175

3）サベイング　176

3　鋳造鉤　179
1）鉤外形線　179

2）間接法（耐火模型上でワックスパターン形成を行う方法）　180

3）直接法（作業用模型上で製作する方法）　185

4　線鉤　186
1）線鉤の外形線　187

2）屈曲の原則　187

3）レストの製作法　187

4）1線法　188

5）2線法　192

16　バーの製作　若林則幸，安江　透　194

1　鋳造バーの製作　194
1）バーの外形線と作業用模型のリリーフ　194

2）パターンの形成　194

3）スプルー線の植立と埋没　195

4）鋳造と研磨　195

5）支台装置とバーの位置関係　197

2　屈曲バーの製作　197
1）屈曲用鉗子の使い方　197

2）バーの外形線と作業用模型のリリーフ　198

3）参照用ワックスパターンの準備　198

4）屈曲　198

5）研磨と完成　200

6）支台装置とバーとの位置関係　200

17　部分床義歯の人工歯排列，削合，歯肉形成　永井栄一，椎名芳江　201

1　前歯部排列　201

1）審美性の回復　201

2）発音の回復　203

2　臼歯部排列　204

1）対合歯との関係　204

2）支台装置との関係　205

3　削合　206

1）選択削合　206

4　歯肉形成　208

1）歯肉形成の目的　208

2）歯肉形成の方法　209

5　ろう義歯の口腔内試適　211

18　部分床義歯の埋没と重合　永井栄一，椎名芳江　212

1　加熱重合法　213

1）埋没の前準備　213

2）埋没　214

3）流ろう　217

4）加熱重合レジンの塡入と重合　218

5）義歯の取り出し　219

2　流し込みレジン重合法　220

1）寒天埋没法　221

2）石膏コア法　222

3）シリコーンコア法　224

最新歯科技工士教本 有床義歯技工学 第2版

19　部分床義歯の咬合調整と研磨　永井栄一，椎名芳江　227

1　咬合調整・・227

2　研磨・・・228

IV　有床義歯とその関連事項

20　修理　永井栄一，椎名芳江　232

1　破折・破損の原因・・232

2　義歯破折・破損のメカニズム・・233

3　義歯床の修理・・・236

　1）常温重合レジンによる修理方法　236

4　人工歯の修理・・・238

　1）人工歯の脱離あるいは大部分が破損した場合の修理　238

　2）人工歯が義歯床用レジンごと脱離した場合の修理　238

5　支台装置の修理・・・240

6　人工歯の追加（増歯）・・・241

21　リベースおよびリライン　永井栄一，椎名芳江　242

1　リベース・・・242

2　リライン・・・243

　1）直接法　244

　2）間接法　245

22　オーバーデンチャー　大久保力廣，新保秀仁，市川正幸，原田直彦　248

1　歯根被覆・・・249

　1）オーバーデンチャーの意義　249

　2）オーバーデンチャーの問題点　250

　3）オーバーデンチャーの支台装置　250

2　インプラント被覆・・・251

CONTENTS

23 金属床義歯　大久保力廣，新保秀仁，市川正幸，原田直彦　252

1 金属床義歯の利点と欠点 ……… 252
1）金属床義歯の利点　252
2）金属床義歯の欠点　253

2 金属床義歯の種類 ……… 253
1）金属フレームワークの材料　253
2）顎堤部フレームワークの構造　254

3 全部床義歯のフレームワーク ……… 256
1）鋳造床　256
2）CAD/CAM　256

4 部分床義歯のフレームワーク ……… 256
1）模型と設計　256
2）複印象　257
3）耐火模型の製作と表面処理　258
4）ワックスパターン形成　259
5）スプルー線の植立　259
6）埋没　260
7）焼却，鋳造，割り出し　260
8）研磨　260
9）完成　261

5 フレームワーク製作に必要な技工操作 ……… 261
1）ブロックアウト　261
2）リリーフ　262
3）ビーディング　262
4）ティッシュストップ　262
5）フィニッシュライン　263

24 その他の有床義歯　大久保力廣，新保秀仁，市川正幸，原田直彦　264

1 ノンメタルクラスプデンチャー ……… 264
1）種類と適応症　264
2）使用樹脂　265
3）利点と欠点　266

最新歯科技工士教本　有床義歯技工学　第2版

　　　4）設計と製作　266
　2　CAD/CAM システムによる義歯 ……………………………………………………… 269
　　　1）全部床義歯の製作　269
　　　2）部分床義歯への応用　273

コラム
　　印象体の管理　　鈴木哲也　18
　　ガイドプレーンと隣接面板　　永井栄一，椎名芳江　131
　　義歯のケア　　鈴木哲也　274

参考文献 ……………………………………………………………………………………… 276
索　引 ………………………………………………………………………………………… 278

I

有床義歯
技工学総論

1 有床義歯技工学概説

到達目標

① 有床義歯技工学の意義と目的を説明できる．
② 有床義歯の種類を列挙できる．
③ 有床義歯の特徴と適応症を列挙できる．

1 有床義歯とは

　有床義歯とは，歯および周囲組織（**歯肉**，**歯槽骨**など）を喪失した場合に，口腔の機能（**咀嚼**，**嚥下**，**発音**など）を回復し，顔面の形態変化および歯の欠損や周囲組織の喪失によって生じる障害を予防する可撤性の補綴装置のことである．

　齲蝕，歯周疾患，その他の原因で抜歯に至り，歯を喪失した場合，ブリッジや有床義歯（**全部床義歯**，**部分床義歯**）により**補綴治療**を行うが（図1-1，2），歯および周囲組織の欠損範囲や状態は患者によって異なるため，治療の際はそれぞれの症例に応じた治療方法に基づいて，補綴装置の設計および材料を考慮しなければならない．

　有床義歯は，**作業用模型**上で製作されるが，口腔内に装着してもすぐに**補綴装置**として機能することは難しく，患者の口腔諸機能に応じて歯科医師が微妙な調整を行う必要がある．また，補綴装置は**人工装置**であるため，十分に機能させるためには患者自身がうまく使いこなせるような努力も必要となる．

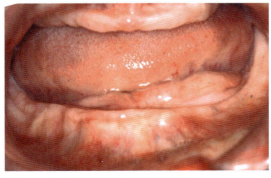
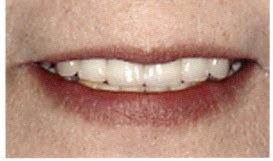

図1-1，2　有床義歯による補綴治療

有床義歯技工学

2 有床義歯技工学の意義と目的

　　有床義歯技工学の目的は，欠損歯，周囲組織および患者個々に異なる**顎運動**（**下顎運動**）を可及的に再現できる有床義歯を，**作業用模型**上で製作することである．製作された有床義歯は，患者の口腔内に装着されることによって，患者の**咀嚼**，**嚥下**，**発音**などの機能および**審美性**が回復され，失われた口腔の**形態的・機能的回復**によって患者の全身の健康が増進される．したがって，有床義歯技工学の意義は，**欠損歯**を有する患者の健康増進に間接的に寄与するものである．
　　人工装置によって欠損部分を補うことは歯科医学の大きな特徴であり，この意味において歯科技工学は歯科医学のきわめて重要な分野であるといえる．

3 有床義歯の種類

1）全部床義歯

　　上下顎あるいは上顎・下顎どちらかすべての**天然歯**が欠損している**無歯顎**の患者に対して，失った天然歯とともに，失われた**歯肉**および**歯槽骨**を人工的に置き換える装置で，患者自身で着脱可能な補綴装置を**全部床義歯**（総義歯，Complete denture, Full denture）という（図1-3）．無歯顎の患者の口腔内と同様の三次元的関係に位置づけられた無歯顎模型上で全部床義歯を製作するために，その理論的背景，技術および製作方法について習得するための学問が全部床義歯技工学である．
　　現在の形態に近い全部床義歯が製作されるようになったのは，西欧諸国では18世紀になってからで，フランスの **Pierre**（1678～1761）が全部床義歯などの基本的な技術を示したことによる．米国では **Wooffendale**（1742～1828）が上下顎全部床義歯を製作したのが最初であるといわれている．また，米国で最初に金属製義歯を製作したのは **Greenwood**（1798）で，初代大統領 George Washington の全部床義歯を製作した（1785）．一方，わが国では欧米諸国より100年以上早い江戸時代初期に，木や

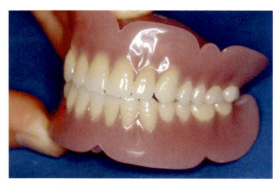

図1-3　全部床義歯

1. 有床義歯技工学概説

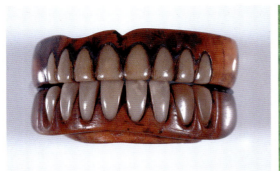

図1-4, 5　木床義歯

象牙に微細な彫刻を施す**細工師**から派生したと思われる**入れ歯師**によって，**木床全部床義歯**（図1-4, 5）が製作されたといわれている．木床義歯は，歯科医学の文化遺産として，現在も各地で大切に保管されている．

2) 部分床義歯

無歯顎に対応する全部床義歯に対し，残存歯を有する場合の**可撤性補綴装置**を**部分床義歯**（局部床義歯，Partial Denture）という（図1-6）．基本的な構造は，主に天然歯に代わる**人工歯**，顎堤や口蓋などの粘膜に接する**義歯床**，義歯を定位置に維持させる**支台装置**および2つ以上の床や支台装置をつなぐ**連結子**からなる．適応症例は，後方に歯が存在しない**遊離端症例**，多数歯欠損の**中間欠損症例**，**支台歯の骨植**などに問題があり**固定性補綴装置**が応用できない症例などである．

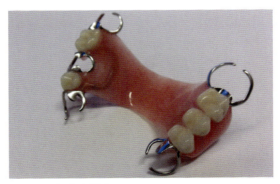

図1-6　部分床義歯

4 固定性補綴装置（ブリッジ）との相違

　歯を喪失したときには人工装置（補綴装置）で回復させるが，補綴装置は着脱の有無により**固定性**と**可撤性**の2種類に分類される（図1-7，8）．

　固定性補綴装置の**ブリッジ**は，形態を歯の喪失前の状態にほぼ修復することが可能で，患者自身の違和感も少なく，早期に口腔諸機能を回復する．しかし，欠損歯数が多くなったり，後方に残存歯が存在しない遊離端欠損の症例では，歯のみによって**咬合力**や**咀嚼力**を支持することが困難となる．一方，可撤性補綴装置の部分床義歯は，咬合力や咀嚼力を歯と**顎堤粘膜**，あるいは顎堤粘膜のみで支えるため，装着直後から**咀嚼機能**を回復するには限界があり，ブリッジに比べ異物感に対する慣れも必要である．

　表1-1にブリッジと部分床義歯の比較を示す．

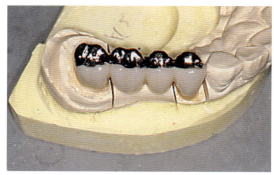

図1-7　固定性補綴装置（ブリッジ）

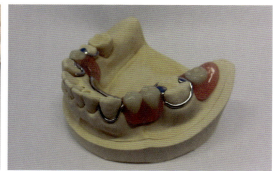

図1-8　可撤性補綴装置（部分床義歯）

表1-1　ブリッジと部分床義歯の比較

	ブリッジ	部分床義歯
着脱	不可（固定性）	可能（可撤性）
適応症例	欠損部位によって限界がある	ほとんどの欠損症例で可能
咀嚼力	天然歯とほぼ変わらない	天然歯に劣る
発音	天然歯と変わらない	やや劣る
審美性	良好である	劣る場合がある
装着感	異物感を感じない	異物感がある
歯の削除	多い	少ない
清掃	やや行いにくい	行いやすい
修理	困難	比較的容易

2 有床義歯の具備条件

　作業用模型上で完成した有床義歯を口腔内に装着した時点で診療が完了したと思われがちである．しかし，有床義歯が装着当初から十分に機能することは少ない．有床義歯が機能するためには，患者に使用させながら，口腔内状態や機能に合わせて歯科医師が調整を行うことが必要となる．早期に十分に機能させるには，有床義歯の完成度を高める必要がある．完成度の高い有床義歯を製作するためには，有床義歯に必要な要件を学ぶ必要がある．

1 形態的要件

1）顎関節

　下顎は**顎関節**によって**頭蓋骨**と連結している（図 2-1）．下顎骨の**関節突起**の**下顎頭**（顆頭）は側頭骨の**下顎窩**に嵌入し，その間には**線維組織**からなる**関節円板**が存在する．この関節構造によって，下顎頭の**回転**や**前下方移動**などが可能となり，下顎は比較的自由度の大きい微妙な動きを示す．顎関節は左右2カ所にあるため，一側の下顎頭が他側の下顎頭と無関係に単独で運動ができないという制約がある．

　技工作業においては，**咬合器**を用いて生体の顎関節の運動を再現しているが（後述），顎関節の微妙な動きに適合する補綴装置，特に全部床義歯を製作する必要がある．

2）有床義歯に関連のある筋

　下顎運動は**顎関節**を介して行われるが，そのときに主な役割を果たすのが**下顎骨**に

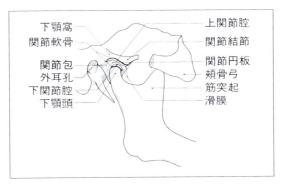

図 2-1　顎関節

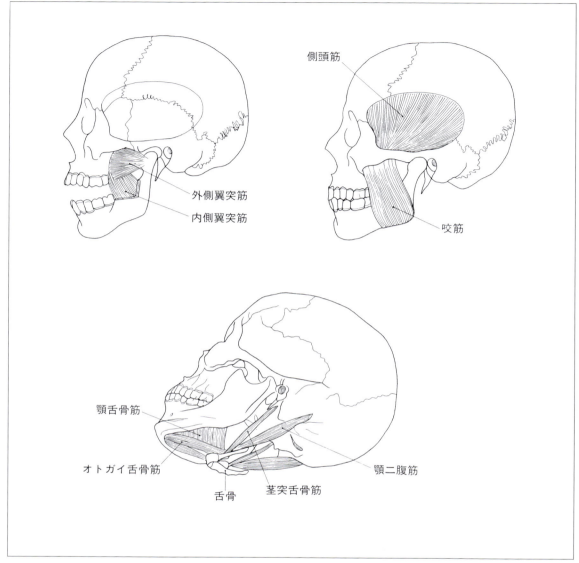

図 2-2　咀嚼筋
(佐野昌雄：要説解剖学. 南江堂, 東京, 1974.)

　付着する**咀嚼筋**である（図 2-2）．
　咀嚼運動は多数の筋肉の反射的な協調によって行われる．口を閉じる**閉口運動**には，**咬筋**，**側頭筋**および**内側翼突筋**が関与し，**開口運動**には**外側翼突筋**，**顎舌骨筋**，**オトガイ舌骨筋**および**顎二腹筋**が関与する．外側翼突筋は前方と**側方運動**にも関与している．咀嚼に際しては咀嚼筋のほかに**頰筋**，**舌筋**，**口輪筋**および**広頸筋**などの口腔周囲諸筋が緊密な共同作用を営んでいる（『顎口腔機能学』参照）．
　また，義歯の**義歯床研磨面**や**人工歯列**に対しては，内側からは**舌**が，外側からは**口唇**や**頰**の筋が常に圧を与え，義歯の位置を一定に維持するように働いている．このこ

2. 有床義歯の具備条件

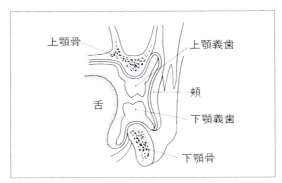

図 2-3　デンチャースペース（p.65 参照）

とは，全部床義歯の**人工歯列弓**をつくり上げるときに大切な要件となる（図 2-3）．

3）抜歯創の治癒経過

抜歯すると，周囲組織にさまざまな変化が生じ，**抜歯創**は一般的に以下のような治癒経過をたどる．

① 抜歯によって生じた**抜歯窩**は**血餅**で満たされ止血する．
② 抜歯窩は，抜歯後約 3 日目には**肉芽組織**で満たされる．
③ 抜歯後約 1〜2 週間後には**歯槽骨**が吸収し，抜歯窩底部から骨の新生が進行する．
④ 抜歯後約 3〜4 週間で表面の上皮はほぼ正常に近くなる．また，抜歯窩内の新生骨は密になり，抜歯創が一応治癒するのは 6〜9 週間後である．
⑤ 抜歯後約 6 か月間までに**新生骨**の添加，吸収が繰り返されながら治癒する．抜歯創が治癒すると歯肉は堤状となる．この歯肉の形態を**顎堤**（**歯槽堤**）という（図 2-4，5）．

したがって，**最終義歯**は抜歯後約 6 か月後に製作するのが理想であるが，通常，臨床においては抜歯創が一応治癒する 6〜9 週間後に製作に着手される．完成義歯を装着するまでの期間は，一時的に**暫間義歯**を装着することもある．

4）歯列弓と顎堤弓

歯が口腔内で一定の関係で並んでいる状態を**歯列**といい，歯列はほぼ楕円形に近い曲線を描いているため，この曲線を**歯列弓**という．また，歯槽の高まりを**顎堤**といい，歯列弓に相当する一連の顎堤の曲線を**顎堤弓**という．

5）咬合彎曲とスピーの彎曲

天然歯の咬合面は同一平面上になく，上顎臼歯の咬合面はわずかに後外側方を，下顎臼歯の咬合面はわずかに前内側方に向いている．この傾斜は後方歯ほど強く，隣接

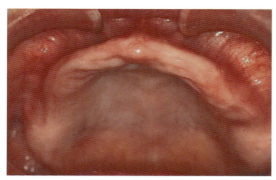
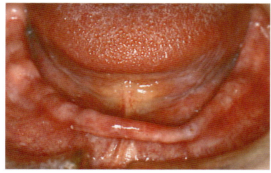

図 2-4, 5　無歯顎の顎堤

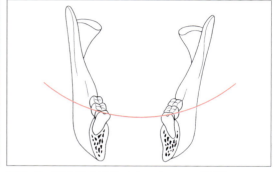

図 2-6　側方咬合彎曲（ウィルソンの彎曲）

する歯の咬合面は互いに移行し合うので，歯列全体としては下方に凸面をもつ球面に沿って彎曲しているようにみえる．このような天然歯列の咬合面でつくられる彎曲を**咬合彎曲**または**歯牙彎曲**という．

　咬合彎曲のうち，歯列の臼歯部を矢状面に投影したときに頬側咬頭頂を連ねた線を**前後的咬合彎曲**，前頭面に投影したときの頬舌側咬頭頂を連ねた線を**側方咬合彎曲**［**ウィルソン（Wilson）の彎曲**］といい，いずれも下方に彎曲した曲線となる．これらの彎曲は，咀嚼などの**下顎運動機能**と関係していると考えられている（図 2-6）．前後的咬合彎曲のうち，下顎にみられるものを特に**スピー（Spee）の彎曲**という．

　スピーの彎曲は Spee（1890）が見い出した解剖学的曲線で，下顎の犬歯尖頭と各臼歯の頬側咬頭頂を結んだ円弧の延長線が矢状面上で下顎頭の前縁を通る（図 2-7）．

　下顎頭，前歯切縁および臼歯の頬側咬頭は，半径が平均 4 インチ（約 10 cm）の球面［**モンソン（Monson）の球面**］に接しており，下顎運動はこの球面に沿う運動であるとした理論（モンソンの球面説）がある．現在は認められていないが，この球面に沿う彎曲（**モンソンカーブ**）を補綴装置の製作に応用することがある．

　また，天然歯が生理的に咬耗すると咬合彎曲が上方に凸面をもつようになる．このような彎曲を**アンチモンソンカーブ**という．アンチモンソンカーブが義歯に生じると，義歯の維持と安定を阻害する．

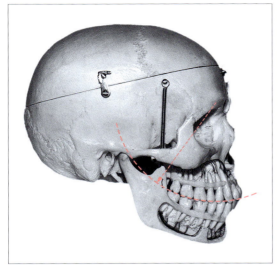
図 2-7　前後的咬合彎曲（スピーの彎曲）

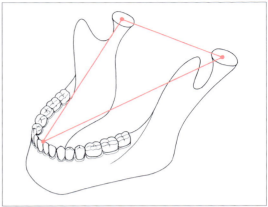
図 2-8　ボンウィル三角

6）ボンウィル三角

　両側の下顎頭上面中央と左右側下顎中切歯の近心切縁隅角の中点（切歯点）を結ぶ三角形を**ボンウィル（Bonwill）三角**という（図 2-8）．Bonwill（1858）が，この三角形は 1 辺 4 インチ（約 10 cm）の正三角形になると発表したため，このようによばれる．この三角形は，下顎骨の大きさを示すとともに，下顎の運動が，この三角形の 3 頂点の運動を調べることによって解明できるためきわめて重要である．現在用いられている多くの咬合器は，ボンウィル三角を基本として製作されている．

7）基準平面

　下顎運動は切歯点と顆頭点で表現するが，その動きを表すためには基準となる面が必要である．以下は咬合器の**基準平面**として用いられている（図 2-9）．

（1）咬合平面

　歯の咬合面を連ねると曲面を形成するが，下顎中切歯近心隅角の中点（切歯点）と両側の第二大臼歯遠心頬側咬頭頂を含む仮想の平面を**咬合平面**という．

（2）カンペル平面

　生体で，鼻翼下縁と耳珠上縁（または外耳道の中央）を結んだ線で決定される仮想平面を，発見者の名前をとって**カンペル（Camper）平面**という．正常な天然歯歯列をもつ人の咬頭嵌合位での咬合平面はカンペル平面とほぼ平行なので，歯科医師が全部床義歯の咬合平面を決定する場合に応用される．

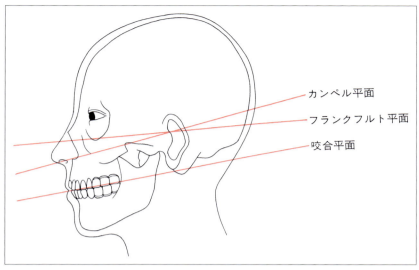

図 2-9 基準平面

（3）フランクフルト平面

フランクフルト（Frankfort）平面は頭蓋に対する水平基準面であり，眼窩下点と耳珠上縁（または外耳孔の最上縁）とを結んでできる平面である．咬合平面とは平行ではなく，ある角度をもって傾斜している．

2 機能的要件

1）咬合力

咬合によって，上下顎の歯の咬合面に加わる力を**咬合力**という．その大きさは測定方法，歯の種類や状態，咬合の状態，性および年齢などによって左右されるが，一般的に天然歯列の第一大臼歯で 30〜60 kg といわれている．日本人の咬合力は表 2-1 のとおりである．

全部床義歯装着者の咬合力は，正常天然歯列者の 1/3 以下で，時には 1/10〜1/20 と小さくなる．

2）咀嚼能率

食物を口腔内に取り込んでから上下顎歯列間で粉砕し，食塊を形成するまでの過程

表 2-1 天然歯列での咬合力（kg）

	前歯部	犬歯部	小臼歯部	大臼歯部
男	11.2	20.4	22.5	30.7
女	11.1	16.2	19.7	21.6

を**咀嚼**という．また，食物を介して上下顎の歯の咬合面に加わる力を**咀嚼力**といい，一定回数の咀嚼による食物の粉砕程度を**咀嚼能率**という．

粉砕能率だけを単独で物理的に検査する「**篩分法（ふるい分け法）**」が咀嚼機能検査として知られている．この方法は一定の食品（ピーナッツなど）を一定回数咀嚼させて，嚥下しないではき出させ，これを 10 メッシュのふるいにかけたときの食品の通過量を百分率の値（咀嚼率）で求める方法である．Manly（1950）によると，天然歯列で智歯のみが欠損しているときの値を 100％とすると，全部床義歯の咀嚼能率の平均は 25％で，最低 7％から最高 77％の幅がある．

最近ではグルコース含有グミゼリーを用いた咀嚼機能検査システムが使われている．

このように全部床義歯による咀嚼機能は，**有歯顎者**に比べてかなり劣るとされているが，その回復の幅は義歯製作の良否と大きく関与しており，歯科医師と歯科技工士の理論的背景や技術習得の重要さを示すものといえる．

3）発 音

天然歯が欠損すると，口腔内の環境が変化し**発音**にも影響する．このような**発音障害**は義歯によって回復されるが，有床義歯では**咬合高径**や**人工歯の排列位置**などが発音に大きく関係し，不適切な義歯はかえって発音を障害することがある．特に口蓋前方で調音する**両唇音**（マ行音，パ行音，バ行音など），**歯音**（サ行音，ザ行音など），**歯茎音**（タ行音，ダ行音，ナ行音）などは，義歯の口蓋部の形態が重要となる（**図 2-10**）．そこで，発音時の舌と口蓋の接触状態の良否を**パラトグラム描記法**によって検査することもある（p.80 参照）．歯科医師と歯科技工士が協力して適切な義歯を製作し，義歯装着による発音障害が患者に起こらないようにしなければならない．

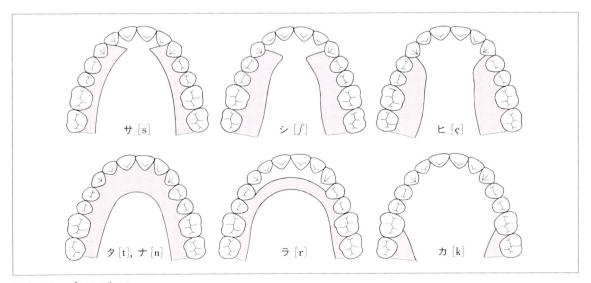

図 2-10　パラトグラム

3 審美的要件

歯の欠損に伴って顔面の口腔周囲組織にも形態的変化が現れ，顔貌も大きく変化する．特に**無歯顎**になると**顔面高**が短縮し，オトガイ部の前突，頰の凹陥，口裂の縮小や陥没，口唇の放射状のしわおよび鼻唇溝の著明化がみられ，著しく無気力な**老人様顔貌**となって（図2-11，12），審美性が低下する．有床義歯によってこれらの外観の回復・改善をはかるためには，以下のことを知っておく必要がある．

1）顔貌と歯の形態

上顎中切歯の形態は，その人の**顔貌**の外形の特徴とよく似させると審美的に調和がとれ，**方型**（S：square），**尖型**（T：taper），**卵円型**（O：ovoid）のウィリアムズ（Williams）の三基本型とこれらの**混合型**（C：combination）に分けることができる（図2-13）．また，性別とも関係があり，女性の歯は小さくて丸みがあり，男性の歯は大きくて角張る傾向がある．増齢的には切縁部の咬耗などが著明になる．

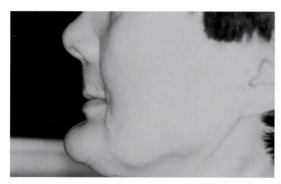
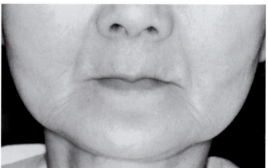

図2-11，12　老人様顔貌

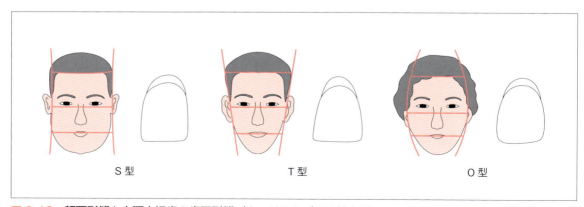

図2-13　顔面形態と上顎中切歯の歯冠形態（ウィリアムズの三基本型）

2．有床義歯の具備条件

2）歯の色調

　歯の**色調**は男性では黄褐色，女性では青白色を示すものが多く，年齢とともに濃くなる．また，その人の顔面の皮膚，髪の色，目および口唇などの色調に調和した自然観をもっている．したがって，人工歯の色調の選択は，原則として歯科診療所において歯科医師によって行われなければならない．

3）SPA 要素

　Fisher（1956）らは，義歯の自然観を表すために前歯部の人工歯を選択するにあたり，**性別**（sex），**性格**（personality）および**年齢**（age）（**SPA 要素**）などを含めて調和をはかることを提唱した．これは，人工歯や**人工歯排列**によって，性別，年齢とともに性格的にも繊細さ，力強さ，温厚さなどを表現しようとするものである．したがって，義歯をみることによって，それを使用している人が男性か女性か，若年者か高齢者か，さらに，その人の性格までもがわかる要素が備わっていなければならない．

　このようなことを義歯に表現するためには，有歯顎者の歯や口もとを絶えず観察し，**顔貌**と調和した歯や歯列の美しさをイメージとして知っておかなければならない．また，歯科医師からこれらの情報が提供されないと患者の顔貌に調和した**人工歯の選択**や**排列**は困難となる．人工歯の選択は患者の承認によってはじめて可能となり，歯科医師，歯科技工士が独断で行うことは好ましくない．

4 生物学的要件

　部分的な歯の欠損に伴い，その隣在歯に移動，傾斜および捻転，さらに対合歯の挺出などが起こり，その結果，咬合関係が乱れ，ひいては顎機能に異常を引き起こす可能性がある．このため，部分床義歯を装着することは，**残存歯**，**残存歯歯周組織**，**顎堤**，**顎関節**および**咀嚼筋**を保護し，健全に保つことに寄与する．しかし，装着された部分床義歯が適切でなければ，逆に残存歯の齲蝕や動揺を助長し，歯周組織の破壊，顎堤の吸収や変形などを引き起こす．したがって，そのような二次的な障害を引き起こさないためにも，部分床義歯に関する生物学的要件をよく理解して製作にあたる必要がある．

1）支台歯に加わる力とその影響

　支台歯は歯根膜を介して歯槽骨に植立されているため，義歯が機能して支台歯になんらかの圧が加わると，歯根膜の血液や組織液，コラーゲン線維などを介して，歯槽骨で**咬合圧**を負担することになる．咬合圧が過重な場合，組織学的には圧迫側に**歯槽骨の吸収**，牽引側に**歯槽骨の添加**が起こり，歯の移動ならびに動揺が生じる．したがって，個々の支台歯の**圧負担能力**を知り，欠損部との位置的関係や顎堤の状態など

を考慮して義歯の設計を行う必要がある．特に，支台歯は側方圧に比べて垂直圧に対する抵抗力のほうが強いため，**義歯の設計**においては，支台歯に加わる力のうちの水平成分を軽減し，垂直成分を主とすることが原則となる．

2) クラスプの装着による歯肉への影響

歯肉辺縁の清掃性は，齲蝕の予防，ならびに健康な歯周組織の維持にとって重要である．一般的に，歯の唇舌側形態は，咀嚼時の食片のスムーズな流れや，それによる適当な摩擦刺激と自浄性に関与するといわれており，**クラスプ**装着により支台歯の唇舌側形態が変化すると，自浄性が失われ，食物残渣が停滞して歯肉辺縁の清掃性が低下する可能性がある．したがって，クラスプの厚さ，ならびに支台歯歯面上の走行には十分な注意をはらわなければならない．特に，鉤腕は歯肉辺縁からなるべく離し，自浄性や清掃性への影響をできるだけ少なくしなければならない（15章参照）．

3) 床縁による残存歯歯肉の変化

予防的観点からみると，義歯床は口腔汚染の主体となる．特に，**残存歯の歯肉辺縁**に義歯床が近接すると，**義歯床の沈下**および**動揺**，**食物残渣の停滞**，**食片の圧入**，**生理的な自浄作用**の阻害などによって，歯肉辺縁が炎症を起こす．これを防ぐために，残存歯部の床縁は，上顎では歯頸部から 6 mm 以上，下顎では 3 mm 以上離して設定しなければならない．もし残存歯に接触させなければならない場合は，前歯部では基底結節まで延長し，臼歯部では**サベイライン**上か少し上方に設定して，歯肉辺縁部は**アンダーカット**の有無に関わらず**ブロックアウト**を行う（p.156 参照）．

4) 義歯床による顎堤の変化

義歯床を介して顎堤に**咬合圧**が加わっても，軟組織の**被圧変位性**と**粘弾性**によって咬合圧が緩衝されるため有害な刺激とはならず，かえって粘膜上皮細胞層の増殖能の活性化や上皮下組織との強固な結合が進んで，より咬合圧に対応できる状態に改造される．しかし，粘膜上皮細胞層が薄いなどの理由で咬合圧を十分に緩衝できない場合は，粘膜の炎症，潰瘍形成や骨吸収などの破壊的反応が生じる．したがって，咬合圧を均等に広く分散するために，**リリーフ**などの処置が必要となる．

II

全部床義歯
技工学

印象体の管理

印象体や試適後の技工物に対しては，スタンダード・プリコーション（Standard Precaution）の考え方にそって，洗浄，消毒すべきである．スタンダード・プリコーションとは，「誰もが何らかの感染症をもっている可能性がある」と考えて，すべての患者に対して実践する医療現場での感染予防策の基本的手順（標準予防策）のことである．

ただし，印象体の消毒は特殊であり，消毒効果を上げれば印象体は変形，劣化するため，精度への影響が生じず，かつ効果的な消毒方法が望まれる．

公益社団法人日本補綴歯科学会「補綴歯科治療過程における感染症対策指針2019」によると，以下の消毒方法が推奨されている．

採得された印象体はすみやかに流水で血液や体液を十分に洗い流す（図1）．乾燥させないことが重要で，流水が使えない場合は，水に浸して乾燥を防ぎ，後に洗浄する．血液や体液が付着したまま乾燥させた場合には，その後消毒を行っても感染性が残る危険性が高い．

印象体の水洗はアルジネート印象材で120秒間，シリコーン印象材で30秒間行う．次いで水洗した印象体は，下記のいずれかの方法で消毒薬に浸漬して消毒する（図2）．

① 0.1～1.0％次亜塩素酸ナトリウム溶液に15～30分間浸漬する．
② 2～3.5％グルタラール溶液に30～60分間浸漬する．グルタラールの代替消毒薬としてフタラールも使われる．

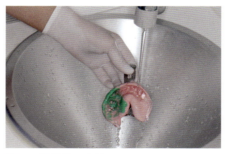

図1　**印象体の水洗**
アルジネート印象材で120秒間，シリコーンゴム印象材で30秒間行う．

図2　**消毒薬への浸漬**
次亜塩素酸ナトリウム溶液に15～30分間浸漬する．

3 全部床義歯の特性

到達目標

① 全部床義歯の構成要素を説明できる.
② 全部床義歯を分類できる.
③ 全部床義歯の維持，安定および支持について説明できる.

1 全部床義歯の構成要素

全部床義歯は人工歯と義歯床から構成される（図3-1〜3）.

1）人工歯

人工歯は，**天然歯列**が存在していた場所に相当する部分にあり，天然歯に代わり**陶材**，**レジン**，**硬質レジン**または**金属**を使って人工的に製作されたものである.

人工歯は，臼歯部では大きな咀嚼力を支えるために強靱で**解剖学的・機能的形態**をもち，前歯部では**審美性**が要求される.

人工歯の咬合する部分を**咬合面**という.

2）義歯床

義歯床とは人工歯部以外のすべての部分で，全部床義歯の大部分を構成している. 欠損を回復し人工歯を支える**歯槽部**，歯槽部から床縁に至る**床翼部**，および上顎義歯の**口蓋部**を覆う**口蓋床**からなる.

義歯床の役割は**顎堤粘膜**と密着して義歯を維持し，咀嚼時に人工歯を介して伝わる咀嚼力を顎堤粘膜に伝えることである. また，咀嚼によって食塊が形成された後は，舌が口蓋床に食塊を押しつけて咽頭へ送り込むため**嚥下機能**にも大きく関与する.

義歯床の表面は部位によって次のようによばれている.

① **義歯床粘膜面**（**基底面**）：顎堤粘膜と密着して**義歯の維持・安定**の役割を担い，**咀嚼圧**を顎堤粘膜に伝える重要な部分である. したがって，顎堤粘膜と緊密に適合していなければならない.

② **義歯床研磨面**：唇，頰および舌と接触する部分で，これらの組織と調和した形態と滑らかさが求められ，**義歯の維持・安定**に大きく寄与する.

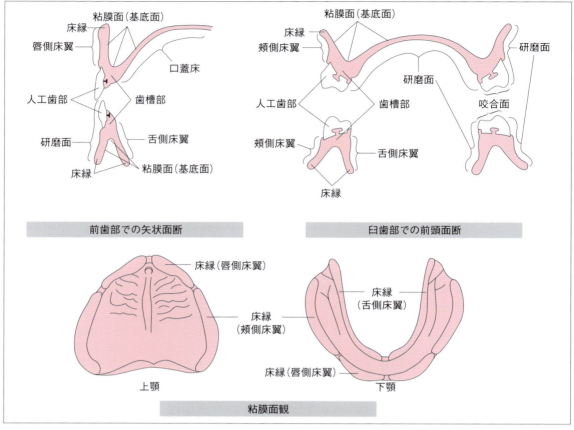

図 3-1　全部床義歯各部の名称

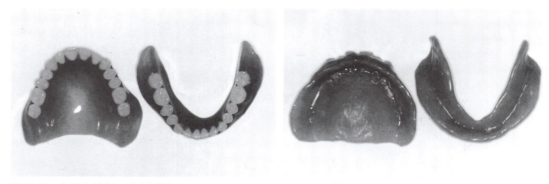

図 3-2　全部床義歯の咬合面観　　　図 3-3　全部床義歯の粘膜面観

　③　**床縁**：義歯床の粘膜面部と研磨面部との境界部分をいう．**義歯の維持**に大切な部分であり，周囲組織の動きと調和した形態でなければならない．その形態は義歯床の後縁部を除いて**コルベン状**となっている（図3-4）．

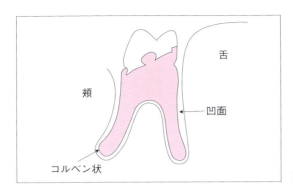

図 3-4　床縁のコルベン状形態

2 全部床義歯の種類

1) 使用目的による分類（p.109 参照）

（1）最終義歯（本義歯）

抜歯後，抜歯創が完全に治癒した後，最終的な設計によって製作する義歯である．

（2）暫間義歯（仮義歯）

最終義歯が装着されるまでの間，患者の審美性，咬合関係および咀嚼機能などを保持することを目的に，一定期間だけ装着される義歯である．

a. 即時義歯

抜歯後ただちに装着できるように，抜歯後の状態を予測して，抜歯前に作業用模型上で製作する義歯である．

b. 治療用義歯

最終義歯を製作する途中の段階において，咬合の改善や義歯に対する慣れなどを目的として装着される義歯である．

c. 移行義歯

少数歯が残存し，近い将来抜歯によって全部床義歯への移行が見込まれる場合に，人工歯の追補や義歯床の修理が円滑に行えるように設計に配慮した義歯である．

3 全部床義歯の口腔内での維持，安定および支持

全部床義歯ではすべての歯が失われているため，**義歯の維持・安定**は口腔内の環境や周囲組織との間の微妙な関係によって成立する．完成した全部床義歯が，患者の口腔内に装着されて機能を発揮するためには，ほかの補綴装置以上に技工作業についての知識と技術の習得が重要な要素となる．

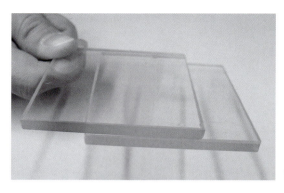

図3-5　全部床義歯の物理的維持（粘着）

1）義歯の維持

義歯の維持とは，静的な状態で義歯床下粘膜から義歯を離脱させようとする力に対して抵抗することを意味する．口腔内に装着された全部床義歯が正しい位置に保たれ，義歯床下粘膜への適合が良好で転覆や離脱などを起こさない状態を「義歯の維持がよい」と表現する．

全部床義歯の維持は，主として義歯床が義歯床下粘膜に緊密に適合していることによって得られる．その要素を分析すると，物理的要件と解剖学的要件に分けられる．

（1）物理的維持

物理的維持は，義歯床と義歯床下粘膜の間に成立する接着，粘着および吸着によって得られる．これらの物理的維持を確実にするためには，義歯床を高い精度で製作することが重要で，技工技術の習熟が要求される．

a．接着

接着とは，相接する2つの物体の接合面に現れる分子間引力によって生じる現象で，その引力を接着力という．接着力は接する物体の面積が広いほど大きくなるが，全部床義歯では，その面積は印象採得によって得られる不動粘膜の面に限定される．また，接着力は，接触するものどうしの間隙が狭くて均等であるほど大きくなる．

b．粘着

粘着とは，異質の2つの物体面が接したときに異分子が互いに牽引粘着する現象をいい，このときに作用する分子力を粘着力という．たとえば，2枚のガラス板間に液体が介在するときに離れにくくなるのは，粘着力が働いているためである（図3-5）．

口腔内に装着された義歯は，義歯床と義歯床下粘膜との狭い間隙に唾液が存在し，粘着力が得られる．したがって，義歯床と義歯床下粘膜とがよく適合しているほど粘着力は大きくなり，脱離しにくくなる．

c．吸着

吸着とは，咬合圧や吸引によって義歯床と義歯床下粘膜との間の空気が排除されて，ここに陰圧が生じ，義歯床が義歯床下粘膜に向かって圧迫されている状態をいう．

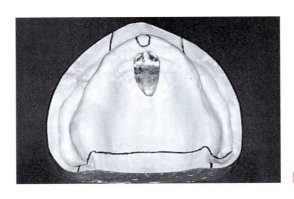

図 3-6　リリーフ

義歯床と義歯床下粘膜の間から排除された空気が再び侵入することを防ぐ義歯の仕組みは，**辺縁封鎖**とよばれる．辺縁封鎖は，義歯床の周囲筋が床縁を押さえつけるようにすればよく，その目的のために，歯科医師によって**筋圧形成（辺縁形成）**という特殊な印象方法が行われる．

(2) 解剖学的維持

解剖学的維持は，義歯床によって覆われる顎堤の形態や顎堤粘膜の性状，義歯床周囲組織によって大きく左右される．これらへの技工学的対処法として，顎堤の形態や顎堤粘膜の性状については**咬合圧負担**を均等化するための**リリーフ**を行い（図 3-6），義歯床周囲組織については，たとえば，床縁の位置を小帯などの可動組織部から避ける．また，床縁の形態を**コルベン状**にすることによって，義歯周囲筋の働きを義歯の維持に有効に利用する．

2) 義歯の安定

義歯の安定とは，**咀嚼**，**嚥下**および**発音**などの機能時に動揺しないことを意味し，義歯が動揺を起こさない状態を「義歯の安定がよい」と表現する．

全部床義歯では，義歯の安定をはかるために特有の配慮が必要となる．たとえば，適切な**人工歯排列**，**咬合関係**および人工歯の**咬頭傾斜**などが技工学的に与えられている義歯では，咬合圧や咀嚼圧が義歯の安定を助けることになる．すなわち，人工歯の排列を工夫して前方・側方運動時に多数の咬合面や切縁が接触するようにすれば，義歯はバランス（平衡）を保ち安定する．また，一側の上下顎人工歯で**食片**をかんだときに与える咬合（**片側性平衡咬合**など）も，義歯の安定に応用される．

3) 義歯の支持

支持とは補綴装置に加わる**咬合圧**や**咀嚼圧**を支えることであり，**歯根膜負担**，**歯根膜粘膜負担**，**粘膜負担**の 3 つの支持様式があるが，全部床義歯は粘膜負担義歯である（p.107 参照）．

4

全部床義歯の製作順序

到達目標

① 全部床義歯の製作順序を説明できる.

1 歯科診療所と歯科技工所における作業の関連

　全部床義歯（レジン床）を製作する順序を，歯科診療所における診療行為と歯科技工所における技工作業に分けて図4-1に示す．全部床義歯の製作には歯科医師と歯科技工士との連携が大切であり，歯科技工指示書はもちろんのこと，緊密な連絡のもとで技工作業を行わなければならない.

　製作方法および製作順序にはいくつかの種類があるが，ここでは基本的な製作方法に従い，歯科技工所で行う作業を以下に示す.

1) 個人トレーの製作

　① 　無歯顎者の口腔の形態を口腔外で再現するため，その陰型を製作する操作を**印象採得**といい，それに使う道具を**トレー**という．はじめに，歯科医師が**既製トレー**で**概形印象**を採得し，その印象面に模型材（石膏）を注入して，**研究用模型**を製作する.

　② 　歯科技工士はこの研究用模型上で患者個々に合わせた**個人トレー**を製作する．歯科医師は個人トレーを用いて，さらに精密な口腔内の陰型を採得（**精密印象**）する.

2) 咬合床の製作

　① 　個人トレーを用いて採得された精密印象に模型材を注入して**作業用模型**を製作する.

　② 　この作業用模型上で歯科医師による全部床義歯の設計が行われ，その設計に従って**咬合床**を製作する．咬合床とは，歯科医師が次に行う上下顎の顎間関係を記録する臨床操作（**咬合採得**）に必要となる器具で，喪失した歯と顎堤の代わりを担う.

3) ろう義歯の製作（人工歯排列）

　① 　咬合床を用いて記録された上下顎の顎間関係を口腔外で再現するため，この記録を利用して，上下顎の作業用模型を**咬合器**に装着する.

24

② 咬合器上で，咬合床のワックス部分に人工歯を排列（**人工歯排列**）し，患者の咬頭嵌合位（中心咬合位）を再現する．

③ 併せて歯の喪失に伴って損なわれた歯肉形態を，人工歯を排列したワックス上に再現する．この技工操作を**歯肉形成**とよび，これらにより**ろう義歯**ができる．

4）義歯の完成

① ろう義歯が患者の口腔内で問題ないことが歯科医師により確認されたならば，ろう義歯のワックス部分を義歯床用レジンなどに置き換えて義歯を完成させる．このレジンに置き換える一連の作業を**埋没**，**重合**という．

② レジン重合の完了した義歯を咬合器に**再装着**し，**削合**とよばれる人工歯の咬合接触関係を修正する作業を行ったのち，義歯の表面を滑沢に磨き（**研磨**），義歯を完成させる．

有床義歯技工学

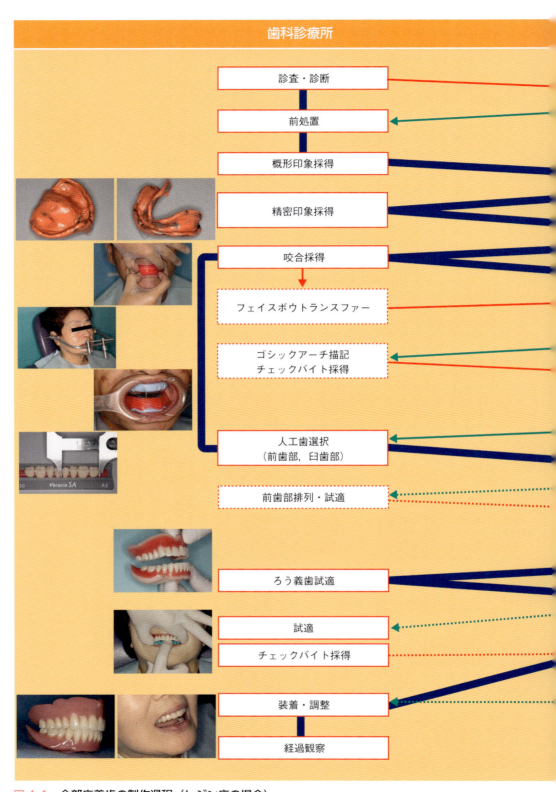

図 4-1　全部床義歯の製作過程（レジン床の場合）

4. 全部床義歯の製作順序

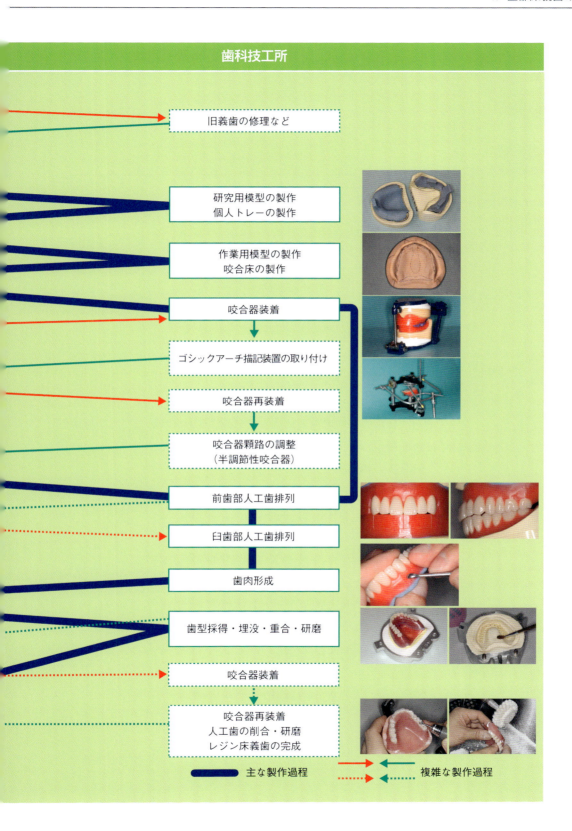

5 全部床義歯の印象採得に伴う技工作業

到達目標

① 模型上の解剖学的ランドマークを列挙できる．
② 研究用模型を製作できる．
③ 個人トレーの目的を述べる．
④ 個人トレーを製作できる．
⑤ 作業用模型を製作できる．

1 無歯顎

　天然歯をすべて喪失した顎を**無歯顎**といい，喪失によって生じる骨吸収の後に，残留した歯槽骨あるいは顎骨と顎堤粘膜によって形成される堤状の高まりを**顎堤**とよぶ．無歯顎では顎堤が弓状の形態を示すことから**顎堤弓**ともよばれる．また，顎堤の最も高い部位を**歯槽頂**（**顎堤頂**）とよぶ（図5-1～6）．

　石膏で作られた作業用模型では均一に思われる顎堤であるが，そこには種々の解剖学的ランドマークが存在し，それを理解することで，口腔内で十分に機能する全部床義歯製作が可能となる．

1）上顎の解剖学的ランドマーク

　① **硬口蓋**：口蓋前方にある上顎骨口蓋突起と口蓋骨水平板からなる口蓋粘膜に覆われた硬い部分．その後方に嚥下や発音などの機能時に挙上する**軟口蓋**がある．

　② **切歯乳頭**：正中部の歯槽頂に近い部分にあり，その粘膜下には神経と血管が通る切歯孔という骨の孔が存在する．前歯部人工歯排列や咬合平面の指標となる．

　③ **正中口蓋縫線**：硬口蓋の正中部に存在する骨の癒合部．

　④ **口蓋隆起**：口蓋正中部に発現する限局性の骨隆起．被覆粘膜が薄いため，要リリーフ部位となる．

　⑤ **口蓋ヒダ**（**横口蓋ヒダ**，**口蓋皺襞**）：切歯乳頭から第二小臼歯相当部に至るヒダで，口蓋縫線の左右に存在する．

　⑥ **口蓋小窩**：口蓋縫線の後端部に正中を挟んで両側に存在する小さな凹み．義歯床後縁設定の指標となる．

⑦ **上顎結節**：上顎顎堤の後端部はもともと歯が存在しなかったため，ほかの歯槽部が吸収された結果として生じた隆起部．被覆粘膜は薄く硬い．義歯床はこれを完全に覆う必要がある．

⑧ **ハミュラーノッチ**：上顎結節の遠心端にみられる骨の凹部．その上には**翼突下顎ヒダ**という粘膜のヒダが通っているため，模型上では不明確である．義歯床後縁設定の指標となる．

⑨ **アーライン**：口蓋の可動部と不動部の境界線．「アー」と発音すると振動する．義歯床後縁設定の指標となる．

⑩ **口腔前庭**：顎堤弓と口唇，頬との間に挟まれた空間．歯科医師によって決定される義歯床縁がここを適切に満たすことで辺縁封鎖がはかられる．模型上では溝状になり，この部の厚みと長さを適切に義歯に再現する必要がある．

⑪ **小帯**：上顎顎堤外側部の正中に**上唇小帯**，左右小臼歯部に**頬小帯**が存在する．この部分は咀嚼や発音時の可動性が大きいため，義歯の床縁はここを避けて設定する．

2）下顎の解剖学的ランドマーク

① **レトロモラーパッド**：下顎顎堤の後端にみられる粘液腺（臼後腺）を含んだ軟組織からなる洋梨状の隆起．無歯顎になっても形態的変化が少ないため，義歯床後縁の設定や仮想咬合平面の後方基準に利用される．

② **頬棚**：下顎顎堤の大臼歯部の頬側付近にみられる比較的平坦な部位．骨組織は緻密で，咬合平面に対してほぼ平行なため，義歯の咬合圧を負担するのに適している．

③ **顎舌骨筋線**：大臼歯部から小臼歯部の舌側に前下方に斜走する**顎舌骨筋**が付着する隆線．臼歯部の舌側床縁はここを超えた位置に設定する．要リリーフ部位．

④ **下顎隆起**：小臼歯部舌側面，特に第二小臼歯部付近に好発する骨隆起．床外形の設定に障害となることが多い．要リリーフ部位．

⑤ **オトガイ棘・オトガイ結節**：顎堤吸収が著しい症例では，舌側正中部にはオトガイ棘，唇側には正中を挟んで左右にオトガイ結節という筋の付着部の高まりがみられることがある．

⑥ **オトガイ孔**：下顎第二小臼歯部の頬側粘膜下骨面に存在する神経や血管の通り道．顎堤の吸収が著しい症例では歯槽頂部にみられることもある．要リリーフ部位．

⑦ **小帯**：下顎顎堤の外側は，前歯部には**下唇小帯**が，左右の小臼歯部には**頬小帯**が存在する．舌側の正中部には可動性の大きい**舌小帯**がある．

⑧ **口腔底**：舌と下顎骨内面の舌下粘膜部から構成される口腔の下壁．舌は模型上では表れない．

有床義歯技工学

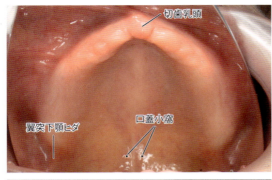
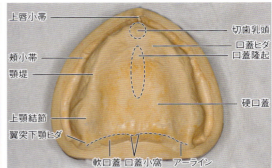
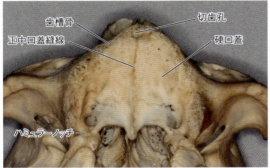

図 5-1〜3　上顎無歯顎

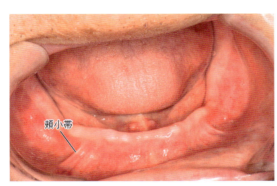
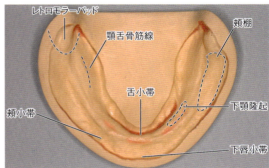
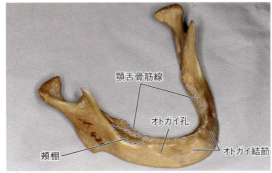

図 5-4〜6　下顎無歯顎

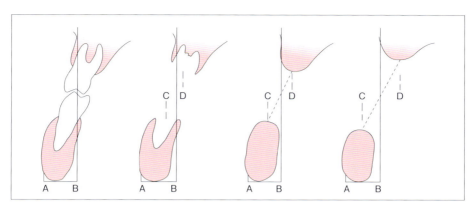

図 5-7 抜歯後の垂直的な歯槽頂の変化
A-B：上顎骨上のある1点と下顎外側縁までの同一距離，C，D：歯槽頂の中央部
(Boucher et al.: Prosthodontic treatment for edentulous patients. 7th ed., Mosby Inc., 1975.)

3) 無歯顎の対向関係

(1) 顎堤の経時的変化

　経年的に顎堤の吸収は進み，垂直的にその高さは低くなるため，義歯の維持・安定は求めにくくなる．顎堤吸収は上顎よりも下顎で早く進み，全身疾患や不正な義歯の使用が顎堤吸収を助長する．

　水平的にみると，上顎では，内板より外板の吸収が大きいため，吸収の進行に伴い，歯槽頂は徐々に内側（口蓋側）に移動し，顎堤弓が徐々に小さくなる．一方，下顎では，内板の吸収が大きいため，歯槽頂は外側（頰側）へ移動し，顎堤弓はわずかに拡大する（図5-7）．したがって，上下顎の歯槽頂を結ぶ線（歯槽頂間線，p.65参照）は経時的に傾斜していく．

(2) 上下顎顎堤の相対的な位置関係

　上下顎顎堤の対向関係は，全部床義歯の安定した咬合関係の獲得に影響する．

a. 矢状面での対向関係

　矢状面的にみると，①平行型，②後方離開型，③前方離開型の3つに大別される（図5-8）．前方離開型は調節彎曲の付与が難しく，義歯の推進現象が起こりやすく不利である．

　前歯部顎堤については，上顎に対して下顎が正常な場合（**正常型**），前方にある場合（**下顎前突型**）および後方にある場合（**下顎後退型**）の3つに分けられる（図5-9）．上顎では唇側の骨吸収が大きいため，経時的には下顎は上顎に対して前方位に位置するようになる．

b. 前頭面での対向関係

　臼歯部における上顎顎堤弓の縮小，下顎顎堤弓の拡大により，経時的には歯槽頂間

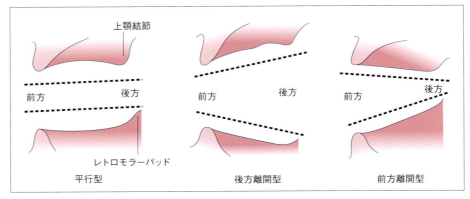

図 5-8 無歯顎の矢状面的対向関係
(市川哲雄ほか編:無歯顎補綴治療学 第3版. 医歯薬出版, 東京, 2016, 54.)

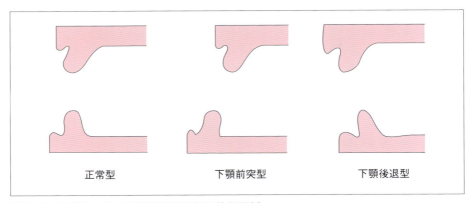

図 5-9 矢状面での上下顎前歯部顎堤の位置関係

線はハの字を呈するようになる.

2 無歯顎の印象とトレー

　義歯を口腔外で製作するためには，口腔内の形態を正確に再現する模型が必要である．歯科医師が口腔内の陰型をとり，その陰型に模型材（石膏）を注入して模型が製作される．この陰型をとる作業を**印象採得**といい，採得された陰型を**印象**という．また，印象を採得するための材料を**印象材**といい，印象材を盛って口腔内に挿入するための器具を**トレー**という．
　模型の製作は歯科技工士が行う場合が多い．模型はすべての技工作業の基礎となるので，変形や破損がないように慎重に取り扱わなければならない．

1) 無歯顎の印象の特徴

　無歯顎の顎堤は可動性に富む軟組織に囲まれ，被圧変位量が部位で異なり，変形し

やすいことなどから，1回の印象採得ですべての形状を正確に採得するのは困難である．そこで，従来より症例に対応したさまざまな術式が考案されているが，ここでは一般的に行われている，概形印象と精密印象の2回に分けて採得する方法について記載する．

2）印象法の種類

（1）印象の目的による分類

① **概形印象**：**研究用模型**を得るための印象．

② **精密印象**：**作業用模型**を得るための印象．

（2）粘膜への印象圧の負荷による分類

① **無圧印象**：印象圧を最小限に抑え，義歯床下粘膜に変位が生じていない状態を再現する．

② **加圧印象**：印象圧をかけて粘膜を加圧し，咬合圧下の義歯床下粘膜の状態を再現する．

③ **選択的加圧印象**：咬合圧が負担可能な部位には積極的に加圧を行い，負担させるべきでない部位には印象圧を減じる．

（3）印象方法による分類

① **解剖学的印象**：顎口腔諸組織の解剖学的形態をできるだけ静的な状態で採得する印象．特に軟組織部では，無圧印象と同義である．

② **機能印象**：義歯の機能時に義歯床下粘膜に咬合圧をできるだけ均等に負担させるために，被圧変位量に応じた力で加圧し，さらに顎堤周囲の可動組織の動的状態をも記録することを目的とした印象．床縁部の筋や粘膜の動きを採得する**筋圧形成印象**や，圧負担域を対象とする**加圧印象**なども含まれる．

3）概形印象と研究用模型の製作

はじめに歯科医師により概形印象が採得される．概形印象には既製トレー（図5-10）が使用され，印象材には一般的にアルジネート印象材（図5-11）が用いられている．モデリングコンパウンド（図5-12）は取り扱いが難しいため最近ではほとんど用いられない．

概形印象から製作する模型を**研究用模型**（スタディモデル）とよび，印象域の概形をつかみ，診査，治療計画の立案および個人トレー製作のために使用される（図5-13，14）．

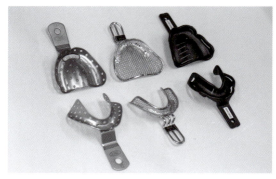
図 5-10　無歯顎用の既製トレー

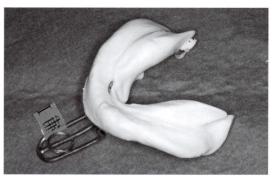
図 5-11　アルジネート印象材による概形印象

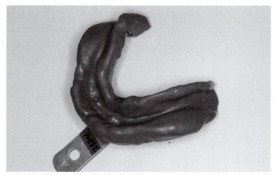
図 5-12　モデリングコンパウンドによる概形印象

図 5-13　研究用模型の製作
模型材を注入する．

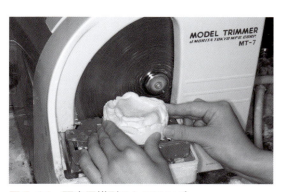
図 5-14　研究用模型のトリミング

4）個人トレーの製作

　　無歯顎の顎堤形態や粘膜の状態は個人差が大きく，既製トレーに修正を加えただけでは望ましい印象を採得することは困難である．そこで，患者個々の口腔内に適合したトレー（**個人トレー**）をつくり，**精密印象採得**を行う必要がある．個人トレーの設計は歯科医師が行う．選択する印象方法によってリリーフ，スペーサー，ストッパーの位置，形態などが異なる．個人トレーの製作は歯科技工指示書に基づいて歯科技工士に委託される．

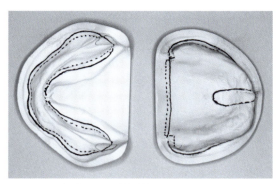

図 5-15　個人トレー外形線の記入
実線は予想される義歯床の外形線で，点線がトレー体部の外形線を示す．

（1）外形線の記入

　個人トレーの外形線は，全部床義歯の床外形線を基準として決定される．床外形線は，歯科医師が口腔内を診査して決定し，研究用模型上に記入する（図 5-15）．精密印象を解剖学的印象で行う場合には，個人トレーの外形線と床外形線は一致させ，機能印象を前提とする場合には，個人トレーの外形線は床外形線よりも 2〜3 mm 短く設定する．これは筋圧形成のためにコンパウンドなどを添加するスペースが必要なためである．ただし，上顎の口蓋後縁部は，床外形線よりもやや長めに設定する．

（2）研究用模型の修正

　顎堤粘膜に印象圧を加えたくない部位には，研究用模型上にリリーフやスペーサーを付与して個人トレーを製作する．トレーと被印象体との間隙を大きくすれば，印象圧を小さくすることができる．ストッパーはトレーの位置決めに必要であるが，設けない場合もある．

a．リリーフ（緩衝）

　歯科技工指示書に基づいて，印象圧を小さくする部位にシートワックスやパラフィンワックスなどを添加して研究用模型を修正する．

　リリーフは以下の部位について指示される．

　① 粘膜が薄く，咬合力がかかると疼痛を起こす部位：**口蓋隆起，下顎隆起，顎舌骨筋線**部，骨の鋭縁部

　② 粘膜の弾性が大きく，変形する部位：**フラビーガム**

　③ 神経・血管の開口部：**切歯乳頭（切歯孔**部），**オトガイ孔**部

　④ 経時的に変形する部位：比較的新しい**抜歯窩**など

　その他，レジン硬化後に個人トレーが模型から取り外せるように，**アンダーカット**部をワックスで埋める．

b．スペーサー

個人トレーと顎堤粘膜の間に一定の厚さの印象材が介在するように設ける間隙である（図5-16, 17）．間隙の厚みは印象法によって異なり，パラフィンワックスやシートワックスを用いて厚さを決定し，研究用模型上に圧接する．

（3）トレー用常温重合レジンの圧接

トレーには常温重合レジンが用いられる．粉末と液を正確に計量し，専用のプラスチックボウルを用いて練和する．餅状になったらポリエチレンフィルムを敷いたトレーモールド上に移し，3 mm程度の厚さに平らに伸ばす．分離剤を塗布した研究用模型上にのせ，手指で圧接して2 mm程度の均一な厚さに修正する．トレーの柄は印象採得時に口唇，頰および舌の運動を妨げないように，また，口腔への挿入と撤去がしやすいような形態に製作する．下顎の臼歯部には咬合平面の高さに，口腔内でトレーを保持し，圧接するための**フィンガーレスト**が設定される（図5-18〜23）．

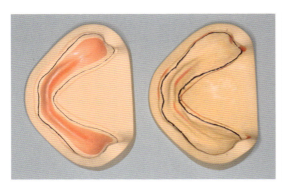

図5-16　研究用模型の前処置
スペーサーを設定する場合（左）と設定しない場合（右）

図5-17　下顎個人トレー
左にはスペーサーのためのワックスが含まれている．

図5-18, 19　トレー用常温重合レジンの練和
専用のプラスチックボウルとヘラを用いて，計量された液と粉末を練和する．餅状になったら，手指で3 mm程度の厚さに平らに伸ばす．柄の部分のレジンは別に残しておく．

5. 全部床義歯の印象採得に伴う技工作業

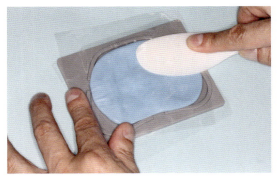

図 5-20 トレーモールドの使用
トレーモールドの上に餅状レジンを置き，ヘラや専用のロールなどで均等な厚みになるように伸ばして形成する．ポリエチレンフィルムで挟むと操作がしやすい．

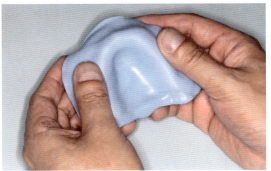

図 5-21 トレーレジンの模型への圧接

図 5-22 軟らかいうちに素早く不要な部分をカットする

図 5-23 柄は中切歯の植立方向を想定した位置につける

図 5-24 トレーの形態修正と研磨

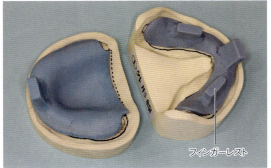

図 5-25 個人トレーの完成
下顎の臼歯部にはフィンガーレストが設定されている．

（4）調整，研磨

　常温重合レジンの硬化後，研究用模型上に記入されたトレー外形線に一致するように，**タングステンカーバイドバー**などで調整し，研磨，完成する（図 5-24，25）．

有床義歯技工学

3 精密印象と作業用模型

　　個人トレーを用いて歯科医師により精密印象が採得される（図 5-26〜29）．印象材には一般的にシリコーンゴム印象材が用いられている．一部に酸化亜鉛ユージノール印象材やポリエーテルゴム印象材も使用されるが，その数は最近ではきわめて少ない．

　　精密印象から製作する模型を**作業用模型**とよぶ．

1）ボクシング

　　無歯顎印象にとって，印象辺縁部は最も大切な部位である．この印象辺縁部を保護して作業用模型に再現することと，作業用模型基底面を以後の技工作業に耐えられる所要の厚さにすること，さらに注入した石膏が不要な部分に流れないようにすることを目的に，印象外周にワックスやボクシングメタルで箱枠をつくる作業を**ボクシング**という（図 5-30〜32）．

図 5-26　トレー辺縁にモデリングコンパウンドを添加しトーチで軟化する

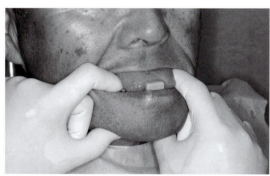
図 5-27　口腔内で機能運動を指示し，筋圧形成を行う

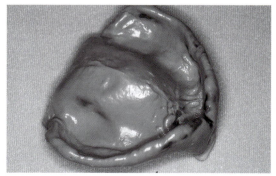
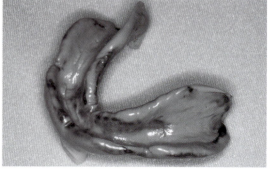
図 5-28, 29　筋圧形成が完了したらシリコーンゴム印象材を用いて最終印象採得を行う

2） 石膏の注入

作業用模型には，一般的に**硬質石膏**か**超硬質石膏**が用いられる．石膏はメーカー指示の混水比を守り，真空練和器を用いて気泡の発生を防ぎ，素早く練和する．バイブレーターを用いて印象内面の一方から気泡が入らないように慎重に注入する（図5-33）．

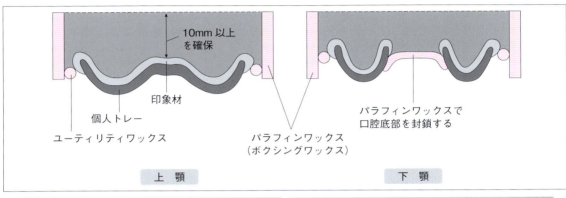

図 5-30～32　ボクシング
印象辺縁よりも約 5 mm 下方の位置にユーティリティワックスを巻きつけ，溶着する．次に，パラフィンワックスやボクシングワックス，ボクシングメタルを印象の最高部よりも約 13 mm の高さになるように巻きつける．下顎の舌側部は舌による空隙があるので，パラフィンワックスを切り取って口腔底部を形成する．

図 5-33　石膏の注入
バイブレーター上で一方から空気を巻き込まないように注意して，石膏を注入する．

3）作業用模型の仕上げ

　　作業用模型の基底面は，口蓋および口腔底部の厚さが薄い部位でも，約10mm確保されるように製作する．また，基底面が顎堤および想定される仮想咬合平面とできるだけ平行になるように，モデルトリマーで調整する．側面は基底面と直角になるようにトリミングして，全体に丸型に仕上げる．

　筋圧形成により得られた辺縁部が破損しないように，仕上げには特に注意が必要である．作業用模型の辺縁は歯肉唇頬移行部から外側に少なくとも3mm程度の石膏を残して整える（図5-34〜35）．

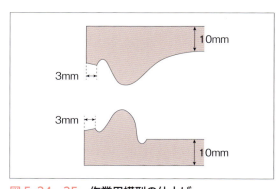 

図5-34, 35　作業用模型の仕上げ
作業用模型の基底面は，上顎の口蓋部，下顎の口腔底部の厚さが10mm程度になるようにする．辺縁部は，外側に3mm程度の幅を確保する．

6 全部床義歯の咬合採得に伴う技工作業

到達目標

① 咬合採得の目的を述べる.
② 咬合床の役割を述べる.
③ 咬合床製作に必要な作業用模型の処理を説明できる.
④ 咬合床を製作できる.
⑤ 作業用模型の咬合器への装着方法を列挙できる.
⑥ 作業用模型を咬合器に装着できる.
⑦ ゴシックアーチ描記法の目的を述べる.
⑧ ゴシックアーチ描記装置の記録床への取り付け方法を説明できる.

　全部床義歯を製作するためには，上顎顎堤に対する下顎顎堤の形態的，機能的な位置関係を記録し，生体外で咬合器上に再現する必要がある．このような生体における上下顎の位置関係を記録する臨床操作を咬合採得という．無歯顎では歯を指標とした咬合の記録ができないことから，顎間関係の記録（顎間関係記録）ともよばれる．

　咬合採得を行うためには，失われた歯や顎堤の代わりとして，これから製作する全部床義歯を想定した咬合床が必要となる．

　歯科技工士は咬合床製作の前準備として作業用模型にいくつかの処理を行った後，その作業用模型上で標準的な咬合床を製作する．その後，歯科医師が，この標準的な咬合床を個々の患者に合わせて口腔内で修正し，咬合採得を行う．歯科技工士は修正された咬合床を利用して，上下顎の作業用模型を咬合器に取り付ける．これら一連の作業により，患者の上顎に対する下顎の形態的，機能的な位置関係が咬合器上に再現されることになる．

1 咬合床製作のための作業用模型の処理

1) 床外形線の記入

　床縁を示すために作業用模型上に記入する線を**床外形線**という．床外形線の記入は，歯科医師によってなされるのが原則であるが，筋圧形成による印象から製作した作業用模型の場合は，印象面の辺縁形態がそのまま全部床義歯の床縁形態になるた

有床義歯技工学

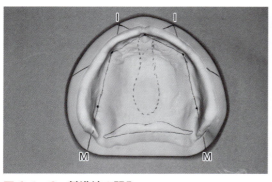 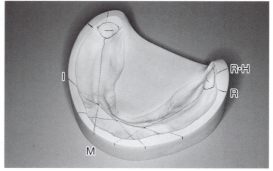

図 6-1, 2　基準線の記入
歯槽頂線は前歯部歯槽頂線（I）と臼歯部歯槽頂線（M）に分けられる．正中部，左右の犬歯部および左右の大臼歯部の5点を基準にして直線で結ぶ．下顎ではレトロモラーパッドの外形を記入し，その前縁部（R），高さの1/2部（R・H）も記入する．この基準線は臼歯部人工歯の大きさの基準や下顎咬合堤の高さの基準として利用される．

め，床外形線の記入は必要ない．ただし，翻転部となっていない上顎の口蓋後縁部と下顎のレトロモラーパッド部は記入が必要となる．

2）基準線の記入

作業用模型上に，咬合床や以後の義歯製作の基準になる線（設計線）を記入する（図6-1, 2）．

(1) 正中線

上顎では**切歯乳頭**，**口蓋縫線**および左右**口蓋小窩**の中点，下顎では**下唇小帯**，**舌小帯**および左右**レトロモラーパッド**の頂点を結ぶ線分の中点を基準にして仮に定める．

(2) 歯槽頂線

顎堤の形態的な頂上部分を**歯槽頂（顎堤頂）**といい，それを連ねた線を**歯槽頂線**という．本来は顎堤弓と同様の曲線で描かれるが，便宜上，歯槽頂上の5点，すなわち，正中部，左右犬歯部および上顎では上顎結節，下顎ではレトロモラーパッドの中点を結んだ直線で表され，前歯部と臼歯部に分けて作業用模型上に記入する．臼歯部の歯槽頂線，下顎前歯部の歯槽頂線は，咬合床製作のための基準や**人工歯排列**の参考となる．ただし，後述する歯槽頂間線法則に準じない排列をする場合には，歯槽頂線の記入は特に必要はない．

(3) レトロモラーパッド部の基準線

レトロモラーパッド前縁（R）と，前縁と後縁の垂直的な高さの1/2の部分（R・H）に基準線を記入する．前者は臼歯部人工歯排列の最後方端を示し，臼歯部人工歯の大きさの選択にも利用される．後者は下顎咬合堤の高さの基準として利用される．

6. 全部床義歯の咬合採得に伴う技工作業

図6-3 リリーフ
口蓋隆起部にリリーフメタルを貼りつける

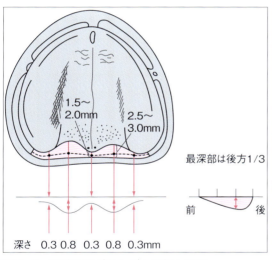

図6-4 標準的なポストダムの幅と深さ
実際は患者の粘膜の被圧変位量によって異なる．
(林都志夫編：全部床義歯補綴学．医歯薬出版，東京，1982．を改変)

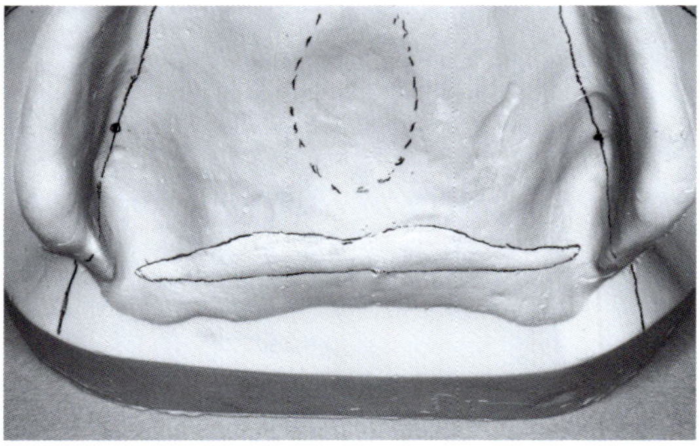

図6-5 作業用模型にポストダムを付与したところ

3) リリーフ

個人トレー製作時と同様に，歯科医師の指示に従い，咬合床製作時にも作業用模型上に鉛箔などを貼りつけて，義歯床下組織への部分的な圧の集中を避けるために**リリーフ**（緩衝）を行う（図6-3，リリーフ部位についてはp.35参照）．

4) ポストダム（後堤法）

上顎の義歯床口蓋後縁の辺縁封鎖を確実にするためにポストダムが設定される．一般的には精密印象時に口蓋後縁部は加圧印象されることが多い．しかし，レジンの重合収縮により同部が浮き上がりやすいことから，歯科医師から作業用模型の同部を削

除修正しポストダムを設定するように指示されることが多い．義歯床後縁の外形線から前方に向かってバタフライ型に作業用模型を削除する方法が一般的である（図6-4, 5）．この処理によって，完成した義歯はこの部分が豊隆するため，**ポストダム（後堤法）** とよばれる．この作業によって口蓋後縁封鎖がいっそう確実になり，上顎義歯の維持力が向上する．

2 咬合床の製作

咬合床は，基礎床と咬合堤から構成される．基礎床は義歯床になる部分で，咬合堤は人工歯が排列される部分に相当する．リリーフやブロックアウトなどの前準備が終わった作業用模型上（図6-6）で，床外形線に従って**基礎床**を製作し，その上にワックスで**咬合堤**を製作する．

1）基礎床

基礎床は咬合圧に耐えるだけの強度をもち，口腔内で長時間作業しても，口腔内温度により変形しない材料でなければならない．また，技工作業が容易で，適合性に優れたものが望ましい．一般的に基礎床の材料には，トレー用常温重合レジンが用いられる（図6-7）．

2）咬合堤

咬合堤は失われた歯と歯槽骨に相当する部分で，人工歯が排列される．したがって，個々の患者に合わせて，歯科医師が咬合床を試適しながら口腔内で修正を行う．この歯科医師による咬合採得を容易にし，治療時間を短縮するためには，標準的なサイズに製作する（図6-8～10）．

① 咬合堤の高さ：それぞれ辺縁から計測して上顎前歯部では約22 mm，臼歯部で

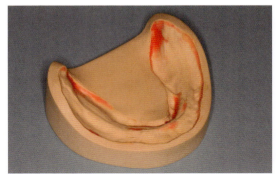

図6-6　ワックスによるアンダーカットのブロックアウト

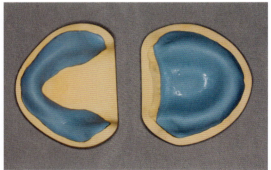

図6-7　基礎床

6. 全部床義歯の咬合採得に伴う技工作業

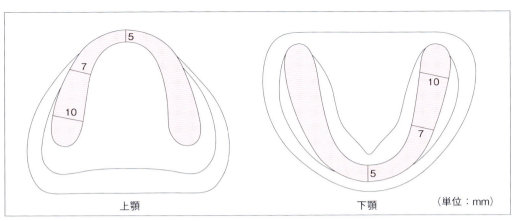

図 6-8　咬合堤の標準的な幅

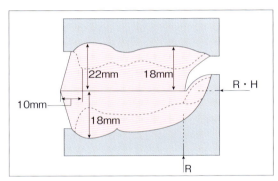

図 6-9　咬合堤の標準的な高さ

は約 18 mm，下顎前歯部では約 18 mm とし，下顎臼歯部は**レトロモラーパッド**の高さの 1/2 とする．実際の臨床操作では，咬合堤の高さは顎堤の吸収の程度によって寸法を増減する．

　② 咬合堤の位置：**切歯乳頭中央**から約 8〜10 mm 前方とし，**仮想咬合平面**となす角度が 80〜85°になるようにする．上顎咬合堤の最後方部は，上顎第一大臼歯相当部までとする（図 6-11）．

3) 歯科医師による咬合採得

(1) 咬合採得（顎間関係の記録）

　歯科医師は咬合床を口腔内に挿入し，個々の患者に審美的にも機能的にも合うように，修正を行う．はじめに上顎前歯部咬合堤の唇側部による口唇支持（リップサポート）を調整し，仮想咬合平面を決定する（図 6-12）．この作業により前歯部人工歯の排列位置が決められる．後に行う人工歯の排列を上顎法と下顎法のどちらで行うかで設定位置はわずかに異なる．次いで，さまざまな形態的，機能的根拠に基づき，垂直

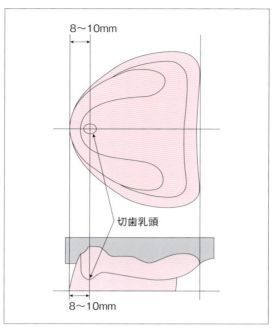

図 6-10　切歯乳頭と咬合堤中切歯切縁部との関係

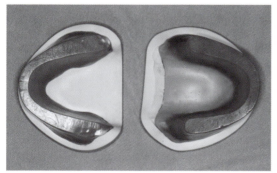

図 6-11　完成した咬合床
パラフィンワックスをロール状に巻いて馬蹄形に曲げ，基礎床にスパチュラで溶着し，咬合堤の形態を整えて完成させる．

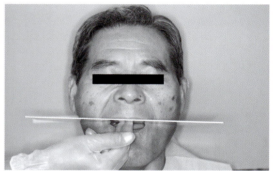

図 6-12　仮想咬合平面の決定

的な顎間関係（咬合の高さ），水平的な顎間関係（下顎の前後・左右的な位置）が決定される（図 6-13）．最後に，決定した顎間関係で上下顎の咬合床を固定する．

（2）標示線の記入

　顎間関係記録が終了した段階で，歯科医師は上下顎咬合堤の唇面に，前歯部の人工歯選択や排列の基準となる標示線を記入する（図 6-14，15）．

　記入された標示線は以下の指標として利用する．

6. 全部床義歯の咬合採得に伴う技工作業

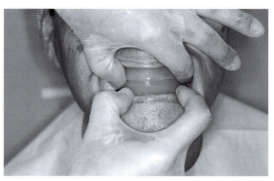

図 6-13 咬合床を修正し，垂直的および水平的顎間関係を決定する

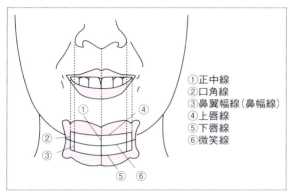

図 6-14 標示線
(細井紀雄・平井敏博編：無歯顎補綴治療学．医歯薬出版，東京，2004，154．)

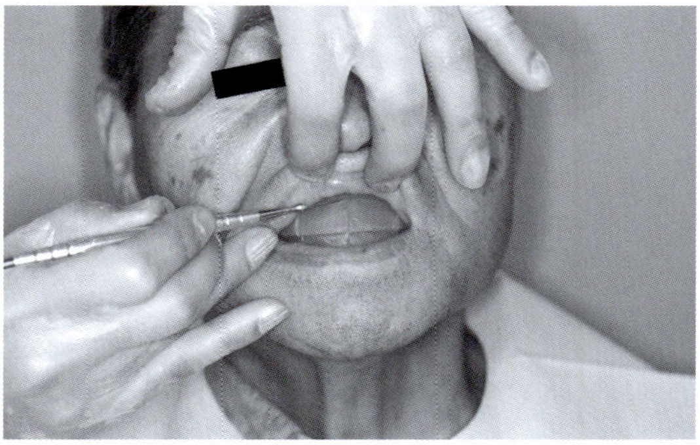

図 6-15 標示線の記入

① 正中線：顔面の中央を通る**仮想線**で，上下顎中切歯の近心面の位置を示す．
② **口角線**：口をわずかに開けたときの**口角**の位置を示す線．上顎犬歯遠心側唇面の位置に一致する．上顎6前歯の総幅径とみなし，前歯部人工歯の選択の指標とする．
③ **鼻翼幅線**：鼻翼の外側からおろした垂線で上顎犬歯尖頭に一致する．前歯部人工歯の幅径を決める指標となる．
④ **笑線**（**上唇線**と**下唇線**：smile line）：咬合状態のままで笑ったときに，上唇を最大限に挙上した位置（上唇線）と下唇を最大限に下制した位置（下唇線）を示す線．上下顎前歯人工歯歯頸線の位置の指標となる．
⑤ **微笑線**（smiling line）：微笑したときの下唇の彎曲線．排列する際に上顎前歯人工歯切縁の彎曲位置の指標となる．

3 全部床義歯に用いられる咬合器

　全部床義歯に用いられる咬合器は，主として平均値咬合器と半調節性咬合器である．半調節性咬合器は平衡側顆路の調節機構を有している．関節部の構造によりアルコン型とコンダイラー型に分かれ，また顆路部の構造によりボックス型とスロット型に分かれる．

1）平均値咬合器
　① 　ハンディ咬合器ⅡA型（図6-16）
　② 　Gysi Simplex 咬合器 OU-H3 型（図6-17）

2）半調節性咬合器
　① 　Hanau H2-O 型咬合器：**コンダイラー型**の咬合器．**スロット型**の顆路構造を有する（図6-18）．
　② 　Pro Arch Ⅲ咬合器：**アルコン型**の半調節性咬合器．**ボックス型**の顆路構造を有する（図6-19）．

図6-16　ハンディ咬合器ⅡA型

図6-17　Gysi Simplex 咬合器 OU-H3 型

図6-18　Hanau H2-O 型咬合器

図6-19　Pro Arch Ⅲ咬合器

4 作業用模型の咬合器装着

　　患者の上下顎間関係が記録された咬合床を介して，作業用模型を咬合器に取り付けることを**咬合器装着**という．上顎作業用模型から装着するが，平均値咬合器では**咬合平面板**を用いて平均的な位置に，半調節性咬合器ではそれぞれ専用の**フェイスボウ**を用いて測定された位置に上顎模型を装着する．

　　次に咬合器を反転し，上下顎の咬合床を固定して下顎模型を装着する．咬合器への装着方法には，作業用模型を咬合器の維持部に直接装着する方法と，作業用模型と維持部を分割できる**スプリットキャスト法**がある．

1）咬合平面板

　　平均値咬合器では，上顎作業用模型を解剖学的な平均値に装着できる咬合平面板が付与されている（図6-16，17，20）．

2）フェイスボウ

　　調節性咬合器では，上顎作業用模型の装着に**フェイスボウ**（顔弓）を使用する．フェイスボウは顔面頭蓋に対する上顎の位置を記録し，同じ位置関係で上顎作業用模型を咬合器上弓に装着するための器具で，この作業を**フェイスボウトランスファー**という（図6-21〜23）．

3）スプリットキャスト法

　　作業用模型を咬合器に装着する場合に，後で咬合器と作業用模型が容易に分離できるよう分割面をつくっておく方法を**スプリットキャスト法**という（図6-24〜26）．

　　この方法では，義歯を**重合**した後に作業用模型を傷つけないように取り出せば，重合する前と同じ位置に作業用摸型を再装着することができ，完成義歯の咬合調整を咬合器上で容易に行うことができる．スプリットキャストは半調節性咬合器の**矢状顆路傾斜角**の調節にも応用される．

4）下顎作業用模型の装着

　　咬合器を逆にし，チェックバイト材を介して上下咬合床を一体とし，下顎作業用模型を固定，咬合器下弓に装着する（図6-27，28）．このとき**切歯指導釘**が**切歯指導板**から浮き上がらないように注意する．

■咬合平面版

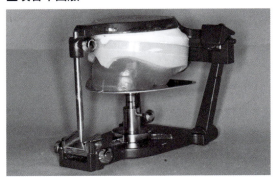

図 6-20　咬合平面板を用いた上顎作業用模型の咬合器装着
咬合器各部のネジを確実に締め，切歯指導釘が切歯指導板に正しく接触しているか点検した後，上顎作業用模型を咬合平面板上の決められた位置に固定して装着する．

■フェイスボウ

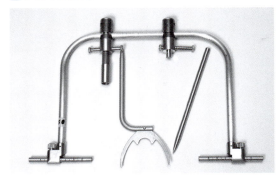

図 6-21　フェイスボウ

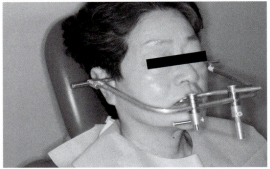

図 6-22　基準平面に対する上顎の位置を記録する

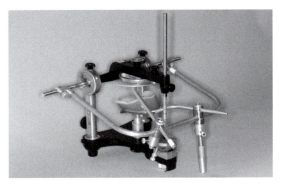

図 6-23　フェイスボウを用いて上顎作業用模型を咬合器に装着する

■スプリットキャスト法

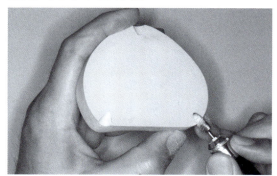

図 6-24 スプリット用の溝をバーやナイフでV字形またはU字形に形成する

図 6-25 スプリットキャスト法による作業用模型の装着
スプリット面にマグネットを応用して作業用模型の着脱を簡便に行える方法もある.

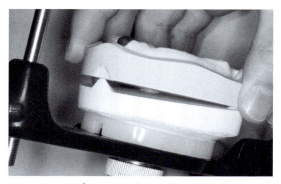

図 6-26 スプリットに合わせて作業用模型を定位置に着脱できる

■下顎作業用模型の装着

図 6-27, 28 下顎作業用模型の装着

5 咬合器の調節

　生体の顆路の出発点とその任意の一点とを結んだ直線が各基準平面となす角度を計測する方法を**チェックバイト法**とよび，半調節性咬合器の顆路調整に用いられる．患者の前方咬合時のチェックバイトを採得し，咬頭嵌合位の顎位を基準として**矢状顆路傾斜角（度）**を調節する．**側方顆路角**についても同様に左右側方咬合時のチェックバイトを採得し，側方顆路角を調整する（図6-29〜33）．なお側方顆路角（L）については，便法として，矢状顆路傾斜角（H）を Hanau の公式 $L＝H/8＋12$ に代入して算出する方法も用いられている．

　矢状切歯路傾斜角（度）の調節は，前歯部人工歯排列を行い，患者の口腔内に咬合床を試適した後に，上下顎前歯部の**水平被蓋**，**垂直被蓋**（p.63参照）に合わせて行う場合もある（図6-34）．

図 6-29　コンダイラー型半調節咬合器の調整
顆頭球が自由に動くようにセントリック固定ネジを緩める．

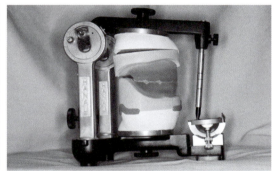

図 6-30　前方チェックバイト記録で上下作業用模型を固定し，上弓を静かに閉じていくとスプリット部に間隙が生まれる

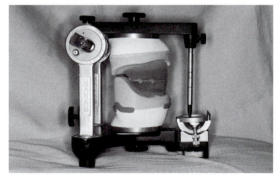

図 6-31　左右の矢状顆路固定ネジを緩めて角度を変化させ，スプリット面が適合したらネジを固定する
このときの値が矢状顆路傾斜角となる．

図 6-32　側方顆路角（L）の算出
Hanau の公式（$L＝H/8＋12$）に矢状顆路傾斜角（H）を代入して算出する．

6. 全部床義歯の咬合採得に伴う技工作業

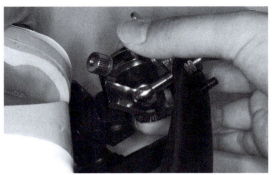

図 6-33　アルコン型半調節咬合器の調節
顆路指導板から離れた顆頭球を接触させ，このとき得られた傾斜角が矢状顆路傾斜角となる．

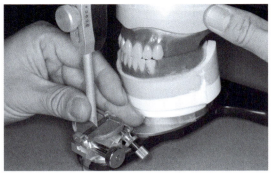

図 6-34　矢状切歯路傾斜角（度）の調節
咬合器を切端咬合の位置に誘導し，切歯指導釘と切歯指導板が接するように切歯指導板を傾けて固定する．

6　ゴシックアーチ描記装置の取り付け

　ゴシックアーチ描記法とは下顎運動の記録法の1つで，定められた咬合高径における下顎運動の左右の後方・側方限界運動の軌跡を描記させ，その描記図（**ゴシックアーチ**）をもとに**水平的顎間関係の決定**や診断を行う方法である．

　咬合床による顎間関係記録が終わり，咬合器装着をした後に，はじめてゴシックアーチ描記装置を咬合床（記録床）に取り付けることができる（図 6-35〜42）．なお，ゴシックアーチ描記装置には口内法用と口外法用がある．

　次の来院時に，歯科医師は取り付けられたゴシックアーチ描記装置を用いて，再び詳細に水平的顎間関係を確認し，決定する．上下記録床の間に印象用石膏や咬合採得用シリコーンなどを注入し，コアを採得，固定する（図 6-43〜47）．

　技工作業としては，下顎作業用模型を咬合器から取り外し，上下顎を固定されたゴシックアーチ描記装置の記録床を介して，下顎作業用模型を再装着することになる（図 6-48）．

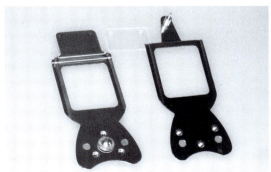

図 6-35　口外法用のゴシックアーチ描記装置

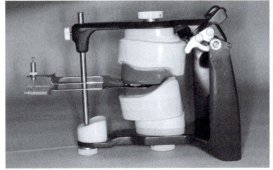

図 6-36　口外法用ゴシックアーチ描記装置の取り付け

53

有床義歯技工学

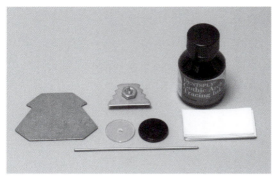

図 6-37　口内法用のゴシックアーチ描記装置

図 6-38　咬合平面と平行になるように描記板を咬合堤に固定

図 6-39　黒色円板で固定した描記針の基底部上端にユーティリティワックスを盛る

図 6-40　咬合器上弓を静かに閉じ，開けると描記針が上顎基礎床に付着される

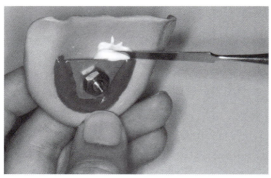

図 6-41　描記針をスティッキーワックスで固定し，床との隙間に石膏泥を注入する

図 6-42　取り付けられたゴシックアーチ描記装置

6. 全部床義歯の咬合採得に伴う技工作業

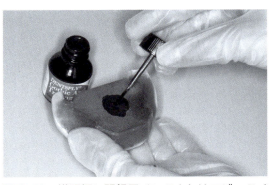

図 6-43 描記板に記録用インクまたはマジックインク，クレヨンなどを塗る

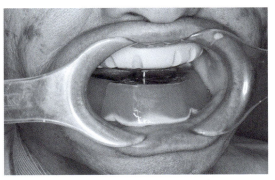

図 6-44 歯科医師による口腔内でのゴシックアーチ描記

図 6-45 描記されたゴシックアーチ

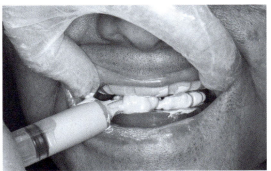

図 6-46 印象用石膏または咬合採得用シリコーンでコアを採得

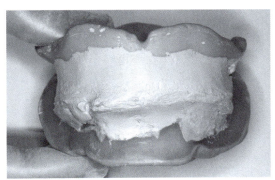

図 6-47 一塊として取り出された記録床

図 6-48 下顎の作業用模型を再装着する

55

7 全部床義歯の人工歯排列と歯肉形成

到達目標

① 人工歯排列に関わる機能的・審美的な基礎知識を説明できる．
② 人工歯の種類と特徴を説明できる．
③ 人工歯の選択方法を説明できる．
④ 有床義歯に付与する咬合様式を説明できる．
⑤ クリステンセン現象と調節彎曲を説明できる．
⑥ 前歯部の人工歯排列方法を説明できる．
⑦ 臼歯部の人工歯排列方法を説明できる．
⑧ 人工歯排列ができる．
⑨ 歯肉形成の目的を述べる．
⑩ 歯肉形成ができる．

　全部床義歯の製作過程において，人工歯排列は歯科技工士としての技術が最も必要とされる重要なステップであり，知識を深めると同時に，手技面での習熟と向上が大切である．

1　人工歯

　天然歯の代用として用いられる人工の歯を**人工歯**という．人工歯は材料，部位，形態，大きさおよび色調で分かれ，それらの多くの種類から症例に適した人工歯が選択される．

1）人工歯の種類

　部位により前歯部人工歯と臼歯部人工歯に分かれ，前歯部では審美性が，臼歯部では機能性が主に求められる．また，材料により以下の種類に分類される．
　① **陶歯**：硬く，耐摩耗性，耐変色性に優れ，吸水性を有しない．咬合調整が煩雑で，耐衝撃性に弱い．義歯床用レジンと化学的に結合しないため，維持ピンや維持孔などの機械的な保持装置が付与されている（図7-1）．
　② **レジン歯**：義歯床用レジンと化学的に強固に結合し，咬合調整が容易で衝撃に

7. 全部床義歯の人工歯排列と歯肉形成

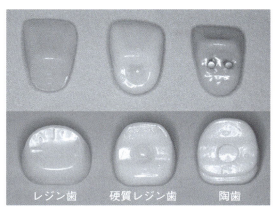

図 7-1 人工歯

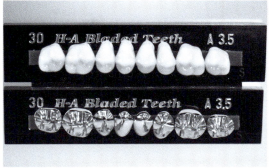

図 7-2 金属歯（メタルブレード人工歯）
（H-A ブレード，山八歯材工業）

強く，破折しにくい．一方，耐摩耗性に劣り，吸水性があり，色調も変化しやすい．

③ **硬質レジン歯**：陶歯とレジン歯の中間的な特徴を有し，レジン歯に比べ硬さや耐摩耗性に優れている．一般的には咬合面の表層の1～2層をコンポジットレジンでつくり，残りの基底面はアクリルレジンでつくられているため義歯床用レジンと化学的に結合する．現在は最も多く使用されている．

④ **金属歯**：臼歯部に用いられる．特殊な形態をもった既製の人工歯（ブレード人工歯，図 7-2）のほかに，各患者の咬合に合わせて咬合面を鋳造により製作する場合もある．

2）前歯部人工歯の選択

咬合採得終了後，歯科医師は使用中義歯を参考に，患者の希望や **SPA 要素**を考慮して，人工歯の選択を行う．

（1）形態と大きさ

人工歯の形態，大きさについては，各人工歯メーカーが用意している形態見本（**モールドガイド**）を用いて選択する（図 7-3）．

Williams の三基本型〔**方型**（S：square），**尖型**（T：taper）および**卵円型**（O：ovoid）〕に中間型の混合型（C：combination）や短方型（SS：short square）などを加えたもの，顔面の立体感を人工歯唇面の豊隆度として表したものなど，さまざまな人工歯が市販されている．

大きさについては，咬合堤に記入された標示線を参考に，モールドガイドから選択する．上顎6前歯の幅径の基準には口角線または鼻翼幅線が，歯冠長については笑線（上唇線，下唇線）が参考となる．

有床義歯技工学

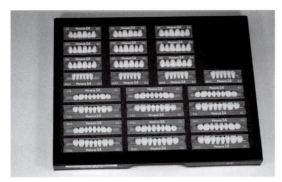

図 7-3 モールドガイドの一例

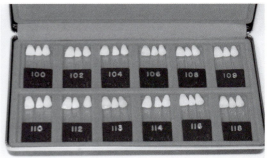

図 7-4 シェードガイドの一例

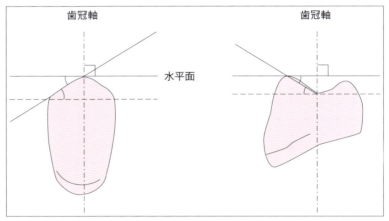

図 7-5 臼歯部人工歯の咬頭傾斜角

(2) 色　調

　　色調については，各人工歯メーカーから色調見本（**シェードガイド**，図 7-4）が用意されている．患者の顔や口唇，歯肉の色調と調和したものを選択する．SPA 要素を考慮すると，若年者には淡くて透明度の高いものが，高齢者には濃くて透明度の低いものが，女性には男性よりも明るい色調のものが選択される場合が多い．

3）臼歯部人工歯の選択

　　顎堤条件や咬合関係を考慮し，歯科医師が全部床義歯に付与する咬合様式と適する人工歯の形態や材質を決定する．なお，臼歯部人工歯の大きさについては，前歯部の排列完了後に，咬合器上で選択される場合もある．

(1) 形態の分類

　　歯軸に直交する直線と各咬頭斜面とがなす角度を**咬頭傾斜角**（図 7-5）といい，その角度の違いなど咬合面形態によって，以下の 3 種類に分類される．

7．全部床義歯の人工歯排列と歯肉形成

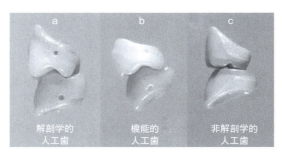

図7-6　臼歯部人工歯

　① **解剖学的人工歯**：第一大臼歯の咬頭傾斜角が30°以上の人工歯．天然歯の標準的な形態を模倣してつくられた人工歯で，咀嚼能率の向上，咬合面による義歯の咬頭嵌合位への誘導機能，天然歯に近い審美性などの利点がある．30°臼歯，33°臼歯などともよばれる（図7-6a）．

　② **機能的人工歯**：第一大臼歯の咬頭傾斜角が20°の人工歯．解剖学的形態から著しく逸脱せず，咀嚼能率も比較的優れていながら，側方分力が過大とならないように設計された人工歯．使用頻度が高い（図7-6b）．

　③ **非解剖学的人工歯**：天然歯の形態を模倣せず，機能のみを重視した機械的形態の人工歯の総称．咬頭がなく平坦な咬合面形態をした無咬頭歯（0°臼歯，図7-6c）やブレード人工歯などが含まれる．

(2) 形態の選択基準

　咬合圧を支持する義歯床の面積が広く，顎堤の吸収が少ない症例では，義歯の維持，安定が得られやすいため，咬頭傾斜の急な解剖学的人工歯が選択される．一方，義歯床の面積が小さく顎堤の吸収が大きい症例には，相対的に義歯の維持・安定を得ることが困難なため，咬頭傾斜の緩い機能的人工歯が用いられることが多く，まれに非解剖学的人工歯も選択される．

　一般的に，機能時の咬合による義歯の安定（咬合平衡）を考えると，矢状顆路傾斜角（度）が強ければ咬頭傾斜が急な人工歯を，矢状顆路傾斜角（度）が弱ければ咬頭傾斜の緩い人工歯を使用する．

(3) 大きさ

　通常，下顎最後臼歯の遠心端はレトロモラーパッド前縁までとされている．そこで，すでに排列されている下顎犬歯遠心面からレトロモラーパッド前縁までの距離を計測し，臼歯部人工歯4歯の近遠心径の総和がその長さに合う大きさの人工歯を選択する（図7-7，8）．ただし，レトロモラーパッドの前縁の顎堤が近心に向かって急斜面である場合には，義歯の推進現象を避けるため，この部位には人工歯を排列しない．ま

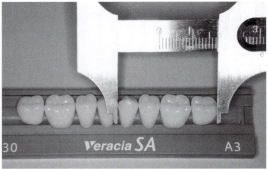

図 7-7, 8　臼歯部人工歯の幅径の選択
前歯部人工歯の排列後，下顎犬歯遠心からレトロモラーパッド前縁までの距離を計測し，計測した値に合った幅径の人工歯を選択する．

た，歯冠長は人工歯を排列する上下顎顎堤間のスペースによって考慮する．なお，スペースが狭い場合には陶歯は使用できない．

（4）色調

臼歯部人工歯は審美性よりも機能性を重視する．ただし，小臼歯部においては外観に触れるため，前歯部から違和感なく移行するよう審美性にも十分な配慮が必要とされる．色調は前歯部と同様の色調を選択する．

2　人工歯排列

全部床義歯は天然歯と異なり，人工歯と床が一体となって機能が発揮されるため，人工歯排列は義歯の正否を左右する重要な要素となる．前歯部では**審美性**ならびに**発音機能**を，臼歯部では**咀嚼機能**を重視する．

1）前歯部人工歯の排列

（1）上顎前歯部唇側面の位置

歯が口腔内で口唇を支えていることを**リップサポート**という．歯の欠損により失われたリップサポートを回復するには，前歯部人工歯唇側面の前後的排列位置や傾斜度が重要となる．歯科医師は咬合採得時において口腔内で上顎前歯部咬合堤を修正し，審美的な観点から唇面の位置を決定している．そこで，上顎前歯部咬合堤の唇側面形態に沿って上顎前歯部人工歯を排列する．

なお，有歯顎において上顎中切歯唇側面の位置は切歯乳頭中央から 8～10 mm 前方にあることから，無歯顎においてもこれに準じた位置に人工歯が排列されることが審美的には望ましい（図 7-9）．そのため，前歯部の歯槽頂線が切歯乳頭上に引かれた場合には，歯槽頂線は上顎前歯部人工歯の排列位置の参考にはなりえない．

7. 全部床義歯の人工歯排列と歯肉形成

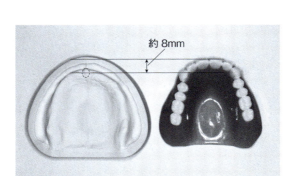

図7-9 切歯乳頭と上顎中切歯の排列位置

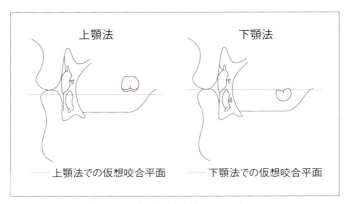

図7-10 上顎法と下顎法の仮想咬合平面の違い
(細井紀雄ほか編：コンプリートデンチャーテクニック 第6版．医歯薬出版，東京，2011，93．)

(2) 上顎前歯部人工歯の切縁の位置

　排列のスタートとなる上顎中切歯切縁の上下的な位置は，後に行う臼歯部排列の順序によって異なる．臼歯部を上顎から排列する**上顎法**と，下顎から排列する**下顎法**では，歯科医師が咬合採得時に設定した咬合平面の高さ，すなわち上顎前歯部咬合堤の下面が規定する高さが1〜2 mm異なる．歯科医師が，上顎前歯部咬合堤下面を，安静時の上唇下縁と同じ高さに設定した場合は下顎法を選択し，安静時にわずかに歯が見える位置ということで，上唇下縁よりもやや下方に設定した場合には上顎法を選択したことになる．そこで，歯科医師がどちらを選択したかの確認が必要となる（図7-10）．

　上顎法では上顎中切歯切縁の位置は上顎咬合堤の下面に合わせて排列する．下顎法では，上歯中切歯切縁の位置を上顎咬合堤の下面から1 mm下方に排列する．そこで，下顎法では下顎咬合堤の上面を1 mm削除して，ガイドとする．

　上顎前歯部人工歯の標準的な排列位置を図7-11に示す．

　なお，上顎前歯部の切縁の位置を**微笑線**，すなわち微笑んだときの下唇上縁の位置

61

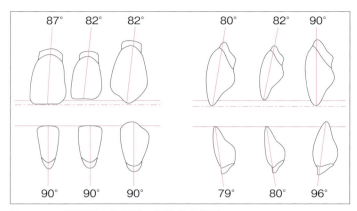

図7-11 前歯部の歯冠軸の標準的な数値
(林都志夫編：全部床義歯補綴学．医歯薬出版，東京，1982．より一部改変)

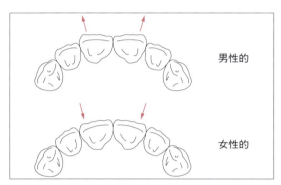

図7-12 上顎中切歯の個性的排列

に合わせて，側切歯，犬歯と緩やかに上方に排列すると，美しい口もとが再現できるとされている．

（3）上顎前歯部人工歯の個性的排列

　上顎前歯部は，左右対称に排列することが原則である．しかし，患者の特徴（**SPA要素**）や要求によっては，排列をわざと乱して，個々の患者に調和した個性的な自然観を与えることもある．ただし，この**個性的排列**は歯科医師の指示のもとで，患者の同意を得て行う．

a．捻転と傾斜

a）上顎中切歯の捻転と傾斜

　歯冠軸を変えずに，左右中切歯の遠心切縁を唇側に出すと，歯冠の幅が広くみえて男性的な感じになる．逆に，中切歯の遠心を舌側に入れると歯冠の幅が狭くみえて女性的な感じとなる（図7-12）．

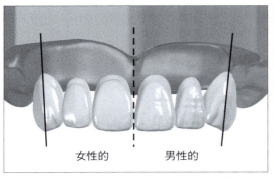

図 7-13　切縁の形態によって個性的表現が可能

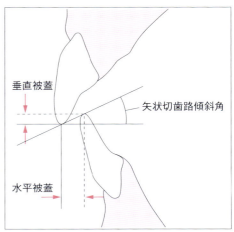

図 7-14　**前歯部の被蓋**
水平被蓋，垂直被蓋および矢状切歯路傾斜角（度）との関係

b）上顎側切歯の捻転と傾斜

近心面がみえるように唇側に捻転させ，中切歯の遠心へ重ねるようにすると，柔らかく女性的な感じとなる．その逆は，力強く男性的な感じとなる．

c）上顎犬歯の捻転と傾斜

犬歯歯頸部の唇側移動，近心面をみせるような捻転，近心傾斜を少なくしてほぼ垂直にするなどの排列方法により，個性を表現する．

b．形態修正

切縁を角張った形態にすると男性的になり，丸みのある形態にすると女性的になる（図 7-13）．

c．切縁の位置

上顎 6 前歯の切縁を連ねた線を直線的にすると男性的になり，曲線的にすると女性的なやさしさを表現することができる．

d．歯列弓の形態

方型アーチは力強い感じ，**尖型アーチ**は弱々しい感じ，**卵円型アーチ**はおだやかな感じになる．

（4）下顎前歯部の排列

下顎前歯部は，発音や下顎前方運動など機能性を優先して排列する．付与する咬合様式や矢状顆路傾斜角（度）に合わせて，上顎人工歯との間に設定する**水平被蓋（horizontal overlap，オーバージェット）**と**垂直被蓋（vertical overlap，オーバーバイト）**を調整する（図 7-14）．

下顎前歯部は咬頭嵌合位では上顎前歯に接触させず，偏心咬合位で接触させる咬合様式が基本である．

図 7-15〜21 に下顎法による基本的な前歯部人工歯排列を示す.

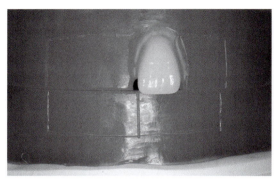

図 7-15　下顎法では上顎中切歯切縁の位置は上顎咬合堤の下面から 1 mm 下方に排列する

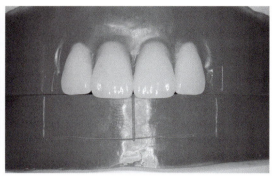

図 7-16　中切歯は左右の人工歯が対称的で立体的に揃うようにし，側切歯は切縁が下顎咬合堤から 0.5 mm 上方で，中切歯よりも傾斜を大きく，やや内方に排列する

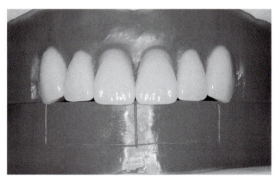

図 7-17　犬歯は切縁よりも歯頸部を唇側寄りに出し，尖頭は咬合平面に一致させ，ほぼ垂直に排列する

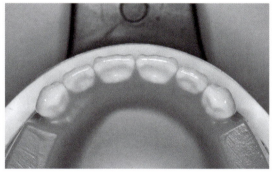

図 7-18　咬合面からみて歯列弓の形態を確認する

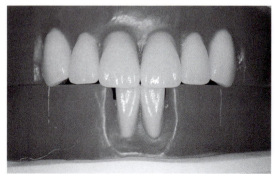

図 7-19　上下顎の正中線を一致させる

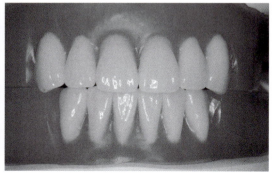

図 7-20　歯軸の傾斜，水平被蓋，垂直被蓋を確認しながら排列する

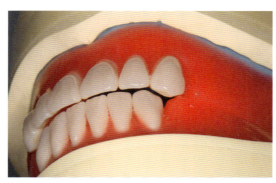

図 7-21　咬頭嵌合位では接触させず，前方・側方運動時の接触が咬合器の動きと一致するようにする

2）臼歯部人工歯の排列

（1）頰舌的排列位置

臼歯部人工歯の頰舌的排列位置については，歯槽頂間線法則（以下のa）に代表される，顎堤形態と上下顎顎堤の対向関係から義歯の維持・安定を重視して排列位置を決定しようとする考え方と，失われた天然歯とその周囲組織がかつて口腔内で占めていた空間（デンチャースペース）をそのままの位置と大きさで回復すべきとの考え方（以下のb, c）がある．

a. 歯槽頂間線法則

前頭面上で相対する上下顎歯槽頂を上下方向に結んだ直線を**歯槽頂間線**という．

人工歯の上顎第一大臼歯の舌側咬頭内斜面および下顎第一大臼歯の頰側咬頭内斜面の頰舌的中線がこの線に一致するように排列すれば，咬合力の方向は歯槽頂上を通るようになり，片側性の平衡咬合が得られるという考え方を歯槽頂間線法則という．もしも歯槽頂間線法則に従わずに外側に排列すれば，咀嚼時に義歯に咬合力が加わったときに転覆力が生じ，義歯の維持・安定は失われるとされている（図 7-22, 23）．

ただし，上顎は頰側の骨吸収が大きく，下顎は舌側からの骨吸収が大きい．そのため顎堤吸収が進行すると，上顎の顎堤弓は徐々に内側に移動し，下顎の顎堤弓よりもずっと小さくなる．そのため無理に歯槽頂間線法則に従えば，上顎人工歯が内側に排列されるため，かみ合う下顎人工歯も舌側寄りになり，舌房が侵害される．そこで，歯槽頂間線と仮想咬合平面のなす角度が80°以下になった場合には，交叉咬合排列を行う必要があるとされている（図 7-24）．

ただし，歯槽頂間線はあくまでも仮想の線であり，顎堤が良好な場合には想定しやすいが，高齢無歯顎患者が多くを占める現代では，顎堤吸収が大きく下顎歯槽頂を特定することが困難な症例も多い．さらに，無理に適応すれば審美性や舌房を損ないやすい．

一方，次項b, cの考え方に基づき，顎堤吸収を補った適切な印象辺縁形態が歯科

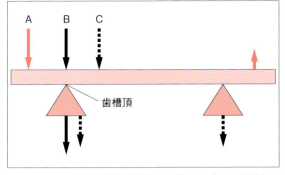

図 7-22　歯槽頂間線の法則と義歯の安定との関係
歯槽頂の位置をテコの支点にたとえる．歯槽頂より外側のAの位置に排列すると，Aに咬合力が加わると歯槽頂を支点として義歯は回転・離脱する．一方，歯槽頂上のBまたはその内側のCの位置に排列すると，咬合力は義歯を押さえつけるように働き安定する．

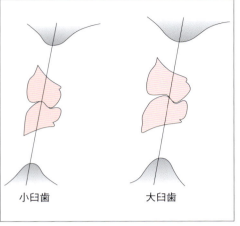

図 7-23　歯槽頂間線と人工歯の位置
歯槽頂間線は上顎第一大臼歯の舌側咬頭内斜面の頰舌側中央部と下顎第一大臼歯の頰側咬頭内斜面の頰舌的中央部を通る．
(細井紀雄ほか編：コンプリートデンチャーテクニック　第6版．医歯薬出版，東京，2011，100．)

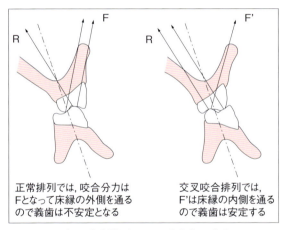

図 7-24　交叉咬合排列による咬合力の方向
歯槽頂間線と咬合平面とのなす角度が80°以下の場合では，正常咬合排列では咬合時に生じる分力Fは床縁の外側を通るため義歯の安定を損なう．交叉咬合排列では分力F'は床縁の内側を通るので義歯は安定する．

医師によって採得されていれば，人工歯を頰側寄りに排列しても義歯の転覆が起こりにくいことも報告されている（図7-25）．現在では歯槽頂間線法則はいくつかある方法の1つと考えられており，歯槽頂間線法則は多くの症例で適応しにくくなっていることを理解しておく必要がある．

b．ニュートラルゾーン（筋圧中立帯）

　義歯は，唇頰側は口輪筋と頰筋によって，舌側は舌によって囲まれており，一側の

7．全部床義歯の人工歯排列と歯肉形成

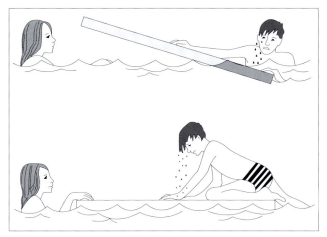

図 7-25　**全部床義歯の転覆に関する考え方**
義歯の一側に力が加わったとき，義歯は水に浮かぶゴムボートのように軟組織を支点として傾く．しかし，ゴムボートの反対側（非咀嚼側）に軽く手を置くだけでボートは転覆しない．すなわち非咀嚼側で適切な印象採得が行われ，辺縁封鎖が確保されていれば義歯は転覆しないことをイメージしている．
(Watt, M. D.：Designing Complete Denture. W. B. Saunders, Saint Louis, 1976.)

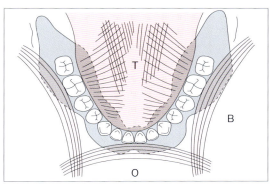

図 7-26　**ニュートラルゾーン（筋圧中立帯）**
(Uhlig, H.：Zahnersatz für Zahnlose. Quintessenz, Berlin, 1970.)

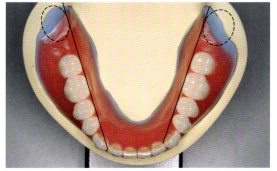

図 7-27　**パウンドライン**

　筋圧が強くなると，義歯は圧の弱いほうに偏位する．そこで，両側からの筋圧がつりあった空間（ニュートラルゾーン，筋圧中立帯）に人工歯を排列すると，義歯は安定する（図 7-26）．

c．天然歯があった位置

　Poundは，臼歯部人工歯は天然歯があった位置に排列すべきとし，そのための目安として解剖学的基準線（**パウンドライン**）を提唱した．パウンドラインとは下顎犬歯近心隅角とレトロモラーパッドの舌側面とを結んだ仮想の直線である（図 7-27）．下顎臼歯部人工歯の舌側咬頭がパウンドラインよりも舌側に排列されると，舌房が侵害される．

（2）垂直的排列位置

　咬合採得時に設定した仮想咬合平面を基準とし，レトロモラーパッドの1/2程度の高さ，上下顎顎堤の中央，顎堤の傾きなどを参考に決定する．

（3）上顎法による排列と下顎法による排列

臼歯部人工歯を下顎から先に排列するか（**下顎法**），上顎から排列するか（**上顎法**）で，仮想咬合平面に対する排列位置がわずかに異なるが，いずれの方法を用いても，完成した人工歯排列は両者で一致しなければならない．

a．下顎法

下顎法は，一般的に上顎に比べて維持・安定の確保が難しい下顎義歯の安定を優先して，下顎から先に臼歯部人工歯を排列する方法である（図7-28～35）．

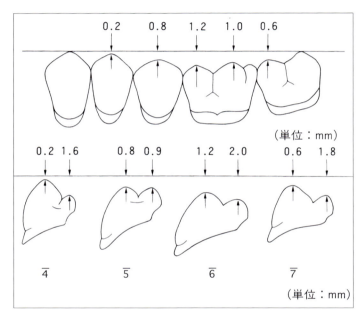

図7-28　下顎法での臼歯部人工歯排列法
上顎咬合堤の平面（仮想咬合平面）を基準として臼歯部人工歯の咬頭に間隙を設け，前後的・側方的調節彎曲を与える．30°人工歯を用いた場合の平均値を示す．なお，これらの値は咬合平面の傾斜や顆路傾斜角，使用する人工歯によって調整する必要がある．

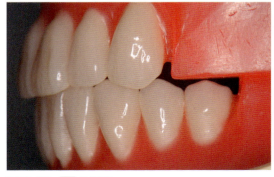

図7-29　$\overline{45}$ の排列
$\overline{4}$ は歯冠軸をやや近心に傾斜させ，咬頭頂は仮想咬合平面よりもわずかに低位に排列する．$\overline{5}$ は $\overline{4}$ の遠心辺縁隆線と $\overline{5}$ の近心辺縁隆線の高さを一致させ，歯冠軸はほぼ垂直とし，頰舌側咬頭はどちらも仮想咬合平面よりも低位に排列する．

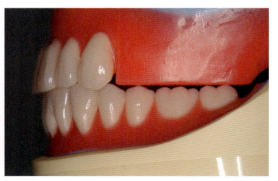

図7-30　$\overline{67}$ の排列
$\overline{6}$ は $\overline{5}$ と同様にすべての咬頭頂を仮想咬合平面より低位に，歯冠軸はやや近心および舌側に傾斜させて排列する．$\overline{7}$ の歯冠軸は，$\overline{6}$ よりも近心および舌側に強く傾斜させ，遠心頰側咬頭頂のみを上顎咬合堤に接触させる．

7. 全部床義歯の人工歯排列と歯肉形成

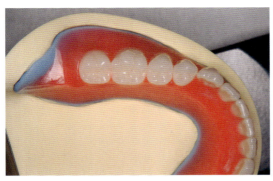

図 7-31　咬合面からみると，456 の中心溝を連ねた線は直線を描く

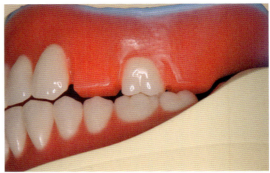

図 7-32　6 の排列
6 の近心頬側咬頭を 6 の頬側溝に一致させて排列する．

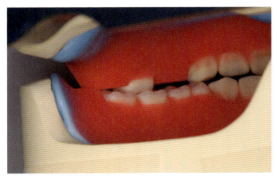

図 7-33　咬合状態を頬側および舌側からみて，咬頭が確実に嵌合しているかを確認する

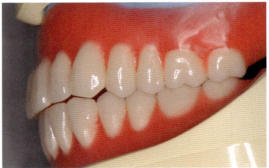

図 7-34　457 の排列
5 は歯冠軸をほぼ垂直にして，1 歯対 2 歯の関係で排列する．4 は歯冠軸をやや遠心に傾斜させ，3 と 4 の間隙が大きい場合にはテンチの間隙を設ける．最後に 7 を排列する．

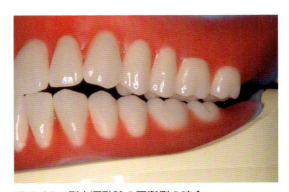

図 7-35　側方運動時の平衡側の咬合

69

b. 上顎法

上顎法は**歯槽頂間線法則**を重視して上顎から先に排列する方法である（図7-36〜46）．なお，排列時に上顎犬歯遠心と第一小臼歯近心の間に0.5〜1.0 mmの間隙をつくっておくことがある．この間隙を**テンチの間隙**（Tench's space）という．咬合構成時の1歯対2歯の関係の排列，上下顎顎堤の矢状対向関係による調節彎曲などの調整を容易にする目的で設定される．

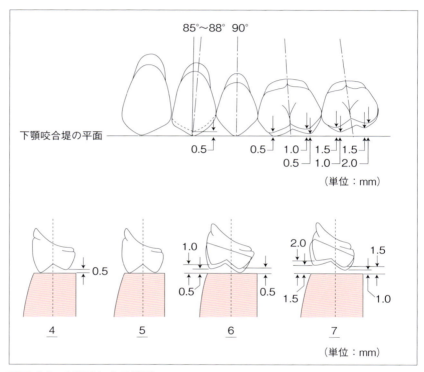

図7-36　上顎法による排列
下顎咬合堤の平面を基準として臼歯部人工歯の咬頭に間隙を設け，前後的・側方的調節彎曲を与える．30°人工歯での平均値を示す．なお，使用する人工歯によっては数値を調整する．

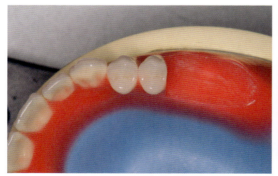 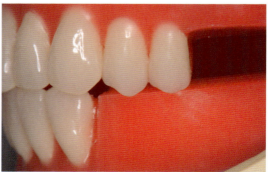

図7-37, 38　4 5 の排列
咬合面からみて，4と5の中心溝を連ねた線が直線になるように排列する．5の歯冠軸は近遠心的に垂直とする．4は舌側咬頭を0.5〜1.0 mm挙上し，5は頬側咬頭・舌側咬頭ともに下顎咬合堤に接触させる．

7．全部床義歯の人工歯排列と歯肉形成

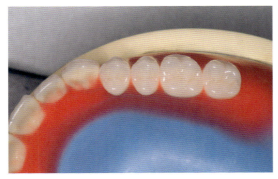
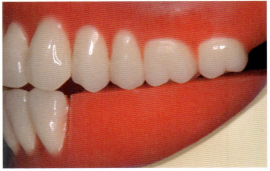

図 7-39，40　6̱7̱ の排列
6̱ の近心頰側咬頭の頰側面は 4̱5̱ の頰側面の延長線上にあり，6̱ と 7̱ の頰側面が直線になるように排列する．6̱ の近心舌側咬頭は下顎咬合堤に接触させるが，その他は調節彎曲を付与して咬合堤から離す．7̱ は各咬頭を下顎咬合堤から離し，遠心頰側咬頭の頰側面はわずかに舌側に捻転させる．また，近心頰舌側咬頭頂を連ねた線が 4̱5̱ の頰舌側咬頭頂を連ねた線と平行になるようにする．

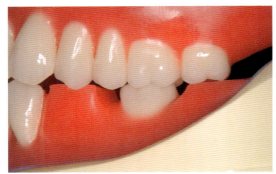
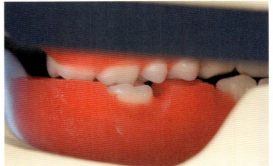

図 7-41，42　6̄ の排列
6̄ の近心頰側咬頭を 6̱ の頰側溝に一致させ，1 歯対 2 歯の咬合状態に排列する．6̄ の近心舌側咬頭も完全に嵌合していることを確認し，必要があれば早期接触部を削合する．

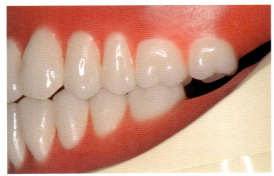
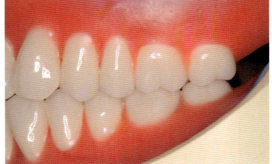

図 7-43　5̄4̄ の排列
5̄，4̄ の順に排列する．5̄ の歯冠軸は近遠心的にほぼ垂直となるようにし，4̱5̱ と 1 歯対 2 歯で咬合させる．4̄ の歯冠軸は舌側傾斜させ，咬頭嵌合位では頰側咬頭のみが咬合接触するようにする．

図 7-44　7̄ の排列
頰側，舌側からみて，咬頭嵌合位で緊密に嵌合させる．

有床義歯技工学

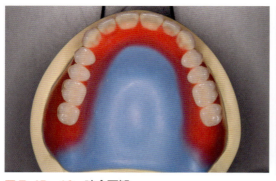
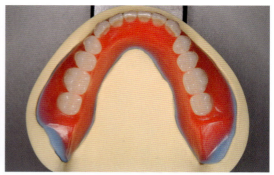

図7-45, 46　咬合面観
上顎法でも下顎法でも排列終了時の違いはない.

（4）咬合平衡
a. 両側性咬合平衡
　側方咬合位において，作業側人工歯に加わる義歯の回転や離脱に関わる力の発現を，平衡側の咬合接触によって防止する咬合状態を**両側性咬合平衡**といい，そのために付与する咬合様式を**両側性平衡咬合**という．下顎の側方運動時に作業側，平衡側の両方において咬合接触を与え，義歯の安定をはかろうとするものである（図7-47）．
b. 片側性咬合平衡
　咀嚼時に作業側に食塊が介在しても，義歯が離脱したり回転したりしないで，片側だけの咬合接触で安定している状態を**片側性咬合平衡**という．そのために側方咬合位

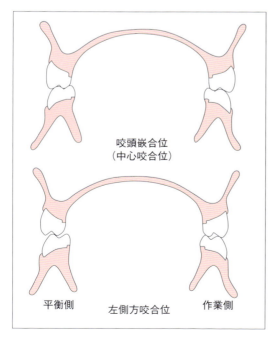

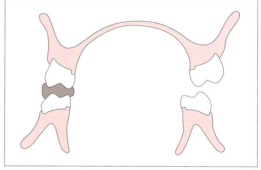

図7-48　片側性咬合平衡
片側で食品を咀嚼した場合の義歯の平衡状態

図7-47　側方運動時の両側性咬合平衡

7. 全部床義歯の人工歯排列と歯肉形成

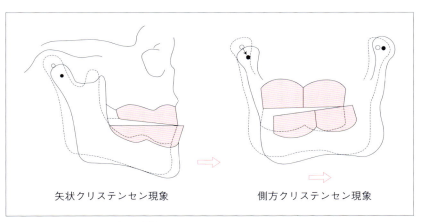

矢状クリステンセン現象　　　側方クリステンセン現象

図 7-49　クリステンセン現象

において，平衡側の咬合接触がない状態で作業側人工歯の頰・舌側咬頭のみの咬合接触により力学的な平衡状態をつくりだし，義歯の転覆を防止することを意図した咬合様式を**片側性平衡咬合**という（図 7-48）．

c．調節彎曲

　咬合堤を平坦にした咬合床を上下顎に装着して下顎の滑走運動を行わせると，咬合堤間にくさび状の空隙が生じる．この現象を**クリステンセン現象**という（図 7-49）．これには，前方滑走運動時に後方に開いたくさび状の空隙が生じる**矢状クリステンセン現象**と，側方滑走運動時に平衡側に開いたくさび状の空隙が生じる**側方クリステンセン現象**とがある．

　このクリステンセン現象を防止し咬合平衡を確保するためには，臼歯部人工歯を平面に排列せず，前後的・左右的（側方的）に彎曲を与えて排列する必要がある．このような目的で各咬頭頂を連ねた線に付与する彎曲を**調節彎曲**という．矢状クリステンセン現象の防止には**前後的調節彎曲**を，側方クリステンセン現象に対する防止には**側方的調節彎曲**を与える．

（5）全部床義歯に与える咬合様式

a．フルバランスドオクルージョン

　フルバランスドオクルージョンは側方滑走運動時および前方滑走運動時に，作業側の歯だけでなく，前歯も含めた平衡側の歯も円滑に接触滑走して，両側性咬合平衡が成り立ち，義歯を安定させる咬合様式をいう（図 7-50）．Gysi の咬合小面学説に基づく咬合様式で，全部床義歯に望ましい咬合様式の 1 つ．

b．リンガライズドオクルージョン

　リンガライズドオクルージョンとは，咬頭嵌合位および側方滑走運動時に，上顎臼歯の舌側咬頭だけが下顎臼歯に接触することで咬合力を舌側へ誘導して，義歯の安定

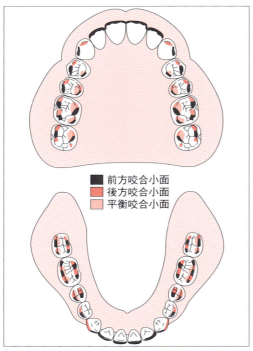

図 7-50　フルバランスドオクルージョン　　図 7-51　リンガライズドオクルージョン

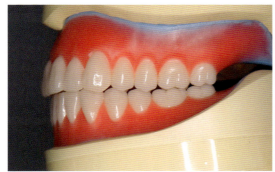

図 7-52　リンガライズドオクルージョン
臼歯部人工歯は 1 歯対 1 歯に排列する．

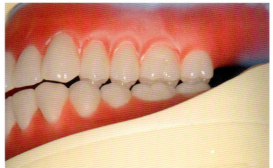

図 7-53　リンガライズドオクルージョン
頬側咬頭どうしは接触させず，上顎臼歯舌側咬頭が下顎臼歯の中心窩へかみ込む．

をはかる咬合様式である（図 7-51）．上下顎臼歯人工歯は 1 歯対 1 歯の咬合関係で，頬側咬頭どうしは接触させず，上顎臼歯舌側咬頭が下顎臼歯の中心窩へかみ込み，小臼歯と第二大臼歯で各 1 点，第一大臼歯で 2 点の片側で計 5 点，両側で計 10 点の咬合接触を与える．全部床義歯に望ましい咬合様式の 1 つで，咬合調整は容易である（図 7-52～55）．

　命名した Pound（1970）は片側性平衡咬合を提唱したが，現在ではリンガライズドオクルージョンにおいても両側性平衡咬合を与える方法が広く行われている．

7. 全部床義歯の人工歯排列と歯肉形成

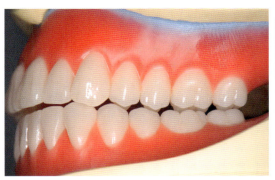

図 7-54　リンガライズドオクルージョン
側方運動時の咬合接触関係（作業側）

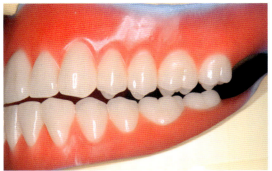

図 7-55　リンガライズドオクルージョン
側方運動時の咬合接触関係（平衡側）

c. 交叉咬合排列

交叉咬合排列とは，通常の臼歯部の被蓋とは逆に，下顎臼歯の頰側咬頭を上顎臼歯の頰側咬頭よりも頰側に排列し，上顎臼歯頰側咬頭を下顎臼歯の中心窩に嵌合させる排列法である．ただし，前歯部は審美性を重視して正常被蓋に排列するため，小臼歯部で交叉することになる（図 7-56, 57）．

一般的には，顎堤吸収の進行により，上顎顎堤弓が下顎顎堤弓より小さく，仮想咬合平面に対する臼歯部の歯槽頂間線の角度が 80° 以下となった場合に適応する．

代表的な方法に，以下の Müller 法や Gysi 法がある．

① **Müller 法**：上下顎左右側の臼歯部人工歯をすべて逆に用いて，臼歯部全体を反対被蓋にする方法．

② **Gysi 法**：Müller 法に準じるが，上顎歯列弓が小さくなるのを想定して $\overline{4}$ の位置に $\overline{5}$ の人工歯を排列し，$\overline{4}$ の人工歯は遠心端に排列するか，もしくは排列しない方法．

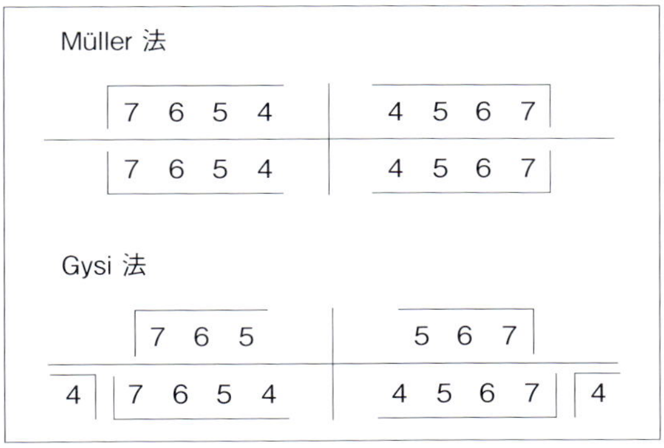

```
Müller 法
         | 7 6 5 4 |   | 4 5 6 7 |
         | 7 6 5 4 |   | 4 5 6 7 |

Gysi 法
           | 7 6 5 |     | 5 6 7 |
       | 4 | 7 6 5 4 | | 4 5 6 7 | 4 |
```

図 7-56　交叉咬合排列
Müller 法（上）と Gysi 法（下）

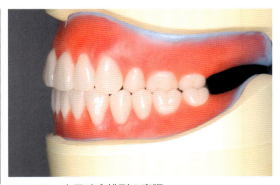

図 7-57　交叉咬合排列の実際

有床義歯技工学

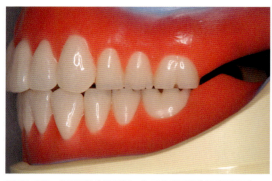 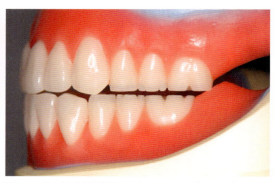

図 7-58　無咬頭人工歯による臼歯部人工歯排列　７の遠心にバランシングランプを形成する．

図 7-59　前方運動時にバランシングランプにより３点接触咬合が確保される

d．モノプレーンオクルージョン（無咬頭人工歯の排列）

モノプレーンオクルージョンとは，人工歯の咬頭傾斜が０°である無咬頭人工歯を平面に排列した咬合をいう．義歯の側方圧や義歯の推進現象の除去，顎関節の保護などを目的に考案された．

なお，咬合平衡を得るために下顎の最後臼歯後方に急斜面のランプ（バランシングランプ）をつけて，前歯部と両側のバランシングランプの３点での咬合，すなわち**３点接触咬合**を付与する場合が多い．これは**バランシングランプ法**（Sears 法）ともよばれる．通常はワックスで**バランシングランプ**を形成し，重合時にレジンに置き換える（図 7-58，59）．

3　歯肉形成

義歯床の人工歯歯頸部から義歯床縁に至るまでの歯肉に相当する部分，すなわち研磨面をワックスで形成し，所要の形態に仕上げる作業を**歯肉形成**という（図 7-60〜73）．研磨面形態は咀嚼，発音，審美性および舌感に関係するだけでなく，義歯の維持・安定にも大きく影響する．

1）唇側の歯肉形成

前歯部唇側の歯肉形成は，天然歯の歯肉を模倣し，審美的に仕上げ，人工歯の歯根部に一致した歯槽部の豊隆を形成する．特に，上顎犬歯部では，歯根部の豊隆を強調する．下顎唇側面はわずかに凹面に形成する．

また，患者の年齢に応じて歯頸部歯肉の退縮や歯間乳頭の形態を変化させたり，スティップリングの形成を行うこともある．

2）頰側の歯肉形成

臼歯部頰側は，歯槽部頰部の陥没を回復するよう，特に下顎第一大臼歯部ではわずかに凸面に形成する．歯根部は清掃性を優先し，食物残渣が停滞しにくい形態とする（図7-69）．

3）舌側の歯肉形成

舌側は，上下顎前・臼歯部すべての人工歯について，歯冠長径に合わせて歯頸部までを自然に近い形態に形成する．下顎舌側部では，床翼を凹面に形成することが大切で，これにより舌が義歯を押さえる棚ができ，義歯の維持・安定の向上と舌房の確保がなされる（図7-70, 71）．

4）口蓋部の歯肉形成

口蓋部は，舌が接触して飲み込みや発音に関係する部分である．このため，天然歯列時の形態に近似させて形成する．具体的には，以下の点に注意する．

① 前歯部は舌側歯頸部から口蓋に至る歯槽部がS字状になるようにわずかに豊隆をつけて形成する（**S字状隆起**，図7-61, 65）．

② 臼歯部は舌側歯頸部から歯槽部にかけてわずかに豊隆をつける．

③ **口蓋ヒダ**は発音や軟らかい食物の摂取に役立つとされているが，不適切なものはかえって**発音障害**を起こす原因となるため注意する（図7-68）．

5）床縁の形成

床縁は**コルベン状**に形成する．コルベン状に形成することによって，義歯の維持が向上する．ただし，上顎口蓋部後縁や下顎後縁のレトロモラーパッド部などは自然に移行するように形成する．

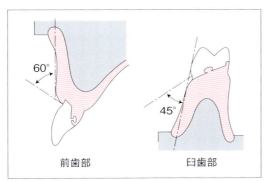

図7-60　人工歯の歯頸線に沿ってワックスを削除して歯肉縁を形成する
前歯部は60°，臼歯部は45°の角度に形成する．

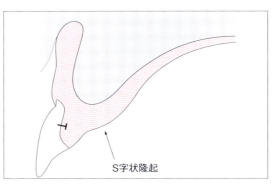

図7-61　上顎前歯部舌側の歯肉形成
舌側歯頸部から口蓋に至る歯槽部にS字状隆起を形成する．
（市川哲雄ほか編：無歯顎補綴治療学　第3版．医歯薬出版，東京，2016, 213.）

有床義歯技工学

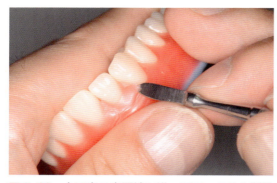

図7-62 人工歯の歯頸線に沿ってワックスを削除する

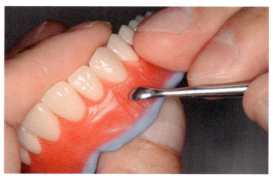

図7-63 前歯部人工歯の歯根と歯根の間の部分をV字状に浅く削る
特に犬歯の歯根の豊隆を強調する．

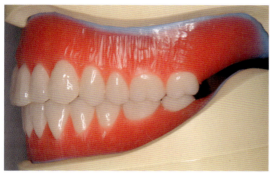

図7-64 唇，頰側の歯肉形成

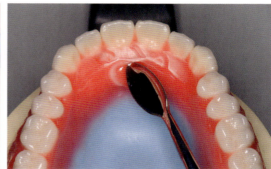

図7-65 口蓋側の歯肉形成
口蓋側にワックスを添加しS字状隆起を形成する．舌側歯頸部の形成は天然歯の舌側歯頸線を参考にする．

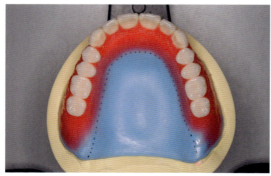

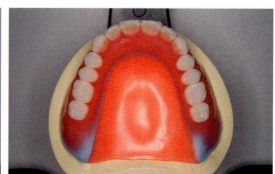

図7-66，67 口蓋部の置き換え
口蓋部の厚さを薄く均等にするため，レジン部を切り取りパラフィンワックスに置き換える．

7. 全部床義歯の人工歯排列と歯肉形成

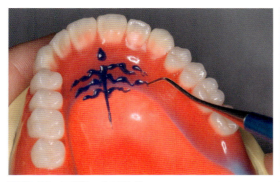

図 7-68　口蓋ヒダの形成
作業用模型に印記されている患者個々の口蓋ヒダの形態を参考にする.

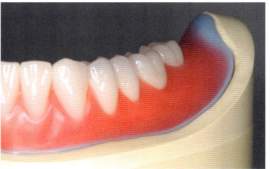

図 7-69　下顎頰側研磨面の形成
下顎頰側研磨面は,食物残渣が停滞しにくいようにスムーズに移行させる.第一大臼歯部付近はわずかに凸面とする.

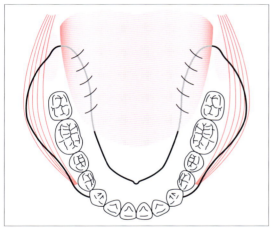

図 7-70, 71　下顎舌側研磨面の形成
下顎臼歯部舌側研磨面は凹面に形成することで,舌が乗って義歯の維持がはかられる.

図 7-72　表面仕上げ
ワックスの表面をミニトーチを使って軽く溶解し,滑沢な自然観のある表面に仕上げる.

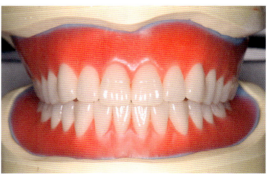

図 7-73　ろう義歯の完成
歯肉形成が完了した後で,咬合器上で再度咬合関係をチェックする.歯肉形成の完了した状態をろう義歯とよぶ.

4 ろう義歯の試適

　人工歯排列と歯肉形成が完了した重合前の義歯をろう義歯とよぶ．歯科医師によって患者の口腔内に試適され，審美性，咬合関係および発音などが点検される．この作業を**ろう義歯の試適**という．

　ろう義歯試適時には以下の点検を行い，不適なものがあれば，排列や歯肉形成の修正を行う．

　① 義歯床形態の点検：上顎口蓋後縁部の位置など床後縁部を含めた床外形が適切か．床縁の形態がコルベン状になっているか．

　② 審美性の点検：口唇や頬の豊隆度．人工歯の色調，形態，大きさ．正中線の位置．前歯部人工歯排列の自然感．

　③ 臼歯部人工歯の排列位置の点検：下顎臼歯の頬舌的な排列位置と舌運動との調和．舌房の確保．咬合平面の高さと舌背の高さ．

　④ 咬合関係の点検：咬合高径，咬頭嵌合位での咬合接触状態．

　⑤ 発語機能の点検：発音の容易さ，発語明瞭度．症例によっては，**パラトグラム**により発音時に舌が口蓋に接触する範囲を調べて，口蓋部の形態を修正する（図7-74，75）．

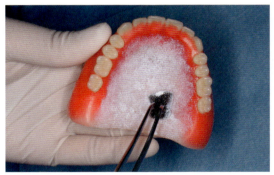 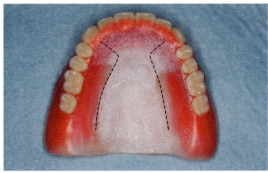

図7-74，75　パラトグラム
発音時に舌が口蓋に接触する範囲を調べる．点線は〔シ〕発音時の標準的なパターンを示す．

8 全部床義歯の埋没と重合

到達目標

① 埋没の種類と方法を説明できる.
② 義歯床用レジンの重合法の種類と特徴を説明できる.
③ 全部床義歯の埋没, 流ろうおよび重合ができる.

　　ろう義歯の試適が終了したら, ろう義歯の歯槽部のワックスと基礎床部分を義歯床用レジンに置き換える. この一連の作業を**埋没**, **重合**という. 義歯床用レジンには, 通常, アクリルレジン (ポリメチルメタクリレートレジン：PMMA) が用いられている. 重合方法には加熱重合法, 常温重合法, マイクロ波重合法がある.

1 埋没の前準備

　　重合が完了した義歯では, レジンの重合収縮や埋没時のエラーなどにより, 人工歯の咬合関係に変化が生じる. そのため重合後には, 咬合器に再装着して最終的な咬合調整と削合を行う必要がある. この作業を行うために, ろう義歯はフラスク埋没前に咬合器再装着の準備をしておく.

1) スプリットキャスト

　　咬合器に装着されている作業用模型が**スプリットキャスト**であるときは, スプリット部から作業用模型を外し, 作業用模型の基底面にアルミホイールを貼りつけ, 保護する. こうすることで, 重合完了後において, フラスクからの取り出し時に作業用模型の破損を防止する. 重合後, 取り出した模型は, スプリットキャストによって咬合器に再装着できる.

2) テンチの歯型 (テンチのコア)

　　作業用模型がスプリットキャストでないときは, 重合後に咬合器に再装着するために, 埋没前に上顎人工歯切縁・咬合面の石膏の陰型を取っておく. この作業を**歯型採得**といい, 得られた石膏歯型を**テンチ (Tench) の歯型** (コア) という. 重合後に, この歯型に上顎義歯の人工歯の切縁・咬合面を合わせることで, 上顎義歯を咬合器に

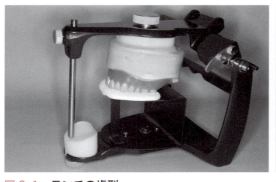 

図 8-1　テンチの歯型
埋没前に咬合平面板上に石膏泥を盛り，上顎人工歯列の切縁および咬合面の陰型を採取する．

図 8-2　石膏面に印記されたテンチの歯型

再装着できる（図 8-1，2）．

2　埋　没

　埋没材でろう義歯を作業用模型ごとフラスクに埋め込み，レジンを填入するための義歯の陰型をつくる作業を**埋没**という．

1）加熱重合レジンの埋没

　埋没方法は，人工歯や作業用模型などをフラスクの上部と下部のどちらに埋没するかで，以下の3つに分類される．埋没材には通常，石膏が用いられる．

（1）アメリカ式埋没法

　人工歯をフラスク上部に，作業用模型をフラスク下部に残す埋没法である．
　埋没および流ろう，分離剤の塗布，レジン填入などの作業が容易であるが，加圧が不十分な場合には，フラスクの浮き上がりにより義歯の咬合高径が高くなるおそれがある（図 8-3）．
　全部床義歯ではレジン床義歯に用いられる．

（2）フランス式埋没法

　人工歯と作業用模型をともにフラスク下部に残す方法である．
　人工歯と作業用模型の位置が一定に固定され咬合関係が変化しにくいが，流ろうやレジン填入操作がやりにくのが欠点とされる（図 8-4）．

（3）アメリカ・フランス併用式埋没法

　人工歯をフラスク上部に，支台装置や連結子など，ほかをすべてフラスク下部に残

8. 全部床義歯の埋没と重合

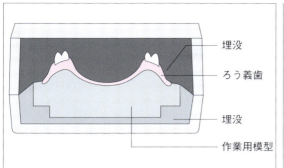

図 8-3　アメリカ式埋没法によるフラスク埋没　　　図 8-4　フランス式埋没法によるフラスク埋没

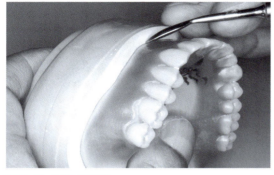

図 8-5　床縁の封鎖
ろう義歯の床縁をパラフィンワックスで完全に封鎖する．人工歯表面に付着しているワックスは完全に除去する．

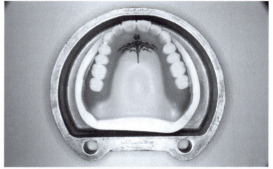

図 8-6　埋没スペースの確認
作業用模型周囲とフラスクの間に埋没石膏が入るスペースがあること，また，人工歯とフラスク上縁との間に 5 mm 以上スペースがあることを確認する．

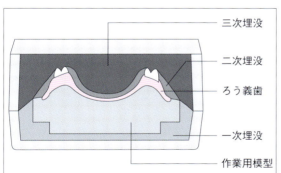

図 8-7　埋没の模式図
埋没は 3 回に分けて行う．下部フラスクへの埋没を一次埋没，上部フラスク内のろう義歯周辺部分への埋没を二次埋没，上部フラスクの残りの部分への埋没を三次埋没という．

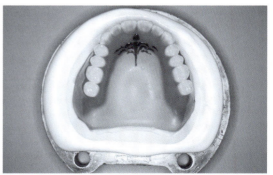

図 8-8　一次埋没
作業用模型を吸水させた後，作業用模型表面の余分な水分を除去し，下部フラスクに石膏を注入して作業用模型を静かに押し込む．

す方法である．
　全部床義歯では金属床義歯に応用される．
　アメリカ式埋没法による埋没作業の実際を図 8-5〜13 に示す．

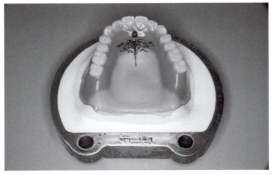

図 8-9 一次埋没の完了
石膏が硬化する前に，石膏が上・下部フラスクの接合面から作業用模型周囲に自然に移行するように，表面を手指や筆で滑らかにする．このとき，フラスク接合面に石膏が付着しないよう，また，上・下部フラスク着脱の際のアンダーカットにならないように注意する．

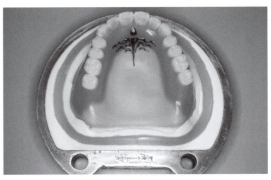

図 8-10 遁路の設定
アメリカ法で埋没してレジン塡入を行うと，バリが発生して咬合高径が高くなる場合がある．そこで，バリの防止策として，①遁路（レジン塡入時のレジンの逃げ道）を設けたり，②レジン塡入時の試圧回数を多くする．

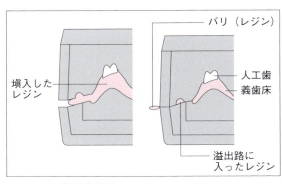

図 8-11 遁路の構造
上・下部フラスクが閉じられると，義歯床からはみ出た余分なレジンは遁路に入る．遁路は，フラスク下部埋没後にパラフィンワックスなどで設ける方法と，埋没が完了して流ろう後に上部フラスクの石膏を削除して形成する方法がある．

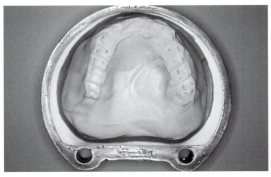

図 8-12 二次埋没
一次埋没石膏の硬化後，分離剤を塗布し，二次埋没用石膏を 5～8 mm の厚さに盛り上げる．人工歯の切縁と咬頭頂は露出させる．

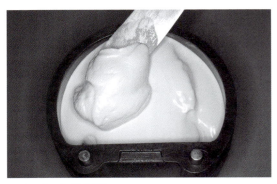

図 8-13 三次埋没
二次埋没終了後，上部フラスクを重ね，接合部が正確に密着していることを確認する．埋没用石膏をフラスク上縁よりわずかに高く盛り，バイブレーターで振動を与えながら注入し，フラスクの蓋をのせ，油圧プレスで圧を加えて石膏の硬化を待つ．

2）常温重合レジンの埋没

加熱を必要としない常温重合レジンによる重合法では、埋没材には石膏のほか、シリコーンゴム印象材、寒天印象材なども使用される。メーカーにより使用するレジンと埋没材料の組み合わせが決められている。

3 流ろう

フラスク埋没後、フラスク内のろう義歯のワックス（および基礎床）を除去する作業を**流ろう**という。フラスクを加温し、内部のワックスを軟化させて上下フラスクを分割する（図8-14〜16）。ワックスの軟化には60〜70℃の温水中に7〜8分浸漬する方法が推奨されている。沸騰水中に3分間浸漬する方法もあるが、ワックスを融解しすぎた場合にはワックスが石膏にしみ込むため、分離剤がなじみにくく、重合後の義歯の分離が困難で、表面が粗れやすい。一方、浸漬時間が短くワックスの軟化が不足している場合には、上下のフラスクが分離しづらく、無理に分離すると、作業用模型や埋没用石膏の辺縁部などを破折するおそれがある。

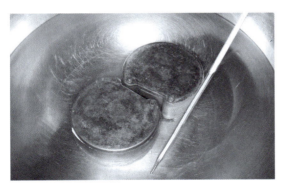

図8-14　ワックスの軟化
フラスクを60〜70℃の温水中に7〜8分浸漬し、フラスク内のワックスを軟化する。

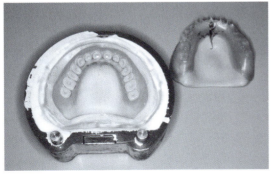

図8-15　フラスクを開け、フラスク下部から基礎床とワックスを一塊として取り出す。フラスクに残っているワックスを熱湯で完全に洗い流す

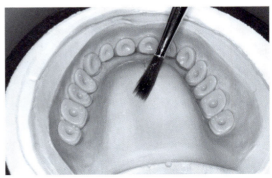

図8-16　分離剤の塗布
余剰の水分を除去し、分離剤を上下フラスクの石膏面全体に塗布する。人工歯に分離剤が付着しないように注意する。

4 義歯床用レジンの重合

フラスクの石膏陰型にレジンを填入し，レジンの重合反応を完了させる操作を**重合**という．これにより，ろう義歯の床部分は義歯床用レジンに置き換わる．

使用される加熱重合レジンは重合度が高く，機械的性質や耐変色性に優れるが，重合収縮により適合性にやや劣る．一方，常温重合レジンは熱収縮が少ないので適合性に優れるが，重合度や機械的性質にはわずかに劣るとされている．

1）加熱重合レジンの重合

（1）レジンの填入

レジンの液（モノマー）と粉末（ポリマー）を混和すると，レジンは，濡れた砂状→糸ひき状→餅状→ゴム状（→固形状）へと変化する．加熱重合レジンでは餅状期にフラスクに填入する．油圧プレスで数回試圧した後，フラスククランプで固定する．

（2）加熱重合法

加熱重合レジンの重合法には，湿式重合と乾式重合（乾熱重合）があり，湿式重合が一般的に用いられている．

a．湿式重合法

① 65～70℃の温水中に60～90分間係留後，100℃で30～60分間加熱する方法（2ステップ法）．

② 75℃の温水中に8時間係留，または70℃温水中に24時間係留して重合させる方法．この方法を**低温長時間重合法**とよび，重合ひずみが小さく，適合性が比較的良好であるとされている．

③ **ヒートショック法**：100℃の沸騰水中で，10～15分間加熱重合する方法で，専用のヒートショックレジンを用いる．

湿式重合法によるレジン重合の実際を図8-17～21に示す．

図8-17　レジンの予備重合
レジン混和器で，粉末と液を約2～2.5：1の重量比で混和する．餅状になるまで，室温に放置する．

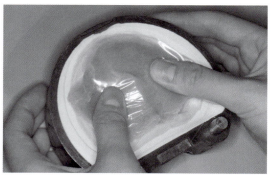

図8-18　レジン填入
餅状になったレジンを上部フラスクの陰型に填入し，ポリエチレンフィルムを介して手指で圧接する．

8．全部床義歯の埋没と重合

図 8-19　ポリエチレンフィルムを介在したまま油圧プレスで圧をかける

図 8-20　余剰レジン（バリ）の除去
圧を除いてフラスクを開き，はみ出したバリを除去する．バリが出なくなるまで数回試圧操作を繰り返す．

図 8-21　湿式重合法によるレジン重合
ポリエチレンフィルムを除去した後，上下フラスクを合わせて圧をかけ，フラスククランプで固定する．加熱重合条件を厳守し，温湯中に浸漬する．

b．乾式重合法（乾熱重合法）

　熱源として，油圧プレスの上下加圧板のなかに電熱線が入っているもの，電磁加熱器を利用するものがある．現在ではほとんど使用されていない．

c．マイクロ波重合法

　電子レンジのマイクロ波を利用して，500 W で 3 分間重合する方法で，専用の FRP フラスクと専用のレジンを使用する（図 8-22）．

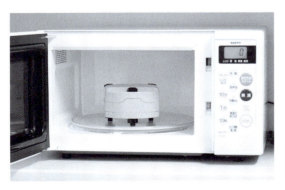

図 8-22　マイクロ波重合法
FRP フラスクにろう義歯を埋没し，分割，流ろう後，専用レジンを填入して電子レンジで重合する．

87

図 8-23　常温重合レジンの重合
加圧注入法（フィットレジンシステム，松風）

（3）レジン重合の失敗と原因

レジンの粉液比や操作時間，温度，手順を確実に実施しないとレジン重合後に以下のような問題が生じる．

① 気泡の発生：急激な温度上昇，餅状期前の塡入，レジン塡入量の不足による加圧不足．

② 義歯の変形：液（モノマー）が過剰，重合後の急冷，加圧不足のための重合不良．

③ 義歯床の硬度の低下：低温度にも関わらず重合時間が短い．

④ 人工歯の変位と破折：急激で不均等な加圧．

2）常温重合レジンの重合

レジンの粉末と液を混和し，常温で重合する常温重合法は，適合性に優れている．流し込み法と専用の機械で注入する加圧注入法がある．

（1）流し込み法

流し込み法では，粥状→スラリー状→ゴム状→固形状の変化のなかで，スラリー状期に流し込んで重合する．レジン注入後，圧力下で30分間重合する場合もある．

（2）加圧注入法

フラスク外部に設けられた注入口からレジンを注入して重合する方法である．専用のフラスクと注入装置が必要である（図 8-23）．

3）ポリスルフォン樹脂の成形

ポリマーに熱を加えて可塑化し，ノズルから高圧で注入して成形する．**射出成形機**と専用フラスク，特殊石膏が必要である．

9 全部床義歯の咬合器への再装着，削合および研磨

到達目標

① 咬合器再装着の方法を説明できる．
② 咬合器に模型を再装着できる．
③ 人工歯の削合の目的と方法を説明できる．
④ 選択削合，自動削合および人工歯咬合面の形態修正ができる．
⑤ 研磨の目的と方法を説明できる．
⑥ 全部床義歯を研磨できる．

　　　　　重合操作が完了した全部床義歯は，レジンの収縮やひずみによって，人工歯の咬合状態がろう義歯のときと比べてわずかに変化している．そこで，重合が完了した義歯を咬合器に再装着して咬合調整し，同時に咬合平衡が得られるように**人工歯の削合**を行う．
　　　　　この段階の技工作業は以下の順に行う．
　　　① 重合の完了した義歯をフラスクから取り出す．
　　　② 作業用模型から義歯を分離する（スプリットキャスト法以外）．
　　　③ 咬合器に再装着する．
　　　④ 人工歯の削合・研磨および義歯の研磨を行う．
　　　　　実際の手順では，人工歯の削合，義歯の研磨などすべての技工作業が完了した義歯を歯科医師に手渡す場合と，研磨した義歯を歯科医師がいったん患者の口腔内に試適した後，再度人工歯の削合を行う場合の2つの方法がある．どちらを選択するかによって義歯の咬合器再装着の方法が異なる．

1 咬合器再装着の方法と特徴

1）スプリットキャスト法

　　　　　スプリットキャスト法は重合完了後にフラスクから義歯と作業用模型を一体として取り出した後，作業用模型基底面のスプリットキャストによって上下顎とも咬合器に再装着する方法である．
　　　　　作業用模型を咬合器に再装着すると咬合器の**切歯指導釘**が浮き上がるが，この浮き

有床義歯技工学

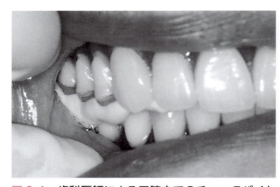

図 9-1　歯科医師による口腔内でのチェックバイト記録

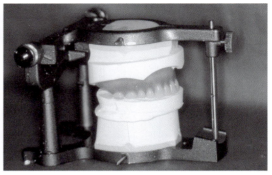

図 9-2　テンチの歯型による咬合器再装着
義歯の試適が終わったら，記録したテンチの歯型に上顎義歯を適合させて，咬合器に再装着する．

上がり量が重合によるレジンのひずみの程度を示す．

まず，**咬頭嵌合位（中心咬合位）**で咬合調整を行い，次に咬合器の**顆路**と**切歯路**の傾斜角（度）に合わせて**人工歯咬合面の削合**を完成する．その後，義歯を作業用模型から分離して研磨し，完成させる．

2）テンチの歯型法

テンチ（Tench）の歯型法は，ろう義歯のフラスク埋没に先立って採得した上顎ろう義歯の人工歯咬合面の歯型（テンチの歯型，**テンチのコア**）を使用して咬合器に再装着する方法である．

手順を以下に示す．

① 重合後の上下顎義歯を作業用模型から取り出して研磨した後，歯科医師がこの義歯を患者の口腔内に試適し**咬頭嵌合位（中心咬合位）**の**チェックバイト**を採得する（図 9-1）．

② 上顎義歯をテンチの歯型に適合させて咬合器の上弓に装着する（図 9-2）．

③ 患者の口腔内で採得したチェックバイトを介して下顎義歯を咬合器の下弓に装着する．このとき，咬合器上下弓間の距離（切歯歯導釘の長さ）は，レジン重合時の変形による平均的な値として約 0.5 mm とチェックバイト材料の厚さ（**機能咬頭**が印記されている部分の最も厚い値）を加えた分だけ大きくする．

④ チェックバイトを咬合器の上下顎義歯の咬合面から取り除き，咬合の不正分を削合する．

⑤ **削合**によって咬合平衡が完成した後，義歯を歯科医師に手渡す．

3）フェイスボウトランスファー法

フェイスボウトランスファー法は，義歯のフラスク埋没前にスプリットキャストもテンチの歯型も準備していなかったときの**咬合器再装着法**である．

手順を以下に示す.

① 義歯を作業用模型から分離して研磨を完成させ，歯科医師に手渡す.

② 歯科医師は義歯を患者の口腔内に試適し，咬頭嵌合位（中心咬合位）のチェックバイトを採得する.

③ **有歯顎**と同様の方法で上顎義歯を介してフェイスボウトランスファーを行う.

④ 上顎義歯をフェイスボウ記録によって**咬合器の上弓**に装着する.

⑤ 下顎義歯はチェックバイト記録によって**咬合器の下弓**に装着する.

⑥ テンチの歯型法③〜⑤と同様の作業を行う.

2 人工歯の削合

人工歯排列時の咬頭嵌合位（中心咬合位）ならびに前方・側方運動時の削合は，人工歯削合の第一段階である．ここでの人工歯の削合は，主として重合ひずみによって生じた咬合関係の不正を修正し，咬合小面を形成して，削合を完成するものである.

以下に，フルバランスドオクルージョンを付与した場合について記載する.

1）咬合小面

咬合小面とは人工歯の咬合接触部に形成される小さな面である．この小面が咬合器に与えられている顆路と切歯路の傾斜によって形成されると，義歯は患者の下顎運動と調和してこの小面で接触滑走し，咬合の平衡を得た安定した義歯となる.

咬合小面は，その部位と機能から**前方咬合小面**，**後方咬合小面**および**平衡咬合小面**に分類される．咬合小面の傾斜角度や方向は，人工歯の部位と患者個々によって異なるが，一般的には，作業側で接触する前方咬合小面と後方咬合小面は，平衡側で接触する平衡咬合小面よりも咬合平面に対する角度が小さい（図 9-3）.

（1）前方咬合小面

前方咬合小面は作業側側方運動と前方運動時に接触滑走する面である.

上下顎前歯部の切縁および上顎臼歯では頰舌側咬頭の遠心舌側斜面，下顎臼歯では頰舌側咬頭の近心頰側斜面に出現する.

（2）後方咬合小面

後方咬合小面は作業側側方運動と後方運動時に接触滑走する面である.

上顎臼歯では頰舌側咬頭の近心舌側斜面，下顎臼歯では頰舌側咬頭の遠心頰側斜面に出現する.

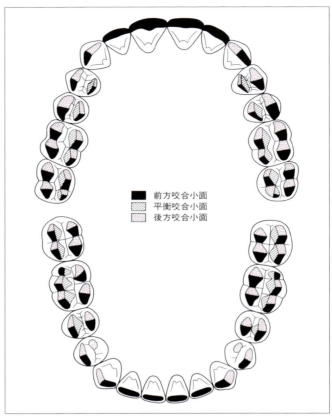

図 9-3　上下顎全部床義歯の人工歯に出現する咬合小面（フルバランスドオクルージョン）

（3）平衡咬合小面

平衡咬合小面は側方運動時に平衡側で接触滑走する面である．

上顎臼歯では舌側咬頭の内斜面，下顎臼歯では頬側咬頭の内斜面に出現する．

2）選択削合と自動削合

（1）人工歯の削合の要点

① 人工歯の削合は選択削合と自動削合の二段階で行う．

② 選択削合は**ダイヤモンドポイント**，**カーボランダムポイント**などを用いて，咬合器に再装着されている義歯の咬頭嵌合時，側方運動時および前方運動時の人工歯の早期接触部を一定の手順と法則に従って削合する．

③ **自動削合**は上下顎人工歯間に**カーボランダム泥**を介在させ，咬合器で下顎運動を再現することによって，人工歯咬合面全体を同時に削合する．

④ 選択削合によって義歯に与える咬合関係を確立し，次に，自動削合によって滑らかな咬合小面を完成させる．

⑤ 選択削合では咬合小面の傾斜角度を急にすることも緩やかにすることも可能で

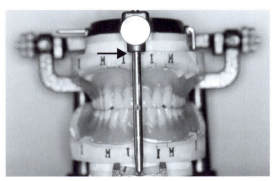

図 9-4　選択削合の準備
咬合器の切歯指導釘は挙上してある切歯指導釘を元の位置に戻して行うのではなく，自動削合による削合量の約 0.2 mm 挙上しておく．

あり，人工歯を1カ所ずつ別々に削合するため咬合関係の微調整はできるが，完全な削合を完成することは困難である．一方，自動削合では，咬合小面の傾斜角度を急にすることはできず，緩やかにするのみである．自動削合では歯列全体を同時に削合するため部分的な調整はできないが，均等で完全な削合を完成することができる．

(2) 選択削合

選択削合に際しては，以下の点に注意して慎重に作業する．
① **咬合紙**によって印記された不正部位のみを削合する．
② 咬合紙で印記された部位は1回ごとによく拭き取り，次の印記に移る．
③ 一度に多量に削合すると回復が不可能なため，削合は少量ずつ行う．
④ 印記された部分の削合は上下顎を同時に行わず，上下顎交互に行う．
⑤ 挙上してある切歯指導釘を元の位置に戻して行うのではなく，**自動削合**による削合量の約 0.2 mm 挙上して行う（図 9-4）．

a. 咬頭嵌合位（中心咬合位）における選択削合

咬頭嵌合位（中心咬合位）における**選択削合**とは，咬頭嵌合位（中心咬合位）での**早期接触部**を削合することである．削合の初期には，咬頭斜面の一部あるいは咬頭頂部が辺縁隆線部と接触していることが多い．この段階では咬頭頂を保存するように気をつけて，斜面の接触部のみを削合する．

削合が進むと，咬頭頂部の早期接触が現れてくる．この場合，ただちに咬頭頂を削って咬頭を低くするのではなく，**偏心咬合位**になったときに**咬合接触**によって咬合平衡を保つためにはその咬頭の高さが必要かどうか，また，各咬合小面を考えながら，咬頭を削るか，それとも対合する溝を深くするかを決定する．これらの早期接触部の中に前後的・側方的調節彎曲から突出した咬頭頂があれば，その咬頭頂を削合する場合もある（図 9-5～12）．

有床義歯技工学

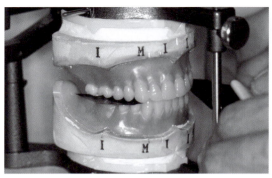
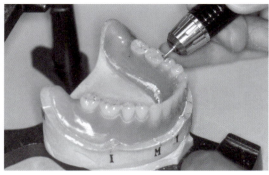

図 9-5, 6　咬頭嵌合位（中心咬合位）における選択削合
咬頭嵌合位（中心咬合位）における選択削合は咬合器を蝶番運動させることによって行う．上下歯列間に咬合紙を介在させて咬合させる．咬合紙の色が印記された部位が咬頭の早期接触部なので，小さなポイントやバーで削除する．切歯指導釘が切歯指導板に接触するまで行うが，上顎舌側咬頭と下顎頬側咬頭は最後までそれぞれの対合歯と接触し，印記点も残っていなければならない．

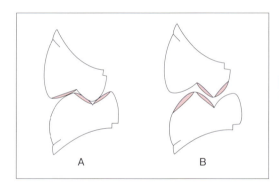

図 9-7　咬頭嵌合位（中心咬合位）での選択削合の基本
選択削合を行う場合，基本的に上顎は頬側咬頭内斜面を，下顎は頬舌側咬頭内斜面を，傾斜角度を強くするように少しずつ削合する（A）．下顎頬側咬頭および上顎舌側咬頭の印記点は咬頭頂を残し，中心咬合面隆線を頂点とした咬頭斜面の傾斜を強めるように削合する（B）．

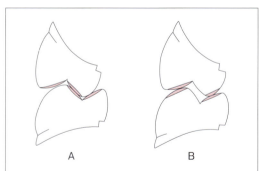
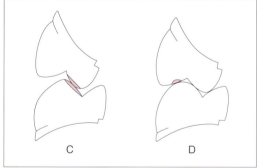

図 9-8, 9　人工歯が変位している場合の咬合関係と削合部分
上顎の人工歯が垂直的に変位している場合は，上下顎の小窩を深くする（A）．上顎の人工歯が舌側あるいは下顎の人工歯が頬側に変位している場合は，前方・側方咬合小面を形成するように削合する（B）．上下顎機能咬頭の内斜面で早期接触がある場合は，平衡咬合小面を形成するように削合する（C）．咬頭頂と辺縁隆線部が接触している場合は，隆線部に小窩を形成するように削合する（D）．

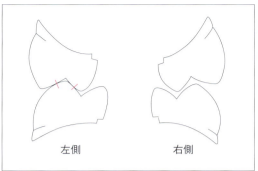
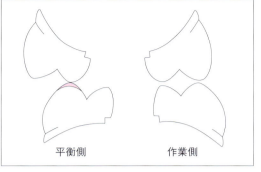
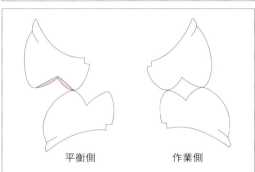

図 9-10〜12 咬頭嵌合位（中心咬合位）における早期接触部の選択削合
左側の下顎頬側咬頭と上顎中心窩が早期接触している場合（図 9-10，左上）には，左側が平衡側となるように咬合器を動かし，作業側で咬頭が離開した場合は下顎頬側咬頭を削れば，咬頭嵌合位（中心咬合位）に戻したときに左右均等に接触し，平衡側でも接触関係のバランスがとれる（図 9-11，右上）．一方，作業側の咬頭が接していて，しかも切歯指導釘が切歯指導板に接している場合には，その咬頭の高さが必要なので上顎中心窩の部分を削合する（図 9-12，下）．

b．偏心咬合位における選択削合

　偏心咬合位における選択削合とは，咬頭嵌合位（中心咬合位）で均等な咬合接触が得られた後に行う偏心位での削合である．咬合面間に咬合紙を介在させて側方運動時の**干渉部**を印記し，印記された干渉部を削合する．

　偏心咬合位の削合では，すでに咬頭嵌合位（中心咬合位）の削合で咬合高径が所定の高さに定められている．その**咬合高径**を維持している上顎舌側咬頭および下顎頬側咬頭と咬合する部分は，上下顎が安定して咬合するのに必要な部位であるため削合をさけ，咬合高径に関係のない部分，すなわち上顎頬側咬頭か下顎舌側咬頭の干渉部を削合する．このとき，前方咬合小面と後方咬合小面の傾斜方向を考慮して，一つの咬頭が2面の尾根型となるように削合する．このように，咬合平衡を与えるために作業側で削合する咬頭部位は上顎の**頬側咬頭（Buccal-Upper）**内斜面と下顎の**舌側咬頭（Lingual-Lower）**内斜面が主であるので，この頭文字をとって **BULL の法則**とよばれている（図 9-13〜21）．

　削合が完了したら，すべての咬合位において，咬合器の切歯指導釘が切歯指導板上に接触している状態になる（図 9-22）．

有床義歯技工学

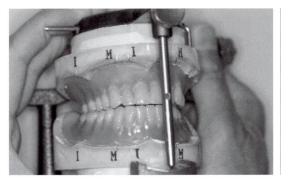

図 9-13　偏心咬合位の選択削合
偏心咬合位での削合は，咬合器を側方に動かすことによって行う．咬頭嵌合位（中心咬合位）で切歯指導釘が切歯指導板に接触するように削合されていても，咬合器を側方や前方に動かすと浮き上がる．

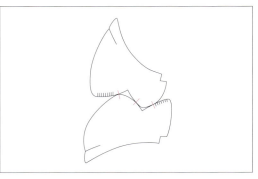

図 9-14　偏心咬合位での選択削合の基本
咬頭嵌合位（中心咬合位）における咬合接触部を，たとえば青色の咬合紙で印記しておく．次に，偏心咬合位での滑走接触部を赤色の咬合紙で印記させる（図の斜線部）．このとき青色印記部を残して，赤色印記部のみを削合するのが，偏心咬合位での選択削合の基本である．

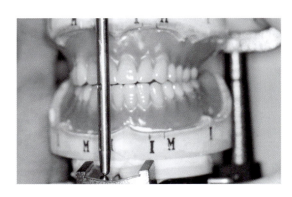

図 9-15　側方運動時の選択削合
咬合器を左側に動かして削合し，切歯指導釘が接触するようになったら，次に右側に動かして削合する．切歯指導釘が指導板に接触し，上下顎人工歯がほぼ均等な咬合接触（上下顎歯列の咬頭対窩，小面対小面などの接触）を得られるまで行う．

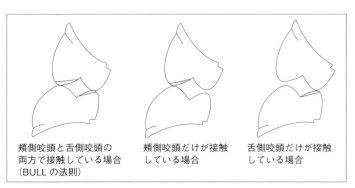

図 9-16　作業側での選択削合の部位
実際には上下顎の咬頭頂どうしが接触することは少なく，咬頭対溝の接触が多い．いずれにしても滑走によって対合接触する溝を深め，咬頭頂と中心咬合面隆線を境とする前方咬合小面と後方咬合小面を形成して，咬頭傾斜の角度が強まるような削合を行う．

9. 全部床義歯の咬合器への再装着，削合および研磨

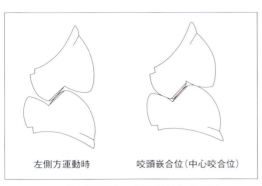 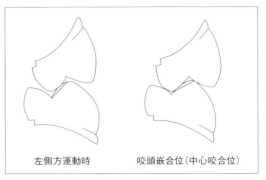

左側方運動時　　咬頭嵌合位(中心咬合位)　　　　左側方運動時　　咬頭嵌合位(中心咬合位)

図 9-17，18　平衡側での選択削合の部位
平衡側の咬頭干渉は，上顎舌側咬頭内斜面と下顎頰側咬頭の内斜面に発現する．この両咬頭は咬頭嵌合位（中心咬合位）を支える重要な咬頭である．上下顎人工歯の内斜面を両方とも削合すると，咬頭嵌合位（中心咬合位）に戻したときに大きな間隙ができて咬頭の嵌合関係が不安定となる（図 9-17）．したがって，下顎舌側咬頭内斜面あるいは上顎舌側咬頭内斜面のどちらかを削る．こうすることで，咬頭嵌合位（中心咬合位）に戻したときには削除されなかったほうの咬頭が支持咬頭として働く（図 9-18）．一般的には，咬合圧の加わる位置の舌側化をはかるため，下顎頰側咬頭の内斜面を削るほうがよい．

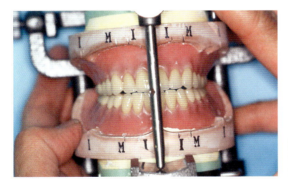

図 9-19　前方運動時の選択削合
側方の選択削合が終わったら，前方運動での選択削合を行う．咬合器を前方に動かして削合を行う．

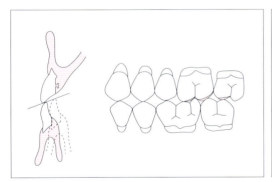 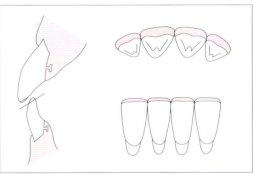

図 9-20　前方運動時の臼歯部の選択削合の部位
前方運動時の早期接触部は前方咬合小面に出現する．臼歯部は側方運動時にすでに削合されているので，接触部位はわずかしか出現しない．臼歯部に咬頭干渉がある場合にはBULLの法則と作業側の削合に準じて，上顎頰側咬頭と下顎舌側咬頭に前方咬合小面をつくるように削合する．

図 9-21　前方運動時の前歯部の選択削合の部位
前歯部は審美的な観点などから切縁の位置が決められている．上顎前歯切縁は，できるだけ自然な咬耗を表現する程度の削合に留め，下顎切縁部を削合することで均等な接触関係が得られるようにする．

97

有床義歯技工学

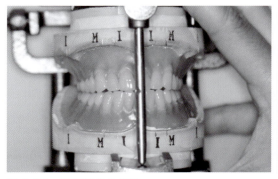

図 9-22　選択削合の点検
選択削合が完了したら，すべての咬合位で切歯指導釘が切歯指導板に接触を保った状態となり，上下顎人工歯が接触滑走する．

図 9-23　自動削合
自動削合にはカーボランダム砥粒にグリセリンを混和して，カーボランダム泥として使用する．カーボランダム砥粒には粗い粒度と細かい粒度があり，それぞれ，粗削合と仕上げ削合に用いる．

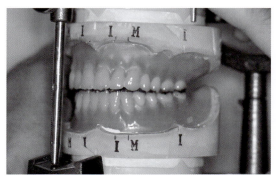

図 9-24　側方・前方運動での自動削合
選択削合時に挙上しておいた切歯指導釘を 0.1 mm だけ残してネジを締め，この間隙をカーボランダム泥の粗い粒度で自動削合する．咬合させて左右側方運動を行い，スムーズに滑走したら，流水でカーボランダム泥を洗い流して切歯指導釘と切歯指導板の接触を調べる．側方運動での自動削合が終わったら，前方運動で切歯指導釘が切歯指導板と接触するまで自動削合を行う．

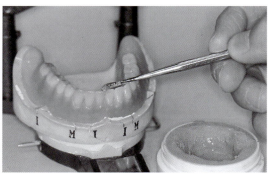

図 9-25　仕上げ用カーボランダム泥による自動削合
0.1 mm 残してある切歯指導釘を元に戻し，細かい粒度のカーボランダム泥を用いて仕上げ削合を行う．手順は粗削合と同様である．自動削合が終わったらカーボランダム泥を洗い流し，各運動での接触状態を点検して自動削合を完了する．

(3) 自動削合

　選択削合によってほぼ調整された咬合小面形態を最終的に完成させるために，0.2 mm 挙上されている切歯指導釘を正しい位置に戻して**自動削合**を行う．自動削合に際しては以下の点に注意する（図 9-23〜25）．

　① 介在させるカーボランダム泥が多すぎると必要以上に削合され，咬頭傾斜が緩くなるだけでなく，咬頭嵌合位（中心咬合位）での咬合高径を減少させることがあるため注意する．

　② 咬合器を各運動方向に動かすとき，強い力で押さえて削合すると人工歯が破折することがあるため，軽く静かに注意しながら時間をかけて行う．

　③ 削合の途中では何度も流水でカーボランダム泥を洗い流し，各運動方向で切歯指導釘と切歯指導板との接触状態を確認する．

9．全部床義歯の咬合器への再装着，削合および研磨

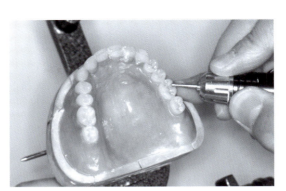

図 9-26　人工歯の形態修正
人工歯の咬合面形態をこわさないように注意しながら，小窩・裂溝を形成する（逃路）．中心溝は 0.5 mm 程度の深さに形成する．

3）人工歯咬合面の形態修正と研磨

　自動削合が完了すると，人工歯咬合面は辺縁が鋭利になり，広い斜面で咬合接触するようになる．この状態では，咀嚼時に食品が咬合面から流れにくくなるので咀嚼能率が悪くなり，加わる**咀嚼圧**が大きくなって義歯床下組織への負担も大きくなる．そこで，咬合面に**スピルウェイ**（逃路）を設け，咬合接触面積を小さくするために，咬頭嵌合位（中心咬合位），偏心咬合位の咬合平衡を損なわないように注意しながら，切削用の小さく鋭利なポイント類で，小窩・裂溝を形成する．また，舌，頰粘膜の損傷と人工歯の破折を防ぐ目的で，咬合面の辺縁部にできた尖った鋭縁を削除して丸みをもたせる（図 9-26）．形態修正後は，主として**ペーパーコーン，シリコーンポイント**を用いて研磨する．

3　研　磨

　研磨はすべての補綴装置における技工作業の最終段階である．全部床義歯においても同様で，フラスクから取り出した義歯のレジン部分を滑らかに仕上げる必要がある．その前段階として義歯を作業用模型から分離する（図 9-27）．咬合器への再装着法によって，人工歯の削合が終わっている場合とそうでない場合とがある．

1）義歯の作業用模型からの分離

　義歯製作に用いた作業用模型は，歯科技工士にとって最大の情報源であるため，義歯を分離する場合，可能な限り作業用模型を破損しないようにすることが理想である．作業用模型が破損しなければ，研磨途中で床外形，小帯部および義歯床後縁の移行状態の確認などが可能となる．

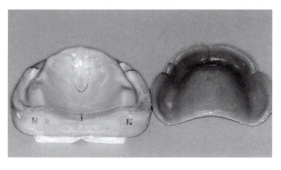

図 9-27 作業用模型からの義歯の分離
義歯を破損しないように，慎重に作業用模型を分割して取り出す．

2) 研磨の目的

① 異物感を小さくして，装着感を向上させる．
② 義歯周囲の軟組織を傷つけないようにする．
③ 唇，頰および舌などとの接触を滑らかにし，咀嚼，嚥下，発音などの機能を向上させる．
④ **食物残渣**や**デンチャープラーク**[*]の付着を少なくして，衛生的にする．
⑤ 審美性を高める．

3) 研磨の要点

（1）床縁の研磨

床縁は，印象によって形成されている作業用模型の辺縁形態が正しく再現されている必要があり，**コルベン状**の形態にしなければならない．また，小帯部はほかの部分と同じ厚さにし，口蓋後縁部は義歯床研磨面が義歯床粘膜面に自然移行するように仕上げる．

レトロモラーパッド部の後縁はある程度の厚さをもつように滑らかに仕上げる．

（2）義歯床研磨面の研磨

歯肉形成されている形態を損なわないように滑沢に仕上げる．

（3）義歯床粘膜面の研磨

義歯床粘膜面は全部床義歯の維持と支持に直接関わる部分であり，印象によって得られている作業用模型の粘膜面の形態を正確に表している．したがって，研磨しすぎると**義歯床粘膜面**と**義歯床下粘膜**との適合状態が悪くなるため，表面を軽く研磨仕上げする．ただし，鋭利な部分があれば削除しなければならない．

義歯研磨の実際を図 9-28〜36 に示す．

---

[*]デンチャープラーク：義歯の表面に付着する黄白色の汚れで，歯に付着するデンタルプラーク（歯垢）に相当するが真菌が多い．義歯性口内炎の原因となる．

9. 全部床義歯の咬合器への再装着，削合および研磨

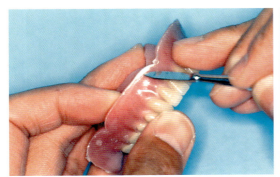

図 9-28　石膏の除去
義歯に付着している石膏は，彫刻刀など鋭利な器具で取り除く．細かく付着して取り除けないものは，石膏溶解液に浸漬して超音波洗浄器を使用し，化学的に除去する．

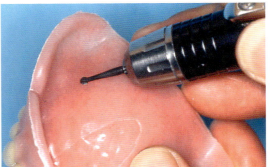

図 9-29　石膏の気泡によって生じた突出部の除去
義歯床研磨面や義歯床粘膜面に，石膏の気泡などによる不要なレジンの突出部があれば削除する．

図 9-30　粗研磨
タングステンカーバイドバーやペーパーコーンなどを用いて，義歯の周囲に突出しているバリを除去した後，床縁の形態を整える．口蓋後縁部とレトロモラーパッド部では床外形線の位置と一致させ，所定の厚さになるように表面を仕上げる．

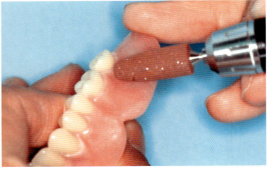

図 9-31　中研磨
粗研磨終了後，シリコーンポイントによる研磨を行う．義歯表面の傷の深さに応じて，目の粗いものから順に，各種の研磨器具を用いて，中研磨を行う．中研磨が十分であるほど，仕上げ研磨が容易になる．

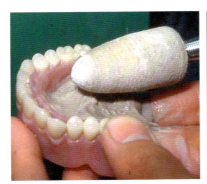  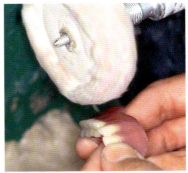

図 9-32〜34　レーズによる中研磨と仕上げ研磨
レーズにバフなどを装着し，つや出し材を使用して研磨する．このような回転器具によって研磨するときには，摩擦熱によるレジンの変質，変色，変形を避けるように注意しなければならない．そのためには，研磨中は常に湿らせた研磨材を補給して乾燥させないようにし，低速回転で行う．

101

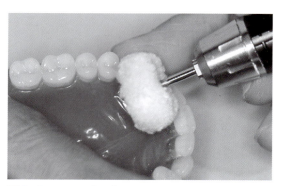

図 9-35 レーズ研磨で届かないような細かい部分は，技工用マイクロモーターや電気エンジンに小型の研磨器具をつけて仕上げ研磨する

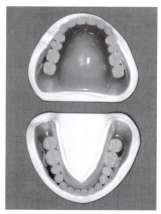

図 9-36 研磨の終了した上下顎全部床義歯

4）義歯の洗浄と完成後の保管

（1）義歯の洗浄

研磨が完了したら，義歯に付着した研磨材などをブラシで洗い落とす．さらに取れにくいものがあれば，**超音波洗浄器**を用いて洗剤で洗浄したり，**スチームクリーナー**で洗浄する．

（2）最終点検

洗浄後，義歯床粘膜面に突起物がないか，研磨もれがないかを確認する．

（3）完成後の保管

義歯は大気中に放置しておくとレジンが乾燥して変形を起こすため，必ず水中に浸漬した状態で保管する．これにより，レジン内部の**残留モノマー**を溶出させることも可能である．

III

部分床義歯
技工学

10 部分床義歯の特性

到達目標

① 部分床義歯の構成要素を列挙できる．
② 部分床義歯における支持，把持および維持を概説できる．
③ 部分床義歯を咬合圧の支持様式で分類できる．
④ 部分床義歯を残存歯と欠損の分布状態で分類できる．
⑤ 部分床義歯を使用目的で分類できる．

1 部分床義歯の構成要素

1）部分床義歯の構成要素

部分床義歯の構成要素には，**支台装置**（維持装置），**連結子**（連結装置），**義歯床**および**人工歯**がある（図10-1，詳細は12章参照）．

（1）支台装置

可撤性あるいは固定性の補綴装置を支台歯に連結するための装置で，機能時の部分床義歯を定位置に保つとともに義歯の動きを防ぐ．この装置には，クラスプやアタッチメントなどがある．支台装置が設置される残存歯は**支台歯**（**鉤歯**，**維持歯**）とよばれる．

（2）連結子

義歯床と義歯床，義歯床と支台装置を連結する金属製の装置で，**大連結子**（**大連結装置**）と**小連結子**（**小連結装置**）がある．

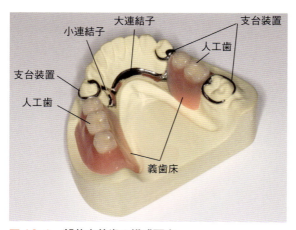

図10-1　部分床義歯の構成要素

10．部分床義歯の特性

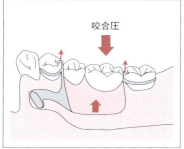
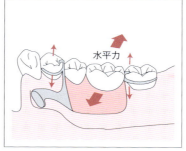
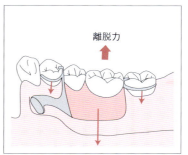

図 10-2　義歯の支持
咬合力による義歯の沈下に抵抗する作用で，レスト，義歯床，大連結子により作用する．

図 10-3　義歯の把持
水平的な力に抵抗する作用で，非アンダーカット部を走行するクラスプの一部や大連結子，義歯床により作用する．

図 10-4　義歯の維持
離脱力に対して抵抗する作用で，支台装置の鉤尖部および義歯床と顎堤粘膜の辺縁封鎖により作用する．

（3）義歯床

人工歯が排列され保持されている部分で，欠損部顎堤や口蓋の粘膜を被覆し，咬合圧を顎堤に伝達する．金属やレジンなどが用いられる．

（4）人工歯

義歯の咬合を担い，天然歯の代用となる歯のことである．通常，硬質レジン歯，レジン歯，陶歯が用いられ，まれに金属歯も用いられる．

2）部分床義歯の安定を得るために必要な 3 要素（支持，把持，維持）の概念とそれを担う義歯構成要素

（1）支持

支持（support）とは，咬合力によって生じる義歯の沈下に抵抗する作用をいう（図 10-2）．義歯の構成要素のなかで，支持は主にレスト，義歯床および大連結子により担われる．

（2）把持

把持（bracing）とは，義歯に加わる水平方向の成分に抵抗する作用をいう（図 10-3）．義歯の構成要素のなかで，把持は連接面板，支台装置のうち非アンダーカット領域に走行するクラスプの一部，小連結子，大連結子，義歯床により担われる．

（3）維持

維持（retention）とは，義歯に加わる離脱力に抵抗する作用をいう（図 10-4）．義歯の構成要素のなかで，維持は主に支台装置や義歯床により担われ，隣接面板や小連結子などの平行面の摩擦も関わる．

2 残存歯，欠損の分布状態による分類

部分床義歯は1歯欠損から1歯残存まで，その適応範囲は広く，多種多様な欠損状態が含まれる．そのため多くの分類法が存在している．

1）残存歯と欠損部の位置関係による分類

① **中間欠損**：欠損部の近遠心両側のいずれも残存歯が存在する欠損様式である．中間欠損に適応される義歯を中間義歯とよび（図 10-5），さらに片側性と両側性に分けられる．

② **遊離端欠損**：欠損部の遠心に残存歯が存在しない欠損である．遊離端欠損に適応される義歯を遊離端義歯とよび（図 10-5），さらに片側性と両側性に分けられる．

③ **複合欠損**：中間欠損と遊離端欠損が混在する欠損である．複合欠損に適応される義歯を複合義歯とよぶ（図 10-5）．

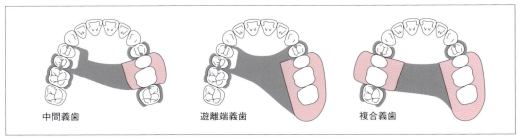

図 10-5　残存歯と欠損部の位置関係による義歯の分類

2）ケネディーの分類

Kennedy. E（1923，1925，1928）が提唱したもので，残存歯と欠損部の位置関係により，以下の4型に分類されている（図 10-6）．

① Ⅰ級：両側性遊離端欠損．欠損部が残存歯の遠心の両側に存在するもので，両側性遊離端欠損にさらに中間欠損が1カ所存在するとⅠ級-1類と分類され，中間欠損が増えるにしたがい2類，3類となる．

② Ⅱ級：片側性遊離端欠損．欠損部が残存歯遠心の片側に存在するもので，Ⅰ級の場合と同様に中間欠損が増えるにしたがいⅡ級-1類，2類などに分類される．

③ Ⅲ級：片側性中間欠損．ほかの中間欠損が存在すると，その数にしたがってⅢ級-1類，2類などに分類される．

④ Ⅳ級：前歯中間欠損．1カ所の欠損が残存歯より前方に存在するもので，両側性の前歯中間欠損も含む．Ⅳ級は類型をもたない．

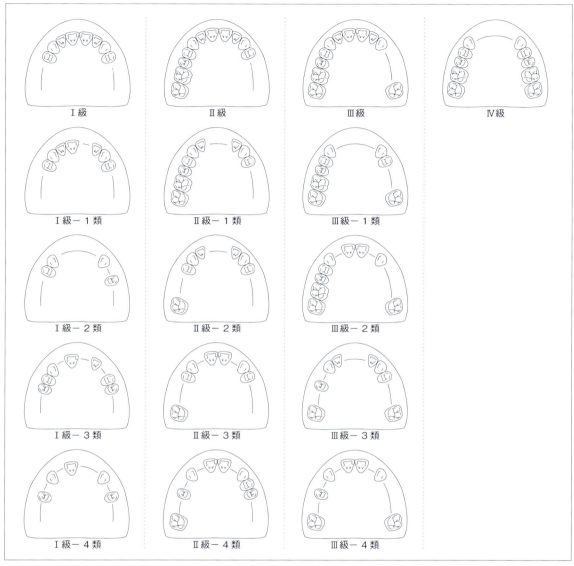

図 10-6　ケネディーの分類

3 咬合圧の支持様式による分類

　　部分床義歯に加わる咬合圧は残存歯やその支持組織，また欠損部顎堤や口蓋部によって支持される．それぞれの支持様式による義歯の分類を図 10-7 に示す．

1）歯根膜負担（歯根膜支持）

　　咬合圧を主に歯根膜に負担させる考えで，この義歯を**歯根膜負担義歯（歯根膜支持義歯）**とよぶ．少数歯欠損の中間義歯などが相当する．

2) 歯根膜粘膜負担（歯根膜粘膜支持）

咬合圧を歯根膜と顎堤粘膜の両者に負担させる考えで，この義歯を**歯根膜粘膜負担義歯（歯根膜粘膜支持義歯）**とよぶ．少数歯欠損の遊離端義歯などが相当する．

3) 粘膜負担（粘膜支持）

咬合圧の大部分あるいは全部を顎堤粘膜が負担するという考えで，この義歯を**粘膜負担義歯（粘膜支持義歯）**とよぶ．多数歯欠損義歯やレストの設置されていない暫間義歯などが相当する．

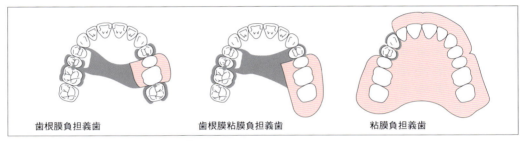

図 10-7 支持様式による義歯の分類

4 咬合圧支持域による分類

Eichner. K (1955) により提唱されたもので，**アイヒナーの分類**という（図 10-8）．上下顎の咬合状態を重視して分類したもので，左右の小臼歯部および大臼歯部を4つのブロックの咬合支持域に分け，それぞれ安定した咬合関係が存在するか否かによって3型に分類している．

① A型：4つの支持域すべてに咬合接触を有するもの．
② B型：4つの支持域中の一部の支持域のみに咬合接触を有するもの．
③ C型：すべての支持域に咬合接触がないもの．

5 義歯の目的別による分類

1) 最終義歯（本義歯）

部分床義歯に必要なすべての前処置が完了後，診療計画に基づいて最終的に製作される義歯をいう．

10. 部分床義歯の特性

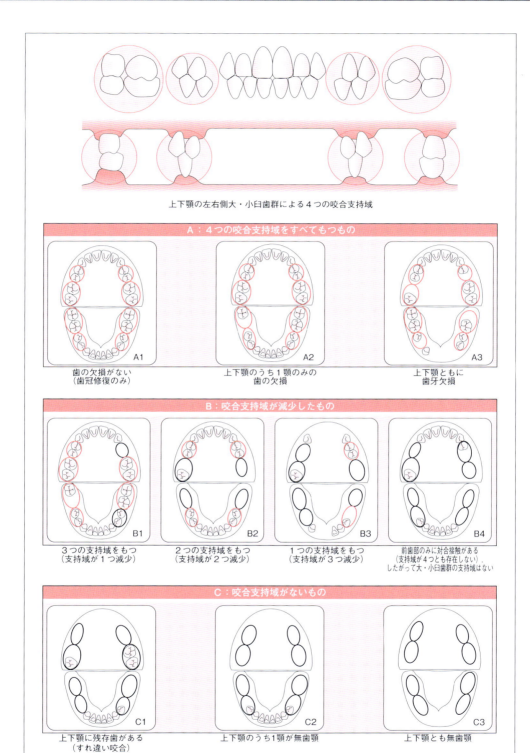

図 10-8　アイヒナーの分類

2）暫間義歯（仮義歯）

最終義歯を装着するまでのある一定期間使用する義歯をいう．暫間義歯には**即時義歯**，**治療用義歯**，**移行義歯**などが含まれる．①咀嚼，発音などの機能や審美性を保つ，②咬合高径を保持する，③義歯へ順応させる，などの目的がある．

（1）即時義歯

抜歯前に欠損状態を想定した作業用模型上で製作し，抜歯後，ただちに装着される義歯をいう（図10-9〜11）．①抜歯後の審美的な回復をする，②咀嚼，発音などの機能低下を防止する，③抜歯創を保護し，治癒を促進する，④最終義歯へ順応させる，などの目的がある．抜歯により審美性が失われる場合，抜歯により現在の咬合位が失われる場合などが適応症となる．

（2）治療用義歯

最終義歯を装着するまでの間，咬合治療，粘膜治療などを目的として装着される暫間的な義歯をいう．①病的な粘膜の調整を行う，②咬合関係の改善を行う，③暫間義歯として使用する，などの目的がある．

（3）移行義歯

近い将来，抜歯やそれに伴う義歯の修理が見込まれる場合に装着される義歯で，抜歯後の治癒を待ちながらもその間の機能と形態を継続的に確保し，最終義歯へ円滑に移行できるように考慮された義歯をいう．また，旧義歯に増歯し，修理を行い使用する場合もある．

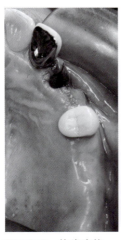
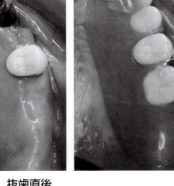

図10-9　抜歯直後

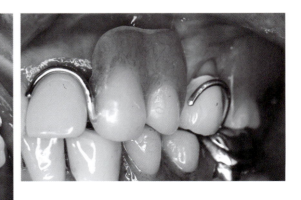

図10-10，11　即時義歯を装着
義歯の装着により機能的および審美的に回復ができる．

11 部分床義歯の製作順序

到達目標

① 部分床義歯の製作順序を説明できる.

1 歯科診療所と歯科技工所における作業の関連

　代表的な部分床義歯の製作順序を，歯科診療所における診療行為と歯科技工所における技工作業に分けて図11-1に示す．製作方法は各種あり，方法によりその順序は異なる.

　部分床義歯の製作過程は歯科医師との連係が多く，緊密な連絡のもとで技工作業を進めなければならない.

有床義歯技工学

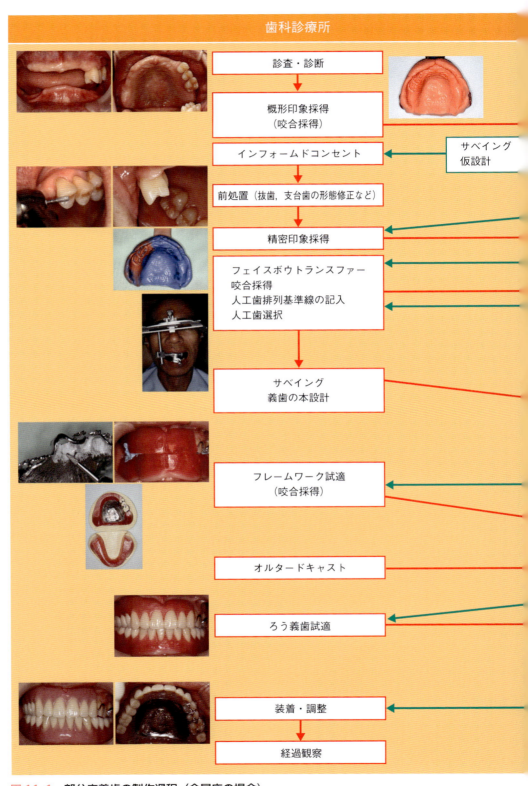

図 11-1　部分床義歯の製作過程（金属床の場合）

11．部分床義歯の製作順序

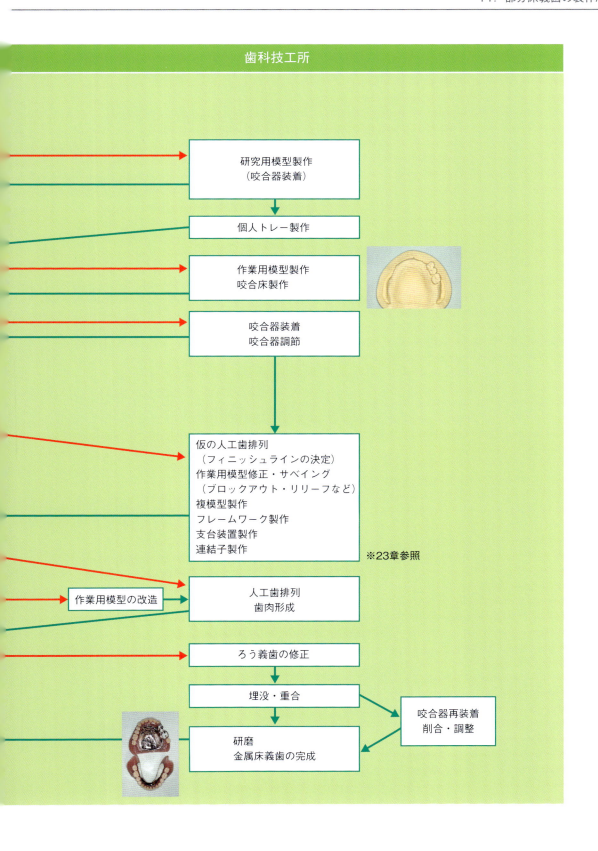

12 部分床義歯の構成要素

到達目標

① 直接支台装置と間接支台装置を説明できる．
② 各種クラスプを分類できる．
③ 環状型クラスプの種類と特徴を列挙できる．
④ バー型クラスプの種類と特徴を列挙できる．
⑤ アタッチメントの種類を列挙できる．
⑥ アタッチメントの構造を概説できる．
⑦ テレスコープ義歯の構造を概説できる．
⑧ テレスコープ義歯の特徴を列挙できる．
⑨ レストの種類と目的を説明できる．
⑩ 補助支台装置の種類と目的を説明できる．
⑪ 大連結子と小連結子の目的を説明できる．
⑫ 大連結子の種類と特徴を説明できる．
⑬ 隣接面板の目的を述べる．

　部分床義歯は，装着直後より周囲組織からの力を受け，咀嚼時にはさらに大きな力を受ける．この力は義歯を介して支台歯と顎堤粘膜に伝達される．したがって，**部分床義歯の構成要素**である支台装置，連結子，義歯床および人工歯を適切に製作するためには，義歯の機能時の動揺を十分に理解する必要がある．
　義歯の動揺は，水平的動揺，垂直的動揺および回転に大別できる（図 12-1）．

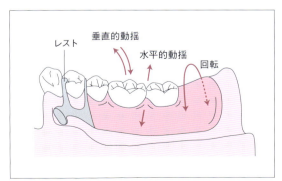

図 12-1　義歯の機能時の動揺

1 支台装置

　支台装置とは，部分床義歯の離脱に抵抗する**維持**，義歯に加わる側方力に抵抗する**把持**および義歯の沈下に抵抗する**支持**により，義歯を口腔内の定位置に保ち，機能時の義歯の動揺を防止するための装置である．

　支台装置は，その機能から直接支台装置，間接支台装置などに分類できる(図12-2)．

　① **直接支台装置**（**直接維持装置**）：欠損部に隣接する歯に設置される支台装置．部分床義歯を口腔内で維持，安定させる機能の主体となる装置で，この装置単独で維持，把持および支持機能をもつ．クラスプおよびアタッチメントがある．

　② **間接支台装置**（**間接維持装置**）：欠損部から離れた歯に設置される支台装置．主に**支台歯間線**(咬合圧によりレストを支点として回転が生じることを仮想した回転軸．鉤間線ともいう) を軸とする義歯の回転に抵抗する．この効果は単独で維持力をもたなくても得られるため，クラスプだけでなくレストも用いられる．

1）クラスプ（鉤）

　クラスプ（clasp）とは部分床義歯の支台装置の1つで，支台歯に接することにより維持，把持および支持機能を果たす．製作法により鋳造鉤と線鉤に分けられ，また，支台歯へ接触する形態の相違により**環状鉤**と**バークラスプ**（p.124, 125参照）に大別される．

（1）各部位の名称

　クラスプは以下に示すものから構成される（図12-3）．

a．鉤腕

　環状鉤における鉤体から鉤尖に続く部分で，サベイライン（15章参照）から咬合面

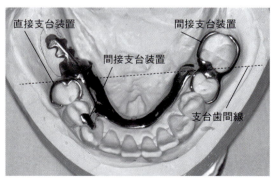

図12-2　支台装置

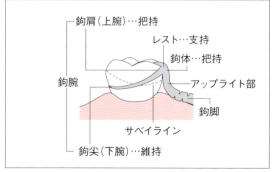

図12-3　クラスプの部位による名称と機能

寄りの非アンダーカット部を走行する鉤腕を**上腕**，サベイラインから歯頸部寄りのアンダーカット部を走行する鉤腕を**下腕**とよぶ．上腕は，レストを軸とする義歯の回転などの横揺れに対して抵抗する**把持機能**を有し，下腕は，義歯の離脱に抵抗する**維持機能**を有する．

b．鉤尖

鉤腕の先端の部分である．維持機能を有する．

c．鉤肩

鉤腕と鉤体を連結する部分で，非アンダーカット部に設置され，把持機能を有する．

d．鉤体

環状鉤における鉤脚，鉤腕およびレストの連結部分である．鉤肩とともに把持機能を有する．鉤体には直接大きな力が負荷され，応力の集中しやすい部分であるため，十分な強度をもつ構造でなければならない．

e．鉤脚

義歯床と連結し，義歯床内に固定する部分である．鉤体と鉤脚の接続部分は**アップライト部**（立ち上がり部）とよばれるが，鉤脚はそのアップライト部から末端にかけての部分であり，クラスプが義歯床から離脱したり移動したりすることを防止する．そのため鉤脚は，義歯床用レジンと機械的な結合をし，十分な保持力が得られるような長さ，幅および厚さを考慮し，鳩尾形などの保持形態を付与して製作される．一般に，鉤脚の長さはクラスプの近遠心径と同等かそれ以上にすることが望まれる．また，結合の強度を高めるためには，鉤脚の周囲を十分な厚さの義歯床用レジンで強固に保持する必要がある（図 12-4）．

通常，鉤体の中央より下降し，人工歯の排列に支障のない範囲で歯槽頂付近に設置する．

f．レスト

鉤体から連結し，支台歯のレストシートに適合する金属製の小突起をいう．義歯の沈下を防止する**支持機能**を有する（p.134 参照）．

（2）ニアゾーンとファーゾーン

支台歯にクラスプを設計する場合，まずサベイラインを求め，クラスプを決定するためのアンダーカットの位置と量を診査する．欠損部に隣接する支台歯で，欠損側に近い半分の領域を**ニアゾーン**（near zone），欠損側から遠い半分の領域を**ファーゾーン**（far zone）とよぶ（図 12-5）．どちらの領域をクラスプの維持に使用するかが，クラスプ選択の指標となる．

有床義歯技工学

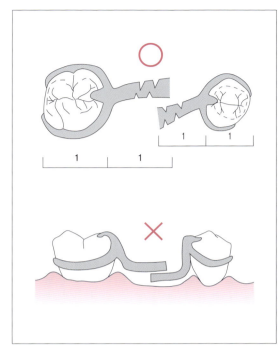

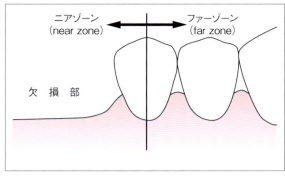

図 12-5 ニアゾーンとファーゾーン

図 12-4 鉤脚の位置
鉤脚は鉤腕の長さと同じかそれ以上にし，欠損部の近遠心にある支台歯に設置する鉤脚が直線的な配置にならないようにする．鉤脚が直線的な配置になり垂直的に重なり合うと，義歯床用レジンの十分な強度を確保できず，クラスプの離脱や義歯床の破折につながる．

(3) クラスプに求められる機能，設計における必要条件

a. 支持

レストによる支持機能が十分に発揮されると，機能時の義歯床の沈下が最小限となり，顎堤粘膜への負担が軽減する．一方，支持機能を発揮するレストがない場合，機能時の義歯床の沈下が大きく，顎堤粘膜への負担過重により顎堤の吸収を誘発する．この義歯床の沈下を繰り返すことにより，より顎堤が吸収し，機能時の義歯の動揺はさらに増加し，最終的には支台歯の動揺や支台装置の破折につながる危険がある．

b. 把持

クラスプは安静時には支台歯と適合しており，支台歯に負荷を加えることはない．しかし，機能時および着脱時の義歯の上下的な動きにより，維持腕から支台歯に対して側方的な負荷が作用し，この負荷が継続すると支台歯の捻転あるいは傾斜などの移動を引き起こす原因となる．また，維持腕よりも拮抗腕が咬合面寄りに位置する場合，義歯の離脱時に拮抗腕が支台歯から離れた後も維持腕が支台歯に接触して側方圧を加え続けるため，支台歯の移動あるいは傾斜を招くことになりかねない．したがって，支台歯への側方的な負荷を防止するためには，維持力と同程度に，維持力が作用する方向と相対する拮抗力を働かさなければならない（図 12-6）．これを**拮抗作用**（reciprocation）といい，個々のクラスプのみならず部分床義歯を設計するうえで非常に重要となる．実際の設計においては，維持腕対維持腕，維持腕対拮抗腕あるいは維持腕対義歯床などを考慮する．

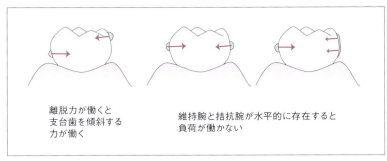

図 12-6　維持腕と拮抗腕の水平的な位置関係

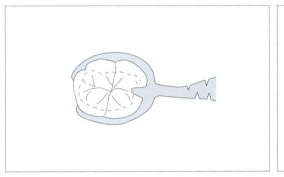

図 12-7　クラスプの囲繞性
環状鉤では，支台歯の3面4隅角を取り囲む設計とする．

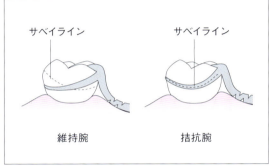

図 12-8　維持腕と拮抗腕

c．維持

環状鉤では，効果的な維持力を発揮するために支台歯へ鉤腕を適合させる必要があり，臼歯部の支台歯では3面4隅角を取り囲み鉤尖が支台歯の隅角部を的確に把握する**囲繞性**（いぎょうせい）(encirclement) が重要である（図 12-7）．

鉤腕は維持腕と拮抗腕に分けられる（図 12-8）．

a）維持腕

部分床義歯の維持機能を発揮する目的で設計された鉤腕をいう．支台歯のアンダーカット部を走行する鉤腕がその役割を果たす．

b）拮抗腕

義歯の着脱あるいは機能時に支台歯に加わる側方力に対抗するための鉤腕をいう．サベイライン上あるいは支台歯に形成された歯面上に設置され，鉤尖はアンダーカット部に設置されない．そのため義歯の離脱への抵抗力はない．

バークラスプ（RPIクラスプ）では，隣接面板（p.132参照），レストに連結している小連結子および鉤尖の3方向から支台歯に接触することで，囲繞性が確保されている．

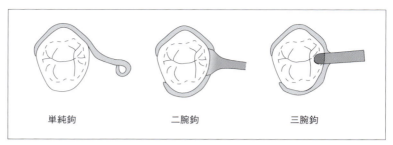

図 12-9　鉤腕の数による分類

(4) クラスプの分類
a. 鉤腕の数による分類（図 12-9）
a）単純鉤

　支台歯の頰側面あるいは唇側面に設置された1つの鉤腕からなる環状型クラスプで，主に前歯部で用いられる．

b）二腕鉤

　両翼鉤ともよばれる．2つの鉤腕からなる環状鉤で，支台歯の3面4隅角を取り囲む．

c）レスト付き二腕鉤

　頰舌側の二腕鉤に咬合面レストがついたものをいう．

b. 製作法による分類
a）鋳造鉤

　鋳造により製作されるクラスプで，**鋳造クラスプ**，**キャストクラスプ**ともよばれる（図 12-10）．

　鋳造鉤には以下のような特徴がある．

（長所）

　① クラスプの幅あるいは厚さなどに変化をもたせることができ，複雑な形態でも容易に製作できるなど，設計の自由度がある．

　② 支台歯への適合がよい．

　③ 維持力，把持力および支持力に優れる．

　④ フレームワークとワンピースキャスティングできる．

　⑤ 鉤腕の断面形態が半円形のため異物感が少ない．

（短所）

　① 同一の形態では線鉤に比べて脆弱で弾性に乏しいため，設計を誤ると破折につながる．

　② 弾性に乏しく適合がよいために，設計を誤ると支台歯への負担過重となり，障害を及ぼすことがある．

図12-10　鋳造鉤

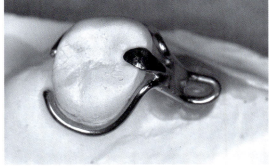
図12-11　線鉤

　　③　前歯部への適応は審美的ではない．
b）線鉤
　既製の金属線をプライヤーなどで屈曲して製作するクラスプで，ワイヤークラスプともよばれる（図12-11）．
　線鉤には以下のような特徴がある．
（長所）
　①　弾性に優れるため，着脱時の支台歯に対するストレスや機能時の義歯の動揺によるストレスを緩圧し，支台歯に対する負荷が軽減される．
　②　クラスプの形態が細く，深いアンダーカットを利用できるので，審美的である．
　③　適合が損なわれたときの修正が容易である．
（短所）
　①　把持力および支持力が弱いため，義歯の動揺や沈下に対する抵抗が小さく，安定性が損なわれることがある．
　②　鉤腕の断面形態が円形なため，異物感が比較的大きい．
　③　鉤体と鉤尖の断面が同じ寸法の円形なため，鉤体に応力の集中が起こり，破折につながる場合がある．
　④　緊密な適合性が得にくい．
　⑤　設計の自由度が制限される．

　線鉤の製作法には，ろう付け法と無ろう付け法がある（15章参照）．
　①　**ろう付け法**（図12-12）：レスト，鉤腕および鉤脚などクラスプの構成部分を別々に製作し，レスト部近くでろう付けして製作する方法．レストの製作には鋳造する方法とレスト板を圧接する方法があり，ろう付けによってクラスプ線と連結する．白金加金線のように，ろう付けや熱処理が可能な材料に適している．
　②　**無ろう付け法**（図12-13）：1本のクラスプ線を使用して鉤腕および鉤脚を製作後，別に鋳造により製作したレストと固定する**1線法**と，2本のクラスプ線を使用し

有床義歯技工学

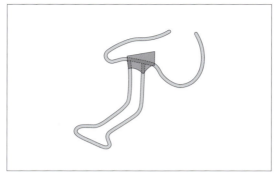
図12-12 ろう付け法

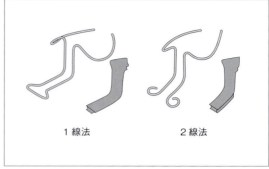
図12-13 無ろう付け法

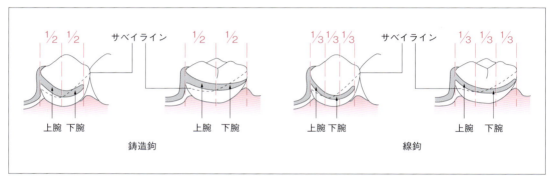
図12-14 鋳造鉤および線鉤とサベイラインの関係

て頰舌側の鉤腕および鉤脚を別々に製作後，鋳造により製作したレストと固定する**2線法**がある．1線法にはさらに，最初に鉤脚から始めて頰舌側の鉤尖まで屈曲していく方法と，最初に頰舌側のどちらかの鉤尖から始めて鉤脚および反体側の鉤尖の順で屈曲していく方法がある．コバルトクロム合金線などを用いる場合に適している．

c）鋳造鉤と線鉤の比較

鋳造鉤および線鉤の外形線とサベイラインの関係を図12-14に示す．鋳造鉤の鉤腕は，支台歯のサベイラインの近遠心径の1/2（中央部）付近からアンダーカット部に入り走行する．つまり鉤尖寄りの約1/2を維持部としてアンダーカット部に，鉤体寄りの約1/2を把持部としてサベイラインの上に設定することになる．鉤腕は鉤肩から移行的に細くすることにより，応力の集中による破折を防ぎ，優れた弾力性が得られる．

一方，線鉤の鉤腕は，鋳造鉤に比較して弾力に優れているため，サベイラインの近遠心径1/3付近からアンダーカット部に入り，鉤尖寄りの約2/3をアンダーカット部に設定する．

図12-15　環状鉤

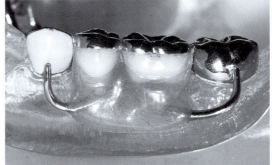
図12-16　バークラスプ

c．形態による分類
a）環状鉤
　鉤腕が支台歯の歯冠を取り囲む形態のクラスプである（図12-15）．支台歯の咬合面側からアンダーカット部に入る．
　環状鉤の特徴は以下のとおりである．
（長所）
　① 多くの歯に応用が可能である．
　② 支台歯の周囲組織の形態に関係なく応用することができる．
　③ 把持力が強く，義歯の維持・安定に優れる．
（短所）
　① 支台歯の全周を取り囲むため，接触面積が大きくなって自浄性が損なわれ，齲蝕になりやすい．
　② 支台歯の全周を取り囲むため，異物感を与える．
　③ 審美的でない．
　④ 鉤腕により咀嚼時の食物の流れが阻害され，支台歯の歯周疾患を誘発しやすい（図12-17）．
　⑤ 把持力が大きいために側方圧が直接支台歯に加わりやすい．

b）バークラスプ
　義歯床または連結子から出る鉤腕が支台歯に向かって横走するバー状のクラスプである（図12-16）．支台歯の歯肉側からアンダーカット部に入る．
　バークラスプの特徴は以下のとおりである．
（長所）
　① 支台歯の歯面との接触面積が小さく，異物感が少ない．
　② 支台歯の歯面との接触面積が小さいため，デンチャープラークの付着が少なく，齲蝕や歯周疾患になりにくい．
　③ 咀嚼による食物の流路を変えることがなく，自浄性を保てる（図12-17）．

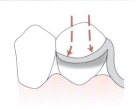
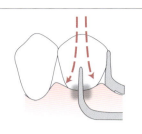

環状鉤：流路が鉤腕により変わり，その下部が不潔域になりやすい

バークラスプ：流路を変えることなく不潔域を最小限にできる

図 12-17　咀嚼時の食物の流れ

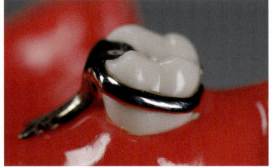

図 12-18，19　レスト付き二腕鉤

④　外観に触れることが少なく，審美的である．
⑤　側方圧に対する為害作用が少ない．

（短所）

①　支台歯の歯頸部にアンダーカットが強くあるなど周囲組織の形態によっては禁忌である．
②　支台歯の口腔前庭が浅い場合には応用できない．
③　支台歯への把持力が比較的弱い．

（5）クラスプの種類

a. 環状鉤

a）レスト付き二腕鉤

咬合面レストと2つの鉤腕を有する最も基本的なクラスプであり，支台歯の3面4隅角を取り囲む形態である（図 12-18，19）．鋳造鉤と線鉤があり，前者は**エーカースクラスプ**ともよばれる．維持，把持および支持機能をバランスよく備え，広く臨床で使用されている．多くの支台歯に応用が可能で，特に中間義歯などの歯根膜負担義歯の直接支台装置として応用される．

　　アンダーカット量：ファーゾーンの 0.25 または 0.5 mm

図 12-20, 21　双子鉤

←補助アーム

図 12-22, 23　リングクラスプ

b）双子鉤

　レスト付き二腕鉤を鉤体部で合わせて2歯の支台歯に設置するクラスプであり，2つの支台歯間の辺縁隆線から咬合面寄りの鼓形空隙にかけて鉤腕が設置されている（図 12-20, 21）．そのため**エンブレジャークラスプ**ともよばれる．負担を2歯に分散することができるため，1歯では十分な維持が得られない場合や支台歯のアンダーカットが不十分な場合に使用することができる．また，義歯装着による支台歯の二次固定効果が期待できる．ただし，支台歯が連続冠でない場合は咬合面レストシートおよびレストを適正に設置しないと支台歯間に離開力が働く場合がある．直接支台装置のみならず間接支台装置としても使用される．

　アンダーカット量：0.25 または 0.5 mm

c）リングクラスプ

　欠損側隣接面に鉤体をおき，支台歯のほぼ全周を1本の鉤腕が取り巻き，その先端をニアゾーンのアンダーカット部に設置するクラスプである（図 12-22, 23）．支台歯が傾斜し，頰側または舌側のいずれか一方にアンダーカットがある孤立した最後方大臼歯に使用されることが多い．

　鉤腕が長いため，その強度を確保する**補助アーム**が設けられる場合がある．補助

有床義歯技工学

図 12-24　ハーフアンドハーフクラスプ

図 12-25, 26　バックアクションクラスプ

　アームはアンダーカットのない側から発して顎堤粘膜上を走行し，主に鉤腕に連結する．
　鉤腕の走行は通常，上顎臼歯部に使用する場合は舌側から，下顎臼歯部では頰側から始まることが多い．下顎の場合は，サベイラインの上方を近心から遠心方向に向かい，遠心隣接面を過ぎるところから移行的に下降して舌側近心隅角部付近のアンダーカット部に入る．レストは，近遠心両端に2カ所設置される場合も多い．
　アンダーカット量：ニアゾーンの 0.5 または 0.75 mm

d）ハーフアンドハーフクラスプ
　支台歯の近遠心側にそれぞれレスト付き一腕鉤が設置された構造で（図 12-24），近遠心にレストを設置しているため，孤立した支台歯に使用する．
　アンダーカット量：ニアゾーンおよびファーゾーンの 0.25 または 0.5 mm

e）バックアクションクラスプ
　非アンダーカット部を走行する鉤体を舌側に設け，そこから鉤腕が欠損側隣接面の辺縁隆線を走行し，そのまま頰側ファーゾーンのアンダーカット部に終わるクラスプである（図 12-25, 26）．舌側にアンダーカットが少ない，もしくは存在せず，しかも頰側にアンダーカットがあって頰側に傾斜している支台歯に使用されるが，支台歯の一側のアンダーカットのみを利用するため左右両側の支台歯に使用することが望ま

図12-27, 28　リバースバックアクションクラスプ

図12-29, 30　ヘアピンクラスプ

しい．両側大臼歯欠損の遊離端義歯で，支台歯としての小臼歯に使用される．

アンダーカット量：ファーゾーンの0.25 mm

f）リバースバックアクションクラスプ

頬側の非アンダーカット部を走行し，そこから鉤腕が欠損側隣接面の辺縁隆線を走行して，そのまま舌側ファーゾーンのアンダーカット部に終わるクラスプで，バックアクションクラスプと構造上逆のクラスプである（図12-27, 28）．頬側にアンダーカットが少ない，もしくは存在せず，しかも舌側にアンダーカットがあって舌側に傾斜している支台歯に使用されるが，支台歯の一側のアンダーカットのみを利用するため左右両側の支台歯に適応することが望ましい．両側大臼歯欠損の遊離端義歯において，支台歯としての小臼歯に使用されるが，小連結子が支台歯の頬側の粘膜上を横行するため，審美的な問題が生じる．また，その部位に食物残渣の停滞が起こり自浄性が劣るため，使用頻度は少ない．

アンダーカット量：ファーゾーンの0.25 mm

g）ヘアピンクラスプ

ニアゾーンに鉤体を設け，そこから鉤腕がファーゾーンに向かい，隣在歯近くで反転してニアゾーンのアンダーカット部に終わるクラスプである（図12-29, 30）．頬

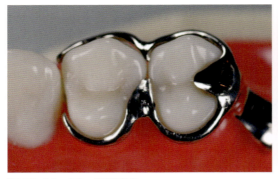
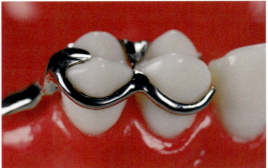

図 12-31, 32　延長腕鉤

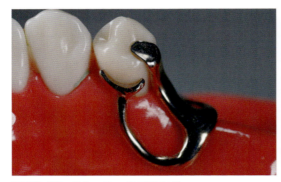
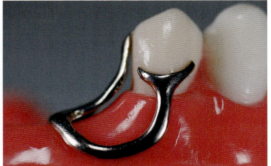

図 12-33, 34　ローチクラスプ

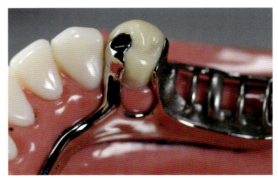
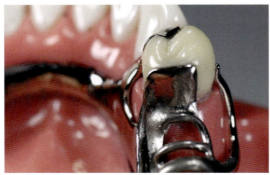
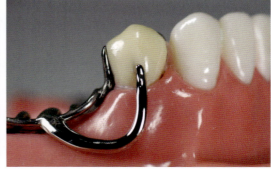

図 12-35〜37　RPI クラスプ

舌側の鉤腕の拮抗作用が強い．歯冠長の短い支台歯には使用することが困難である．

アンダーカット量：ニアゾーンの 0.25 または 0.5 mm

h）延長腕鉤

レスト付き二腕鉤の鉤腕を隣在歯にまで延長して，2 つの支台歯にわたって設置するクラスプである（図 12-31, 32）．維持，把持および支持を 2 つの支台歯により分担する．鉤腕が長くなるため，製作の際は鉤腕断面の厚さとテーパー度に注意する．欠損部に隣接する支台歯に有効なアンダーカットが存在しない場合，または欠損部に隣接する支台歯の骨植が弱い場合に使用されるが，臨床での使用頻度は少ない．

アンダーカット量：0.25 または 0.5 mm

b．バークラスプ

a）ローチクラスプ

義歯床あるいは連結子から出た鉤腕が歯肉上を走行し，支台歯の下で垂直に曲がり鉤尖がアンダーカット部に終わるクラスプで，アンダーカット部に設置される維持腕の形態により，I，L，T および U 型など多くの形態がある（図 12-33, 34）．I 型，T 型はニアゾーンの 0.25 mm のアンダーカットを利用し，L 型はファーゾーンの 0.25 mm のアンダーカットを利用する．

b）RPI クラスプ

Krol により命名されたもので，以下の 3 つの部分から構成される（図 12-35〜37）．

① R（近心レスト）

咬合面近心部に設置し，舌側のバーとは小連結子で連結する．小連結子は支台歯近心舌側の鼓形空隙を通り，支台歯遠心部のガイドプレーンと平行になるように設計する．

② P（隣接面板）

支台歯の遠心隣接面に形成されたガイドプレーン（誘導面）に適合し，近心舌側面の小連子と拮抗機能を発揮する．

③ I（I バー）

鉤尖は支台歯頬側最大豊隆部の歯頸部寄り 1/3 付近に設定し，0.25 mm のアンダーカットを利用する．I バーは支台歯の歯頸部とほぼ直角に走行し，その後，彎曲して義歯床に入る．

RPI クラスプは，通常，遊離端義歯の支台装置として小臼歯に適応される．遊離端義歯に負荷が加わった場合，義歯はレストを中心に回転運動を起こすため，遠心レストを有する支台装置では支台歯を遠心に傾斜させ，支台歯の接触点を離開する力が働く．また，支台装置の鉤尖に支台歯を挙上する力が働く．しかし，近心レストではその逆の効果が期待できる．つまり，近心レストを中心に回転して支台歯を傾斜させる力が働いても，近心に隣在歯があるために傾斜を防止できる（図 12-38）．環状鉤に

有床義歯技工学

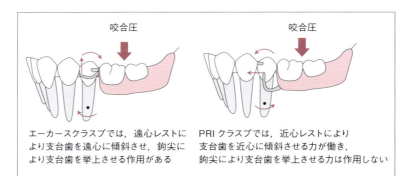

図 12-38　レストの位置の違いによる遊離端義歯の動揺

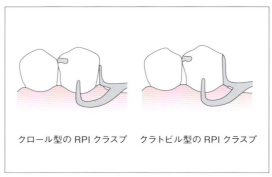

図 12-39　クロール型とクラトビル型の RPI クラスプ

比較して審美的に優れていることや，支台歯との接触面積が少ないために支台歯が齲蝕に罹患しにくいなどの利点もある．

RPIクラスプには，機能時の義歯の動きを積極的に容認したクロール型（Krol）のRPIクラスプと義歯の動きを極力抑えようとしたクラトビル型（Kratochvil）のRPIクラスプの2種類がある（図 12-39）．

① **クロール型のRPIクラスプ**：咬合圧が加わったときにレストを中心に回転して義歯床が沈下することを容認し，支台歯の負担軽減をはかるクラスプである．したがって，支台歯の**ガイドプレーン**（**誘導面**）は上下的に小さく形成され，義歯の沈下によりクラスプ隣接面板との接触がなくなるように設計されている．Ⅰバーの鉤尖は，義歯の沈下により支台歯から離開するように，支台歯の長軸中央より近心寄りのアンダーカット部に設置する．

② **クラトビル型のRPIクラスプ**：機能時に義歯の動きをできるだけ抑制することを意図したもので，支台歯の**ガイドプレーン**（**誘導面**）を歯軸に平行に歯肉縁まで大きく広く形成し，隣接面板を適合させることによって義歯の動きを垂直方向つまり支台歯の歯軸方向に誘導する．Ⅰバーは，支台歯の近遠心中央部付近に設置し，近心レストは咬合面寄りに大きく設置する．クラトビル型のRPIクラスプはガイドプレーン

ガイドプレーンと隣接面板

■ガイドプレーン (guiding plane)
義歯の着脱方向と平行に支台歯に形成された平面．多数の支台歯を歯冠修復する場合，サベイヤーなどの器具を使用してワックスパターンに明確に付与する．誘導面ともよばれる．

■隣接面板 (proximal plate)
ガイドプレーンに対応するように支台装置に設置された金属部分

■ガイドプレーンおよび隣接面板の機能
① 義歯の着脱方向を規制し，支台歯への不要な負荷を回避する．
② 着脱を容易にし，支台装置の変形や破損を防止する．
③ 義歯への把持機能を発揮する．
④ ガイドプレーンが付与された支台歯が多数存在すると，維持機能および把持機能の補助になる．
⑤ 前歯部の義歯では支台歯と義歯との間隙が目立たず，審美的に有利である．

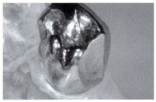
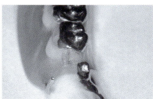
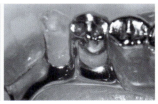

ガイドプレーン　　　支台装置に付与された隣接面板　　義歯装着により隣接面板と支台歯のガイドプレーンが適合する

を大きく形成することから，支台歯の歯冠修復の必要がある．

c. その他のクラスプ
a) 連続鉤
①鉤腕がレストから始まり，複数歯の頬舌面を走行し，最も離れた歯のアンダーカットに鉤尖を置いたクラスプ，②下顎前歯の舌側基底結節上を連続的に走行する金属のバンド（図12-40）の2つの使われ方をする．②の場合，強度を補うためにリンガルバーや歯間フックあるいは切縁レストを併用することもある．下顎前歯のみ残存している遊離端義歯などに使用され，義歯にかかる咬合圧を分散する．また，支台歯

有床義歯技工学

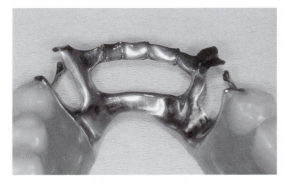
図12-40 連続鉤（ケネディーバー）

図12-41 隣接面鉤（近遠心鉤）

図12-42，43 コンビネーションクラスプ（線鉤と鋳造鉤の組み合わせ）

の固定を目的としても使用される．欠点は，異物感が強く発音障害の原因となる場合があり，辺縁歯肉の自浄性も損なわれやすいことである．大連結子の1つとも捉えられ，**ケネディーバー**ともよばれる．

b）隣接面へ応用するクラスプ

審美的な理由から隣接面のアンダーカットを利用し，隣接面内におさまるように鉤腕を短くして設置するクラスプである．鋳造による**隣接面鉤（近遠心鉤）**（図12-41）やワイヤーによるものがある．

c）コンビネーションクラスプ

頰側を線鉤，舌側の鉤腕を鋳造鉤としたようなクラスプ（図12-42，43）や，頰側をバークラスプ，舌側を環状鉤の鉤腕としたようなクラスプ（図12-44，45）がある．

（6）クラスプ用材料

鋳造鉤では，一般的にISOタイプ4金合金，14K金合金，金銀パラジウム合金，コバルトクロム合金，チタン合金などが使用されている．

線鉤では，白金加金線などの貴金属合金線，あるいはコバルトクロム合金および

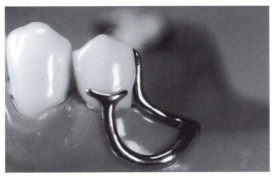 

図12-44, 45　コンビネーションクラスプ（バークラスプと環状鉤の組み合わせ）

18-8ステンレス鋼などの非貴金属合金線などが一般的に使用されている．貴金属合金線は熱処理が可能であり，軟化した状態で屈曲後，硬化処理を行うことによって機械的な性質を向上させることができる．処理方法は合金の組成により変わるため，実際の処理にあたってはメーカーの指示に従う必要がある．

(7) クラスプの維持力に影響を及ぼす因子
① アンダーカット量
② アンダーカットの位置
③ 鉤腕の厚さ
④ 鉤腕の長さ
⑤ 鉤腕の幅
⑥ 上腕から下腕へのテーパー度
⑦ 鉤腕の断面形態
⑧ クラスプの金属材料の弾性係数

2) レスト

レスト（rest）とは，クラスプの鉤体，義歯床あるいは大連結子から突出し，レストシートに適合する金属製の小突起をいう．

(1) レストの目的
①　義歯に加わる**咬合圧**の支台歯への伝達：義歯に加えられた咬合圧は支台歯と顎堤で負担されるが，レストにより支台歯の歯軸方向へ伝達される．
②　**義歯の沈下**の防止：レストの支持機能により，機能時の義歯の沈下を防止する．その結果，義歯床下粘膜の負担が軽減し，顎堤の吸収や支台歯周囲組織への為害作用を防止できる．レストが機能しない義歯は，機能時の咬合圧の多くを顎堤粘膜が負担することになり，顎堤吸収の原因となる．

有床義歯技工学

図12-46 咬合面レスト（RPIクラスプの近心レスト）

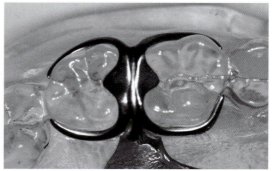
図12-47 咬合面レスト（双子鉤の咬合面レスト）

③ 義歯を定位置に保つ：レストがレストシートに収まることで，クラスプおよび義歯を支台歯に対して正しい位置に保つことができる．

④ 義歯の動揺の防止：レストがレストシートの側面に接することで，義歯の水平的な動揺を防止する．

⑤ **食片の圧入**の防止：支台歯と鉤体の間隙への食片の圧入を防止し，支台歯の齲蝕発生や歯間乳頭への刺激を避けることができる．

⑥ **咬合関係**の改善：支台歯あるいは対合歯が傾斜して咬合が不良な場合，咬合面に大きめのレストを設置することで対合歯との咬合関係を回復することができる．しかし，設計を誤ると，咬合干渉，レストの破折あるいは支台歯の負担過重につながる．

（2）レストの種類

設置される部位により，咬合面レスト，舌面レストおよび切縁レストに大別される．咬合面レストはさらに，近心レストあるいは遠心レストに分類される．

a. 咬合面レスト

大臼歯および小臼歯の辺縁隆線から咬合面中央に向かって設置されるレストをいう（図12-46，47）．通常，形態は丸みをもつ三角形（図12-48）で，幅は支台歯の頰舌側咬頭頂間の1/2程度，長さは幅と同じか支台歯の歯冠の近遠心径の1/2〜1/3程度（図12-49）とする．厚みは，使用する金属にもよるが鉤体からレストにかかる部分で最低1.5 mmは必要である（図12-50）．臨床ではレストの破折がよくみられるが，その原因の多くは厚みが不十分なことによる強度不足である．義歯の装着により早期接触が生じないように適正に調整する必要がある．レストの先端と歯軸のなす角度は，90°以下となるようにし，根尖方向に支持力がかかるようにすることが重要である．

レスト底面の形態はレストシートの形態で決まる．支台歯が天然歯の場合は歯科医師が口腔内で形成するが，支台歯を歯冠修復する場合はあらかじめ歯科技工所でワックスパターンに形成しておく．レストシートは隅角に丸みをつけ，レストの厚さが十

12. 部分床義歯の構成要素

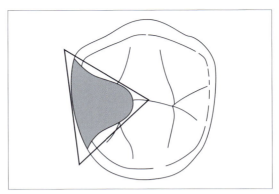

図 12-48　レストは通常，丸みをもつ三角形とする
(Phoenix RD, Cagna DR, DeFreest CF : Stewart's Clinical Removable Partial Prosthodontics. 4th ed. Quintessence, 2008.)

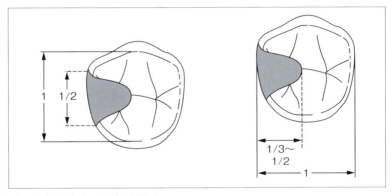

図 12-49　レストの幅と長さ
左：幅は頰舌咬頭頂間の 1/2，右：長さは歯冠の近遠心径の 1/2〜1/3
(Phoenix RD, Cagna DR, DeFreest CF : Stewart's Clinical Removable Partial Prosthodontics. 4th ed. Quintessence, 2008.)

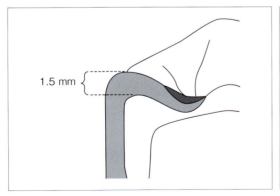

図 12-50　レストの厚み
鉤体部からレストにかかる部分で 1.5 mm 必要
(Phoenix RD, Cagna DR, DeFreest CF : Stewart's Clinical Removable Partial Prosthodontics. 4th ed. Quintessence, 2008.)

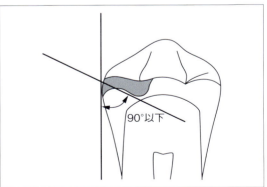

図 12-51　レストの先端と歯軸のなす角度
レストの先端を最も深くし，レストの先端に向かい 90°以下になるようにする．
(Phoenix RD, Cagna DR, DeFreest CF : Stewart's Clinical Removable Partial Prosthodontics. 4th ed. Quintessence, 2008.)

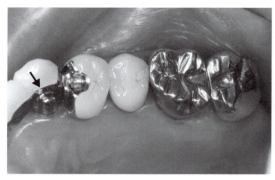
図12-52 歯冠修復物に付与された舌面レストシート

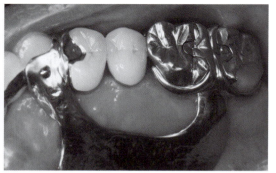
図12-53 義歯が装着された後の舌面レスト

分得られるようにする．レストの底面と歯軸のなす角度およびレストの厚みに注意して，クラウンなどを製作する（図12-51）．

b. 舌面レスト

　前歯の基底結節あるいは近遠心部の辺縁隆線に設置されるレストで，基底結節レストともよばれる（図12-52, 53）．いずれの形態でも支台歯の歯軸方向に力が加わるように設計する．

　支台歯が天然歯の場合，上顎の犬歯以外では設置が困難であり，エナメル質内に適正なレストシートを形成することは難しい．そのために支台歯のレスト設置部にインレーなどの歯冠修復を行う場合もある．十分なレストシートの形成がない支台歯では，義歯装着により支台歯を唇側傾斜させる力が働き，支台歯の動揺を招くことになる．

c. 切縁レスト

　前歯の切縁の近心あるいは遠心に設置されるレストをいう（図12-54）．下顎前歯に利用する場合が多い．

d. 舌面レストと切縁レストの比較

① 切縁レストは舌面レストに比べて支台歯の回転中心からの距離が長いため，大きな回転力が生じて支台歯の傾斜を招きやすい．一方，舌面レストは回転中心からの距離が短いために義歯の機能時の支台歯の揺さぶりが小さい（図12-55）．

② 舌面レストは天然歯の支台歯の斜面に設置された場合，その荷重方向が歯軸方向からずれやすいのに対し，切縁レストでは荷重方向を歯軸方向に向けやすい．

③ 十分なレストシートを形成するためには，舌面レストでは支台歯の歯冠修復を必要とする場合が多いが，切縁レストでは歯冠修復せずに形成できる場合がある．

④ 切縁レストを連続的に設置することにより，支台歯の固定効果が生じる．

⑤ 切縁レストは外観に触れるために舌面レストに比べ審美性に劣る．

⑥ 切縁レストは小連結子が舌に触れるため，舌面レストに比べ異物感が生じやす

12. 部分床義歯の構成要素

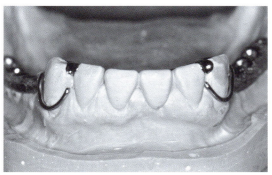

図 12-54 切縁レスト

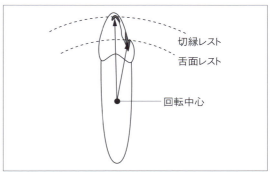

図 12-55 支台歯の回転中心からの切縁レストと舌面レストの比較

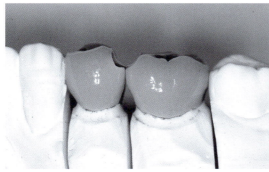

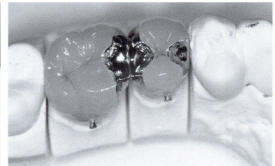

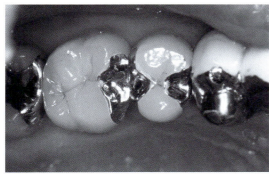

図 12-56〜58 咬合面のレストシート

い．

(3) レストシート

　レストを効果的に働かせるために，支台歯のエナメル質あるいは歯冠修復物に凹面状に形成される小窩をいう（図 12-56〜58）．支台歯を歯冠修復する場合には，ワックスパターン上に明確に付与する．

137

3) アタッチメント

アタッチメントとは，クラスプと並んで部分床義歯に使用される支台装置の1つで，**メール**と**フィメール**より構成され，一方が固定部として支台歯に固定され，他方は可撤部として義歯に設置される．この2つの部分が結合あるいは嵌合することで，維持，把持および支持機能が発揮される．構成は，アタッチメントの種類により，キーとキーウェイ，バーとサドルなどがある．

（1）アタッチメントの分類
a．緩圧機構の有無による分類
a）緩圧型

義歯に加わる咬合圧による支台歯への負担をアタッチメントによって軽減する目的で製作されたもので，固定部および可撤部の連結に可動性を与えている．ただし，顎堤粘膜への負荷は大きい．

b）非緩圧型

義歯に加わる咬合圧をアタッチメントによって直接支台歯に伝える目的で製作されたもので，固定部および可撤部の連結に可動性はなく，強固に連結する．支台歯への負荷は大きい．

b．設置位置および形態による分類
a）歯冠内アタッチメント（図12-59）

アタッチメントの固定部（通常はフィメール）が歯冠部に設置されたもので，非緩圧型の精密性アタッチメントが大部分を占める．固定部と可撤部が強固に連結し，その両者の摩擦抵抗により維持がはかられるため，支台歯の歯冠長が大きくなければならない．

歯冠内アタッチメントの特徴は以下のとおりである．

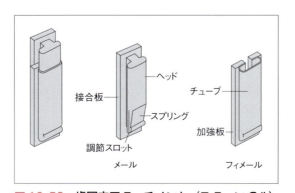

図12-59　歯冠内アタッチメント（スターンG/L）
（三谷春保編：歯学生のパーシャルデンチャー第4版．医歯薬出版，東京，2004，220．）

 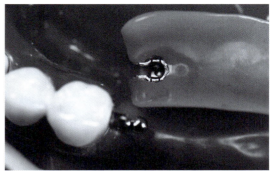

図12-60，61　歯冠外アタッチメント

（長所）
① 咬合圧を支台歯の歯軸方向に誘導しやすい．
② 着力点が支台歯の中央寄りである．
③ 外観に触れないために，審美的である．
④ 支台歯内に設置されるために周囲の自浄性を阻害しない．

（短所）
① 支台歯の形成量が多くなるために，生活歯での利用は困難である．
② 設計を誤ると歯根破折を起こす場合がある．

b）歯冠外アタッチメント

　固定部（通常はメール）が歯冠外に突出して設置される形のもので（図12-60，61），緩圧型と非緩圧型がある．緩圧型ではフィメール部にスリットやスプリングを組み込んでいる．
　歯冠外アタッチメントの特徴は以下のとおりである．

（長所）
① 支台歯の形成量が通常のクラウンの場合と同程度である．
② 着力点が低い．
③ 審美的に優れている．

（短所）
① 固定部の下部にデンチャープラークが停滞しやすく，不潔になりやすい．
② 固定部が歯冠外で，着力点が歯冠中央より離れているために，支台歯を傾斜させる力が働く．

c）根面アタッチメント

　支台歯の根面に使用されるアタッチメントで（図12-62，63），固定部が根面上や根管内に設置され，可撤部の義歯はオーバーデンチャーとして使用される．緩圧型と非緩圧型がある．
　根面アタッチメントの特徴は以下のとおりである．

図 12-62, 63　根面アタッチメント

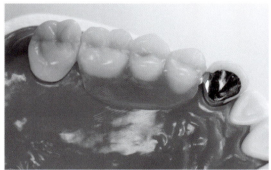

図 12-64, 65　バーアタッチメント

（長所）
　① 着力点が低く，咬合圧が歯軸方向に加わりやすい．
　② 支台歯の歯冠部を削除するので，人工歯排列の制約が少なく，咬合関係や審美性の改善を行いやすい．
　③ 装着する義歯は，支台歯を失っても，修理することでそのまま使用することができる場合が多い．
　④ 歯冠部が崩壊している歯でも，歯根が健全な場合には支台歯として使用できる．
（短所）
　① 義歯床で根面を被覆するため，支台歯周囲の自浄性が悪化し歯周疾患になりやすい．
　② 義歯の機能時に根面上のアタッチメントを支点とする義歯の沈下が起こり，義歯が破折することがある．

d）バーアタッチメント

　離れた位置にある支台歯の歯冠あるいは歯根をバーで連結して固定部とし，可撤部はこれを把持する義歯に組み込んだアタッチメントをいう（図 12-64, 65）．使用するバーの種類により緩圧型や非緩圧型の設計ができる．

バーアタッチメントの特徴は以下のとおりである.

（長所）

① 支台歯はバーによる連結で強固に固定される.

② 着力点が低い.

（短所）

① バーの下面が不潔になりやすい.

② バーの走行する位置により人工歯排列が困難になる場合がある.

③ バーの上に排列する人工歯に厚みが取れない場合，義歯破折の原因となる.

（2）アタッチメントの利点と欠点

アタッチメントは多くの種類がありそれぞれ特徴がみられるが，クラスプと比較した場合の一般的な特徴は以下のとおりである.

a．アタッチメントの利点

① 維持，把持および支持機能が確実に発揮できる.

② 支台装置が外観に触れることがなく，審美的である.

③ 異物感が少ない.

④ 緩圧型あるいは非緩圧型の選択が可能である.

⑤ 支台歯のアンダーカット量など形態から受ける影響が少ない.

⑥ 着力点が低く，また咬合圧を支台歯の歯軸方向に伝達しやすい.

b．アタッチメントの欠点

① 支台歯の形成量が多くなる場合が多く，生活歯での利用が困難である．また，失活歯での使用の場合，歯根破折を起こすことがある.

② 支台歯が短い場合や対合歯との間隙が少ない場合は利用することが困難である.

③ 技工作業が煩雑で，高度な技工技術が必要である.

④ アタッチメントの構造が複雑で精密なため破損しやすい.

⑤ アタッチメントの破損後の修理が困難である.

⑥ アタッチメント自体が高価である.

（3）磁性アタッチメント

磁性アタッチメントは，磁石本体を内蔵する磁石構造体と磁性ステンレス製のキーパーから構成され，永久磁石の吸引力を利用する支台装置をいう（図12-66）．一般的には根面アタッチメントとして使用され，磁石構造体を義歯床内に，キーパーを支台歯根面板内に設置する．最近では，歯冠外アタッチメントとして使用されるタイプも開発されている.

a．磁性アタッチメントの利点

① 支台歯に無理な荷重がかかりにくい.

有床義歯技工学

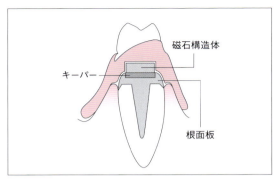

図12-66　磁性アタッチメントの構造

② 支台歯の状態に合わせた荷重の負担分配が可能である．
③ 臨床術式が容易である．
④ 審美性に優れる．
⑤ 維持力の低下がない．
⑥ 患者による義歯の取り扱いが容易である．
⑦ 適応範囲が広い．
⑧ 繰り返し使用が可能である．

b．磁性アタッチメントの問題点

① MRI撮影時は，撮影方法により異なるが，キーパーが装着されている支台歯の周囲，半径5cmおよび直径10cmの範囲の画像が乱れる．

4）テレスコープ義歯

　テレスコープ義歯は，外冠と内冠から構成される二重の金属冠を支台装置とする義歯である．維持力の発揮は，内外冠の緊密な適合から生じる摩擦力および内外冠から起こるくさび効果*により生じる．

　テレスコープ義歯は，内冠の軸面が平行なパラレルテレスコープ義歯（シリンダーテレスコープ義歯）と，内冠の軸面が咬合面に向かってテーパーを有し，一定の角度（図12-67）をもつコーヌステレスコープ義歯に分類される．

　コーヌステレスコープ義歯の維持力は，内冠にコーヌス角を付与しているため，パラレルテレスコープ義歯に比較して長期にわたり安定する．パラレルテレスコープ義歯は，内外冠が平行な軸面で義歯着脱の最初から最後まで接触し，そのために長期間の装着により接触面の金属摩擦が起こり，維持力の減少が生じやすい．それに比較し

---

*くさび効果：角度の異なる3種のくさびを木に打ち込むことを考えてみる．鋭いくさびは，打ち込むのが楽で，最も深く木に入り込み，木から撤去するのが困難である．しかし，先のとがっていない，鋭くないくさびの場合は，深くは木に入らず，撤去も楽である．
　つまり，外冠の咬合面に咬合圧が加わった場合，コーヌス角が小さいほど，内冠の軸面と外冠の内面が接する斜面で発生する維持摩擦力が大きくなる．

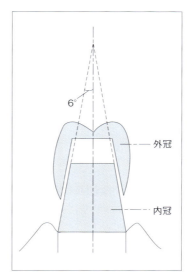

図 12-67　コーヌス角
内冠の軸面を延長してできる仮想円錐角度の 1/2 の角度

てコーヌステレスコープ義歯は，内冠の上に外冠が装着され，装着の最後に維持力が発揮されるため，維持力の減少が非常に少ない．

本項では，臨床でよく使用されているコーヌステレスコープ義歯について述べる．

（1）コーヌステレスコープ義歯

Körber, K. H（1969）により開発された支台装置で，内冠と外冠からなる円錐状の二重冠をコーヌステレスコープクラウンとよび，これを支台装置とした部分床義歯をコーヌステレスコープ義歯という．コーヌステレスコープ義歯は，支台歯にセメント合着された内冠に，外冠と連結した義歯が装着される構造になっている（図 12-68, 69）．その維持力の発揮は，以下のような機構による．義歯に咬合圧が加わると，外

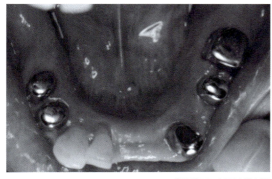

図 12-68　コーヌステレスコープ義歯の内冠が装着された口腔内

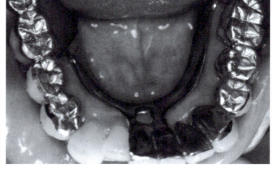

図 12-69　コーヌステレスコープ義歯の装着

有床義歯技工学

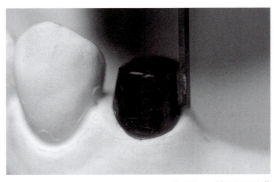

図12-70 ワックストリマーを使用し，軸面の形成を行う

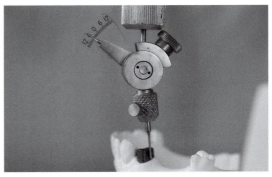

図12-71 最終的には，コノメーターを使用して軸面を仕上げる
コノメーターには数種類がある．

冠に弾性変形が起こり，テーパーの付いている内冠が入り込む．そのときの外冠の収縮力により，内冠の側面が締めつけられ，さらに内外冠のくさび効果[*]により維持力が発揮される．維持力は内冠軸面のコーヌス角（一般に6°がよいとされている）により調節できる．

コーヌステレスコープ義歯の維持力は，理論的にはコーヌス角の大きさにより決定される．Körberによると，適正な内外冠の維持力は支台歯1本あたり500〜900g，平均700g程度で，義歯の支台歯全体の合計で2〜3kgが望ましいとされている．この維持力は，義歯が粘着性の食物によっても脱離せず，しかも患者が支台歯に外傷的な変化を与えずに容易に着脱することのできる値とし，このときのコーヌス角は通常6°が適正としている．適正なコーヌステレスコープ義歯は，義歯と支台歯が強固に連結固定されるため，維持，把持，支持に優れ，機能時の安定がよい．

しかし，実際の臨床では，支台歯の植立方向，骨植状態や動揺度などを考慮して，コーヌス角を4°〜8°まで変化させており，骨植状態のよくない支台歯では，角度を大きく設定し，維持力を小さくするなどして，義歯全体の維持力を調整している．

以下，内外冠の製作方法について記載する．内外冠の製作方法は多くあり，また，金属床義歯に応用する方法も，フレームワークとろう付けする方法やフレームワークをレシンで固定する方法など多くあるが，ここでは一般的な方法を簡単に記載しておく．

a．内冠の製作

支台歯形成を行い，印象採得後，作業用模型を製作し，模型の歯型にワックスパターン形成（ワックスアップ）を行う．ワックスを盛りつけた後，ワックストリマーを使用し内冠の軸面を6°に形成する（図12-70）．このときにワックスパターン形成した表面のコノメーターの角度を崩さないようにし，スムーズな面が得られるように内冠の軸面を形成する（図12-71）．ワックスパターンが完成後，埋没，鋳造を通法に従って行う．内冠の軸面の研磨はまだ行ず，内冠の上部は，口腔内に試適時点で

図12-72 研磨がきちんと行われた内冠の軸面は，直線状の光沢線がみられる

図12-73 テーパー6°の研磨用のシリコーンポイントを使用し研磨を行う

図12-74 義歯床の連結部が付与してある外冠

図12-75 完成した内外冠

ピックアップ印象（コーピング印象，取り込み印象）の印象材に取り込むように，撤去用ノブをつけておく．

　内冠の内面に分離剤を塗布し石膏を注入し，内冠の軸面の研磨および外冠を製作するための作業用模型の製作を行う．内冠の軸面の研磨に関しては，軸面を精密かつ正確に形成するためにミリング（切削）操作を行う場合や，ワックスパターン形成でコノメーターを使用しているため通常のエンジンを使用しフリーハンドで専用の研磨バーを使用して行う場合など，症例により異なる．研磨が終了した内冠軸面の光沢は，直線状の縦縞が入る（図12-72，73）．

b. 外冠および義歯の製作

　外冠の製作法は，完成した内冠の上に直接ワックスパターン形成を行う方法など，多くの方法があるが，ここではパターン用レジンを使用する方法について記載する．

　内冠の軸面の最終研磨が終わり，内冠の完成後，内冠の表面にワセリンなどの分離剤をごく薄く塗布し，パターン用レジンを筆積み法で軸面および咬合面に直接盛りつける．パターン用レジンが硬化後，タングステンカーバイドバーなどを用いて，内冠の上にパターン用レジンが一層被覆するように整形する．その後は，通常どおりに咬合面などワックスパターン形成を行い，埋没，鋳造を行い完成する（図12-74，75）．

内外冠の維持力の発現を確実なものにするために，通法よりも膨張の少ない鋳造体が望ましいとされている．

　欠損歯数の少ない義歯は，外冠と脚を一緒にワックスパターン形成しそのまま鋳造を行う．その後，模型上で内外冠を適合させて，人工歯排列，レジンの重合を行い義歯を完成する．欠損歯数の多い義歯で，外冠とフレームワークをろう付けする場合は，外冠およびフレームワークをパターン用レジンで固定してからろう付けを行うなど，多くの方法がある．

（2）コーヌステレスコープ義歯の特徴
a．コーヌステレスコープ義歯の利点
　①　支持，把持，維持が確実に発揮できる．
　②　義歯の着脱時に，支台歯に側方力がかかりにくい．通常のクラスプによる部分床義歯の着脱では，支台歯の最大豊隆部を支台装置が通過するときに大きな側方力がかかる．
　③　義歯を装着することで支台歯を二次的に固定する．
　④　支台歯の清掃性に優れる．
　⑤　パラレルテレスコープ義歯と比較して技工操作が容易である．パラレルテレスコープ義歯は内外冠の軸面の適合性の調整が難しく，支台歯が多数の場合にはそれぞれの軸面を平行に仕上げることが困難である．
　⑥　異物感，発音障害が少ない．
b．コーヌステレスコープ義歯の欠点
　①　支台歯が前歯部の場合，外冠の前装歯頸部に金属の一部がみえる場合がある．
　②　生活歯に適応することが困難で，多くの場合に歯内処置（抜髄）を行う必要がある．
　③　支台歯間の平行性がとれない場合，内冠の歯頸部にアンダーカットが生じ，歯周疾患の原因になりやすい．
　④　設計を誤ると支台歯に負担過重が生じ，歯根破折などにより支台歯を失う原因となる．

5）補助支台装置
　補助支台装置とは，義歯の沈下や回転などを防止し，機能時の義歯の安定をはかる目的で使用される小突起をいい，小連結子によって義歯床や大連結子に連結する．単独では維持機能をもたない．スパーおよびフックがある．

（1）スパー
　前歯の基底結節上や臼歯の辺縁隆線上に設置されるもので，支台歯間線をはさんで

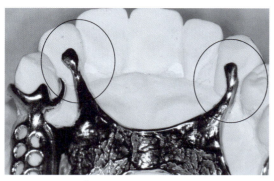
図12-76 スパー

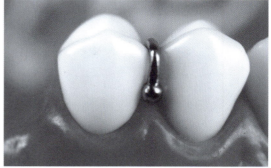
図12-77 フック

義歯床から離れた歯に設置される（図12-76）．1本の歯に設置されるため，義歯の沈下により負担過重となり，前歯に使用すると歯を唇側に傾斜させる力も働く．犬歯に利用される場合が多い．

（2）フック

2本の隣接した歯間の切縁や辺縁隆線におかれ，鼓形空隙に嵌入するように設置されるもので，支台歯間線をはさんで義歯床から離れた歯に設置される（図12-77）．スパーと同様の効果を発揮するが，義歯の沈下により歯間離開を起こすことがある．

2 連結子

連結子は，義歯床と義歯床あるいは義歯床と間接支台装置を連結する金属製の**大連結子**（major connector）と，支台装置や補助支台装置などを義歯床や大連結子に連結する金属製の**小連結子**（minor connector）に分類できる．

1）連結子の必要条件

① **咬合圧**の伝達機能を果たすために，たわみ，変形および破損のない強固な構造にする．
② 舌や頬粘膜の運動の障害にならない．
③ 衛生的で食物残渣が付着しにくい．
④ 発音障害や味覚障害を起こさない．
⑤ 粘膜部に自然に移行し，装着感や適合性が良好である．

2）連結子の目的

① 義歯にかかる**咬合圧**を顎堤や残存歯に伝達し分担させる．
② 義歯の構成要素を連結し，単純化および単一化する．

③ 強固な連結により機能時の義歯を安定させる．
④ 義歯の大きさを小さくすることで，異物感を軽減する．
⑤ 義歯の変形や破損を防ぐ．
⑥ 義歯設計の自由度が得られる．

3）連結子の利点と欠点

（1）利点
① 義歯全体を清潔に保つことができる．
② 義歯が強固になる．
③ 装着感が良好である．
④ 咀嚼および発音機能が向上する．

（2）欠点
① 必要以上に広く被覆すると，味覚，発音あるいは温度感覚に障害が生じたり，異物感が生じる場合がある．

4）連結子の分類

（1）上顎の大連結子
連結子の幅径の違いにより，決まりはないが基本的に8 mm以下のパラタルバー，9〜20 mm程度のパラタルストラップ，さらに幅が広いパラタルプレートに大別される（図12-78）．

a．パラタルバー
口蓋に使用されるバータイプの大連結子で，走行する位置により前，中，後，側方および正中パラタルバーに分類される（図12-79）．

a）前パラタルバー
口蓋の前方を前歯部の歯列形態に合わせて弓状に走行するバーで，前歯部の歯頸部より6 mm以上離して設置する．舌が触れる部位にあたるため，異物感が強くまた発音障害を起こしやすいので，できるだけ薄く設計する．

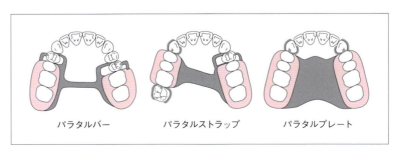

図12-78　上顎の大連結子

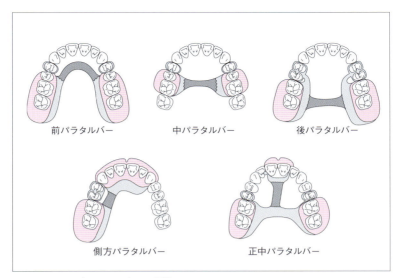
図 12-79　パラタルバーの種類

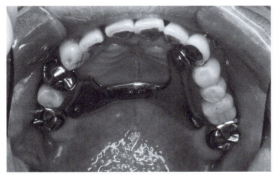
図 12-80　中パラタルバー

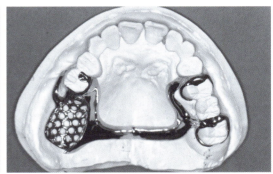
図 12-81　後パラタルバー

b）中パラタルバー

左右の第二小臼歯付近の間を走行するバーで，口蓋の中央部を走行するため，口蓋隆起や粘膜の薄い部分はリリーフする必要がある（図 12-80）．舌が触れることが少なく，異物感，嘔吐感および発音障害の発生は少ない．

c）後パラタルバー

左右の大臼歯付近の間を走行するバーで，口蓋の後方に設置するため異物感が強く，また設置が軟口蓋にかかると，嚥下障害や嘔吐感が発生することがある（図 12-81）．

d）側方パラタルバー

口蓋の側方を縦に走行するバーで，前歯部と臼歯部など前後の義歯を連結する場合あるいは間接支台装置の連結に使用される（図 12-82）．ほかの連結子と連結して使用されることが多い．

有床義歯技工学

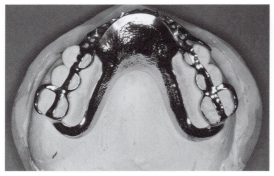

図12-82 側方パラタルバー

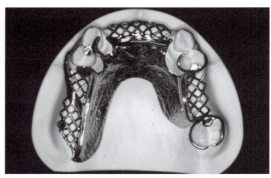

図12-83 馬蹄形バー

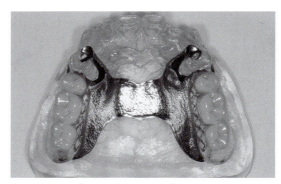

図12-84 パラタルストラップ

e）正中パラタルバー

　口蓋の正中部を縦に走行するバーで，単独で使用されることはほとんどなく，後パラタルバーなどほかの連結子と連結して使用されることが多い．臨床での使用頻度は低い．

f）馬蹄形バー（ホースシューバー）

　前パラタルバーと側方パラタルバーを連結したU字形のバーで，口蓋前方から後方にかけて馬蹄型を呈している（図12-83）．口蓋隆起を回避する場合や嘔吐反射が著しい場合に使用される．

b．パラタルストラップ

　パラタルバーより厚さを薄く，幅を広く設計した大連結子をいう（図12-84）．パラタルバーと比較して，異物感や発音障害の発生が少ない．幅が広いため，支持能力の向上を目的に使用される．

c．パラタルプレート

　パラタルストラップより幅を広げ，口蓋を広範囲に被覆した大連結子をいう（図12-85，86）．欠損歯数が多く広範囲での支持能力が必要な場合に使用される．

　パラタルストラップおよびパラタルプレートでは，辺縁の封鎖を確実にして装着に

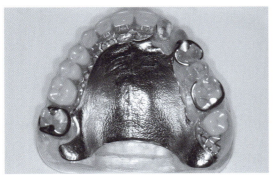
図 12-85　パラタルプレート

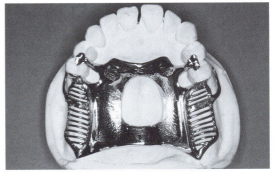
図 12-86　口蓋隆起を避けた設計のパラタルプレート

よる違和感を軽減するために，製作時にその辺縁に沿って作業用模型上に 0.3～0.5 mm の溝を形成する．これを**ビーディング**という（23 章参照）．

(2) 下顎の大連結子

リンガルバーとリンガルプレートに分けられる．

a．リンガルバー

下顎残存歯の舌側粘膜上を弓状に走行するバーをいう（図 12-87）．一部粘膜と接触しているが，上顎の連結子と異なり咬合圧に対する支持能力はない．バーの上縁は残存歯の自浄性を損なわないように歯肉縁から 3 mm 以上離し，バーの下縁はできるだけ口腔底に近い下方を走行させる．ただし，舌小帯の運動を障害しない位置にする．

断面の形態は，舌感が良好な，上縁が薄く下縁に丸みをもたせた半洋梨形とする．

リンガルバーは，歯の舌側面と歯槽部を結ぶ線から外側に出ないようにし，着脱方向に対して舌側にアンダーカットが存在する場合は，その部分をブロックアウトして製作する（図 12-88）．使用金属の種類により幅と厚さが異なり，コバルトクロム合金では幅 4～5 mm，厚さ 1～1.5 mm 程度である．

また，下顎前歯部の舌側歯槽部の傾斜が緩やかな場合（歯槽部が唇側に傾斜）にリ

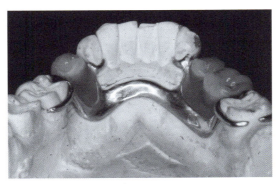
図 12-87　リンガルバー

有床義歯技工学

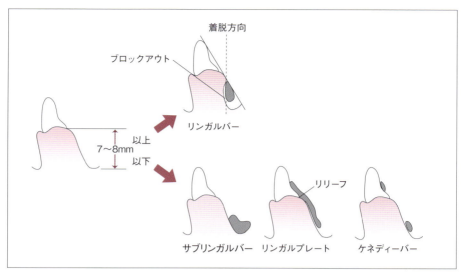

図12-88　下顎の大連結子と口腔底の位置関係

ンガルバーを使用するときは，リンガルバーの沈みこみを考慮して，リリーフ量を多くとって製作することが必要である．

多くの症例に適応可能だが，以下の場合には禁忌である．

①　口腔底が浅く，舌側歯肉縁とバー上縁の距離が3 mm以上および舌側歯肉縁と口腔底可動粘膜の間の距離が7～8 mm以上とれない場合（リンガルバーの幅を4～5 mm程度とした場合，図12-88）．

②　バーの設置による異物感が強く表れる場合．

③　残存している小臼歯および大臼歯が舌側に著しく傾斜している場合．

④　舌側に著しい骨隆起が存在する場合．ただし，骨隆起を回避できる設計ができる場合は使用可能．

a）サブリンガルバー

バーの強度を上げるため，断面をL字形としたリンガルバーをいう．口腔底が浅い場合に適応され，舌側溝および舌下方に設置される．臨床での使用は少ない．

b．リンガルプレート

下顎残存歯の舌側粘膜上をプレート状に被覆する大連結子をいう．リンガルバーより幅が広く薄い．リンガルバーが禁忌の場合，すなわち，口腔底が浅くバーを残存歯舌側の歯肉縁から3 mm以上離して設置できない場合に適応となる．なお，前歯部の基底結節も被覆する場合は，**リンガルエプロン**という（図12-88，89）．

リンガルバーとの比較を以下に記す．

（長所）

①　残存歯の舌側面の被覆面積が広範囲にわたるために，機能時の義歯の把持効果を期待できる．

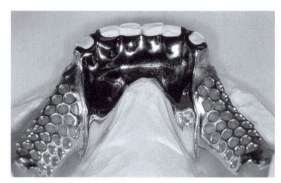

図 12-89 リンガルプレート(リンガルエプロン)

② 残存歯の固定効果が期待できる．
③ 異物感が少なく，発音障害も少ない．

(短所)
① 残存歯や辺縁歯肉を広く被覆するために，この部分の自浄性が劣り不潔になりやすい．

c．ケネディーバー

連続鉤を応用してリンガルバーと組み合わせたものをいう(図 12-40 参照)．機能的にはリンガルプレート(リンガルエプロン)と類似している．前歯部が歯周疾患により近遠心の接触点を失っている場合，あるいは残存歯の歯間に空隙が連続的に存在し，リンガルプレートの設置では審美的な問題が生じる症例に適応となる．

ケネディーバーの特徴は以下のとおりである．

(長所)
① 間接維持作用により義歯の安定に寄与する．
② 残存歯の固定効果が期待できる．

(短所)
① リンガルプレートと比較して残存歯の歯肉縁が開放され自浄性はよいが，構造上，食物残渣が停滞しやすい．
② リンガルプレートと比較して，装着による異物感が大きい．
③ 舌尖を刺激しやすい．

d．外側バー

残存歯の唇側や頰側の粘膜上を走行するバーで，設置の部位により唇側バー，頰側バーとよばれる(図 12-90)．残存歯の舌側への傾斜が著しく，義歯の着脱のために舌側にバーが設置できない場合，あるいは舌側顎堤のアンダーカットが著しい場合など，ほかの大連結子が設計できない症例に適応となる．

外側バーの特徴は以下のとおりである．

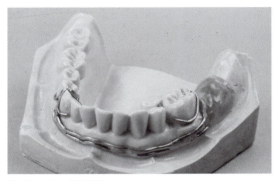

図12-90 外側バー
バーの上縁は，残存歯の歯肉辺縁から3mm以上離す．

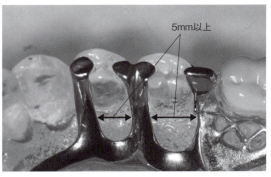

図12-91 小連結子

（長所）
① リンガルバーやリンガルプレートの使用が不可能な症例に使用できる．

（短所）
① バーの下縁に食物残渣が停滞しやすい．
② 唇側および頰側の粘膜を損傷しやすい．
③ 装着による異物感が大きい．

（3）小連結子

　支台装置や間接支台装置などを義歯床や大連結子に連結する金属の部分で，支台歯の側面への接触により間接的に把持機能を発揮する．小連結子間は5mm以上離して設置する（図12-91）．

　小連結子には以下のものがある．
① 義歯床を大連結子に連結するもの
② 支台装置を大連結子に連結するもの
③ フックやスパーなどに連結するもの

3 義歯床

　部分床義歯の構成要素の1つで，欠損部顎堤や口蓋部を覆い人工歯が排列される部分をいう．

1）義歯床の役割

① 口腔内の実質欠損している顎堤を補塡する．
② 人工歯を保持および連結する．
③ 咬合圧の一部を義歯床下組織に伝達する．

④ 義歯の維持，把持および支持に寄与する．

2）義歯床用材料

全部床義歯に使用する材料と同じで，レジンあるいは金属が使用される．
① ポリメチルメタクリレートレジン：加熱重合レジン，常温重合レジン，光重合レジン
② ポリメチルメタクリレートレジン以外：ポリスルフォン樹脂，ポリカーボネート樹脂，ポリエーテルスルフォン樹脂
③ 金属：貴金属合金（金合金，金銀パラジウム合金），非貴金属合金（コバルトクロム合金，チタンおよびチタン合金）

3）床外形線の決定

原則は全部床義歯の場合に準ずるが，以下に，部分床義歯の床外形線を決める一般的な概念を記す（図 12-92）．

（1）歯根膜負担義歯

少数歯中間欠損などの義歯は，支持の主体は支台装置のため，義歯床は顎堤を補う程度に小さく設計される．これらの義歯では，義歯床を拡大すると異物感を増大させ，口腔内の自浄性を低下させる．

（2）粘膜負担および歯根膜粘膜負担義歯

粘膜負担義歯では全部床義歯に従い，上顎では，欠損状態により上顎結節を被覆してハミュラーノッチまで延長する必要がある．義歯床後縁は口蓋小窩など解剖学的な指標を目安にし，可及的に拡大する．また，下顎では義歯床後縁はレトロモラーパッドの1/2～2/3は被覆する必要がある．さらに，頰棚は緻密な骨組織より構成され，咬合圧の負担域として重要な支持機能を果たすため，可及的に広く被覆する必要がある．

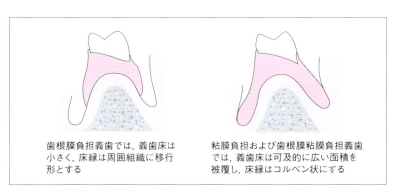

図 12-92　義歯床の形態

有床義歯技工学

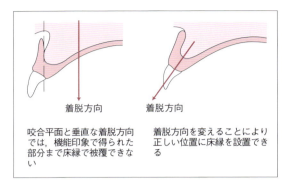

図 12-93 義歯の着脱方向と床縁の関係

　歯根膜粘膜負担の遊離端義歯では，咬合圧を顎堤粘膜で負担する割合が歯根膜負担義歯に比較して大きくなるため，義歯床面積は可動組織の運動を障害しない範囲で，可及的に広くする必要がある．こうすることで咬合圧を義歯床下粘膜で分担でき，義歯の安定に寄与でき，さらに支台歯への負担を軽減する効果が発揮される．

(3) 義歯の着脱方向への影響

　義歯の着脱方向は支台歯などの残存歯や顎堤の傾斜あるいは形態によって変化する．つまり義歯床の外形は，着脱方向を決定する際に顎堤に描かれたサベイラインにより決定される．特に，上顎前歯部の欠損では顎堤が前方に傾斜している場合が多く，着脱方向を咬合平面と垂直にすると，唇側顎堤のアンダーカットにより審美的な問題や異物感が生じやすい．また，着脱時に疼痛を起こしやすい（図 12-93）．

(4) 残存歯部と床縁

　原則では，残存歯歯頸部の近くに床縁を設置する場合は，上顎では歯頸部から 6 mm 以上，下顎では 3 mm 以上離す．床縁が歯頸部に接触していると，歯頸部付近の自浄性が損なわれ，義歯の沈下や動揺により歯周組織の健康を害することがある．もし，床縁を残存歯に接触させる場合は，前歯部では基底結節を被覆し，臼歯部ではサベイライン上か少し上方に設定する．ただし，歯頸部の歯肉辺縁はブロックアウトを行い，直接この部分に義歯床が接触しないようにする．義歯床がこれらの部位や歯間乳頭部に接触していると，義歯の動揺による機械的な刺激を加えることがある（図 12-94）．床縁を残存歯に接触する設計では，プラークコントロールを十分に指導する必要がある．

4) 床縁の形態と位置

　通常，床縁は歯肉頰移行部に設置し，断面形態は**コルベン状**にする．
　歯根膜負担義歯では，支持の主体が支台装置となり義歯の沈下が少ないため，義歯

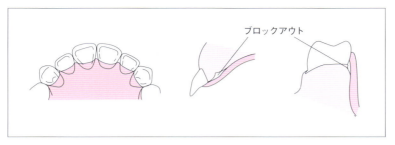

図12-94 残存歯と床縁の位置関係

床は顎堤の形態を補う程度にし，周囲の組織から義歯床へ移行的にする．審美性の回復を優先する前歯部欠損では，口唇の豊隆あるいは残存組織との調和などを考慮し義歯床をほとんど付与しない場合，床縁を薄くナイフエッジ状にする場合，あるいは口唇に張りをもたせるために床縁を厚く盛り上げる場合がある．

5）義歯床の厚さ

義歯装着による異物感を減少させるためには，義歯床の厚さは薄いほどよい．しかし，義歯床による維持，把持および支持機能を十分に発揮させるためには，咬合圧による床のたわみや破折を防止する必要がある．通常，レジン床の口蓋部では1.5 mm以上の厚さが必要であるが，金属床ではレジン床に比べ1/3～1/5の厚さまで薄くできる．

6）緩衝腔

義歯床下組織に過度の圧がかからないように，リリーフによって義歯床粘膜面と顎堤粘膜との間につくられる空隙をいう．全部床義歯の場合にも付与されるが，部分床義歯でも必要があれば行われる．

4　人工歯

天然歯の代わりに使用する歯である．一般に，全部床義歯に使用する人工歯と材質および形態は同じである．主に前歯部は審美性，臼歯部は機能性を考慮して選択することも同様であるが，部分床義歯では残存歯に調和する人工歯を選択する必要がある．

天然歯列と異なり，部分床義歯に加わる咬合圧は残存歯と義歯床で負担する．そのため，限られた義歯床の大きさで効率的に負担するためには，欠損部の形態を考慮して人工歯を選択する必要がある．

13 部分床義歯の印象採得に伴う技工作業

到達目標

① 模型上の解剖学的ランドマークを列挙できる.
② 研究用模型を製作できる.
③ 個人トレーを製作できる.
④ 作業用模型を製作できる.

1 印象採得に伴う技工作業

1) 部分床義歯の印象

（1）部分床義歯の印象採得の特徴

　部分床義歯の印象採得の特徴は，残存歯と顎堤粘膜の両者を印象することにある.
欠損状態が多様で，中間欠損と遊離端欠損とでは咬合圧の支持様式に違いがあるため，印象の考え方も複雑になっている.
　多くの印象法があるが，部分床義歯に共通した考え方は以下のとおりである.
① 　残存歯の正確な**解剖学的印象**
② 　顎堤粘膜の**機能印象**

（2）部分床義歯の印象法

① 　個人トレーを使用して必要な領域を**筋圧形成**した後，弾性印象材を使用して残存歯の解剖学的印象と顎堤粘膜の機能印象を手圧で同時に採得する方法.
② 　作業用模型で**フレームワーク**を製作した後，フレームワークを用いて**オルタードキャスト法**により顎堤粘膜を機能印象する方法.

（3）印象の分類
a. 目的による分類

① 　**概形印象**：精密印象の予備的な印象として残存歯や顎堤粘膜の概形を採得する印象をいう. 研究用模型，義歯の仮設計あるいは最終印象用の個人トレー製作などのために利用される.

② **精密印象**：部分床義歯製作に必要な作業用模型を製作するための印象をいう．

b．印象材の組み合わせによる分類

① **単一印象（単純印象）**：1種類の印象材を用いて採得する印象法をいう．

② **連合印象**：2種類以上の印象材または流動性の異なる同種の印象材を用いて採得する印象法をいう．

c．印象方法による分類

① **加圧印象**：義歯の機能時の状態を想定し，顎堤粘膜を加圧下で採得する印象法をいう．咬合圧印象，ダイナミック印象などがある．

② **無圧印象**：印象圧をできるだけ加えないで顎堤粘膜，口蓋粘膜の静止状態を採得する印象法をいう．解剖学的印象と同義語として用いられる．

③ **特殊な印象**：オルタードキャスト法（p.165参照）や，複数の部分から構成される分割印象法がある．

d．使用される印象材の分類

① **弾性印象材**：アルジネート印象材，シリコーンゴム印象材（付加型，縮合型），ポリエーテルゴム印象材

② **非弾性印象材**：モデリングコンパウンド，酸化亜鉛ユージノール印象材，印象用ワックス

（4）支持様式による印象法の違い

a．歯根膜負担義歯

欠損部の近遠心部に支台歯のある中間欠損症例では，残存歯の正確な解剖学的印象を主とする．アルジネート印象材，シリコーンゴム印象材などを用いる．

b．粘膜負担義歯

多数歯欠損症例では，個人トレーによって筋圧形成を行った後，機能印象を行う．シリコーンゴム印象材などを用いる．

c．歯根膜粘膜負担義歯

残存歯の正確な解剖学的印象と同時に，義歯機能時の義歯床下組織を再現するために，個人トレーと弾性印象材を用いて顎堤粘膜の機能印象を行う．ほかにオルタードキャスト法による印象方法がある．

2）研究用模型

研究用模型とは**概形印象**より得られた模型のことで，残存歯，欠損部顎堤などの口腔内状態の診査，治療方針の決定および患者への説明などに用いられる．また，この模型を利用して義歯の仮設計と最終印象用の個人トレーの製作を行う場合もある．

研究用模型では，口腔内の解剖学的形態が正しく鮮明に印象される必要がある．また，残存歯が少数の場合はその部分が破損しやすいので取り扱いに注意する．

図13-1　既製トレー

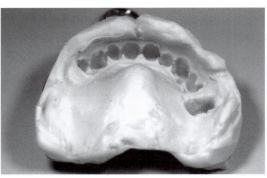
図13-2　概形印象

図13-3　概形印象に石膏を注入する
食物残渣，唾液および血液などを水洗いした後，印象面の水分を除去して石膏を注入する．

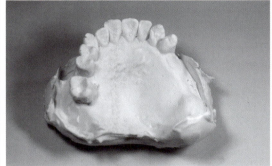
図13-4　概形印象より研究用模型を取り外す

（1）研究用模型の製作手順

研究用模型は概形印象に石膏を注入して製作されるが，破損しにくい硬質石膏を用いることが望ましい．

① **既製トレー**（図13-1）と**アルジネート印象材**を使用して採得された概形印象内面に付着した唾液および血液などを水洗いする（図13-2）．

② 印象内面の余剰な水分を除去し，石膏を所定の混水比により真空練和器で練和する．

③ バイブレーターを使用し，印象に対して一定方向から石膏泥を注入する．気泡をつくらないように注意する（図13-3）．辺縁部は，5 mm程度余分に盛り上げる．

④ 石膏硬化後，印象材を撤去し，**模型基底部**や辺縁余剰部をモデルトリマーで削除する（図13-4）．基底部は**咬合平面**と平行にし，上顎の口蓋部や下顎の口腔底部における模型の厚さは10 mm程度にする．模型辺縁部はタングステンカーバイドバーなどで形成する（図13-5）．研究用模型では，上顎は**ハミュラーノッチ**，下顎では**レトロモラーパッド**，および口腔前庭部などの軟組織が再現されていることが重要である（図13-6）．

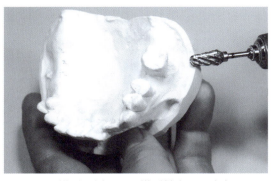 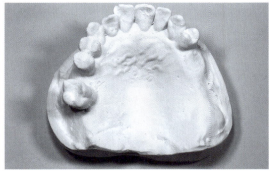

図 13-5　模型の側面は，模型基底面と直角になるようにモデルトリマーで形成を行い，辺縁部はタングステンカーバイドバーなどで形成する

図 13-6　研究用模型の完成

3) 個人トレー

　部分床義歯の印象を正確に行うためには，患者固有の歯列および顎堤の形態に合わせたトレーを使用することが望ましい．このように患者に合わせて製作されるトレーを**個人トレー**という．

　部分床義歯の個人トレーは，歯根膜粘膜支持型，粘膜支持型の義歯では，顎堤粘膜部分は咬合圧が加わって被圧変位した形態を記録することを目的とする．この場合の個人トレーは，顎堤粘膜部分を印象材を通じて加圧する［機能印象（加圧印象）法］ため，その部分の個人トレーの内面は顎堤粘膜面に密着させ，辺縁封鎖や筋圧形成が必要な辺縁部には，可塑性コンパウンドを付加する．残存歯部は正確な歯の形態を記録するので，印象材に十分な厚みが得られるようにワックスで覆い，個人トレーとの間のスペースを設ける．

　一方，歯根膜支持型の義歯では，残存歯や顎堤粘膜のありのままの形態を，圧をかけることなく静止状態で採得する［解剖学的印象（無圧印象）法］ので，個人トレーは，残存歯や顎堤粘膜との間には大きくスペースを設ける．

　個人トレーは，口腔内で変形や破損をしない材料で製作することが重要であり，通常，**トレー用常温重合レジン**が広く用いられている．

(1) 個人トレーの特徴

① 印象材の厚さを一定にでき，正確な印象が得られる．
② 筋圧形成を行うことで，床縁の形態を再現できる．
③ 術者の印象採得操作が容易になる．
④ リリーフの量を調整することにより印象時の圧を調整できる．

(2) 個人トレーの製作手順

① 研究用模型を使用してトレーの着脱方向を決定する．残存歯および顎堤のアン

有床義歯技工学

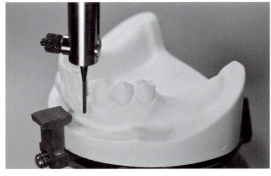

図13-7 個人トレーの着脱方向を決定する

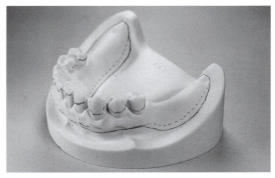

図13-8 個人トレーの外形線を設計する

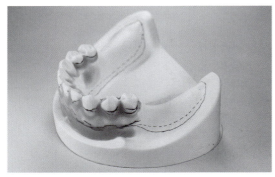

図13-9 ブロックアウト，リリーフ
残存歯や顎堤のアンダーカット部のブロックアウトを行い，緩衝する部分はパラフィンワックスなどでリリーフを行う．

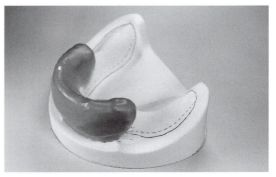

図13-10 スペーサー圧接，ストッパーの設置
残存歯部にパラフィンワックス1枚を圧接し，ストッパーを設置する．

ダーカット部が平均的に得られる方向とする（図13-7）．

② 研究用模型にトレーの外形線を記入する（図13-8）．床外形線は，口腔内診査により決定される．トレーの外形線は，機能印象を行う場合には，**床外形線**および残存歯部の**歯肉唇頬移行部**より2～3mm短く設定する．ただし，口蓋後縁部では，床外形線よりもやや長めに設定する．

③ 不要なアンダーカット部をパラフィンワックスで填塞する．これを**ブロックアウト**という．顎堤から歯肉頬移行部に至るまでのアンダーカット部および残存歯の周囲などをブロックアウトする．

④ **口蓋隆起，下顎隆起，フラビーガム**およびその他の部位で緩衝する必要がある場合は，パラフィンワックスなどで**リリーフ**を行う（図13-9，p.35参照）．

⑤ 残存歯をワックスで被覆する（図13-10）．

⑥ **ストッパーを設置する**．個人トレーが口腔内の正しい位置に保持されるように，残存歯の咬合面などのパラフィンワックスを2～3ヵ所切り取る．支台歯にストッパーを設置せざるをえない症例は，レストシートや鉤外形線の走行は避けて付与する

13．部分床義歯の印象採得に伴う技工作業

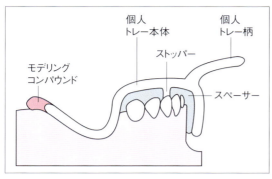

図13-11　個人トレー

図13-12　個人トレー研磨後

図13-13　機能印象用個人トレー

が，支台歯はできるだけ避けたほうがよい．

⑦　トレー用常温重合レジンを練和し，厚さ3mm程度に均等に伸ばす．

⑧　まず，練和した少量のトレー用常温重合レジンをストッパー部分に圧接し，次に，均等に伸ばしたトレー用常温重合レジンを研究用模型に2mm程度の均一な厚さに圧接してから，余剰部分を切り，整える（図13-11）．その後，トレーの柄を形成し，トレー本体に取り付ける．トレーの柄は，着脱方向を考慮し，口唇の妨げとならない方向で，なおかつ手指で保持しやすい位置に取り付ける．

⑨　トレー用常温重合レジンの硬化後，研究用模型より取り外し，辺縁部をタングステンカーバイドバーなどで修正した後，ペーパーコーンで仕上げる（図13-12）．

⑩　筋圧形成の必要な部位にモデリングコンパウンドをつけて個人トレーを完成する（図13-13）．

2　作業用模型の製作

部分床義歯の**作業用模型**では，残存歯および顎堤の両者を正確に再現することが重要である．機能印象した内面に超硬質石膏または硬質石膏を注入して作業用模型を製

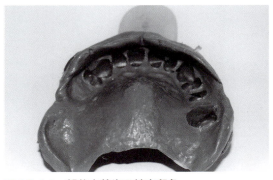
図 13-14　部分床義歯の精密印象

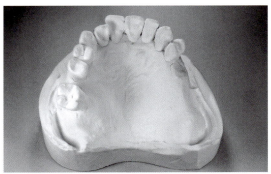
図 13-15　作業用模型完成

作する．製作のポイントは以下のとおりである．

① 部分床義歯の設計では咬合平面を基準とすることが多いため，作業用模型の基底面が咬合平面と平行になるように製作する．

② 残存歯が孤立あるいは挺出している場合，印象から作業用模型を撤去するときに破折しないように注意する．症例により，ダウエルピンなどを植立して残存歯を保護する場合もある．

③ 作業用模型上で設計からレジン重合までの技工作業を行うため，硬度が高く破損しにくい材料を使用する．

④ 作業用模型の基底面は厚さが約 10 mm 程度になるようにする．

1）ボクシング

完成義歯の床縁の厚みを考慮し，機能印象された陰型（図 13-14）の辺縁から約 5 mm 離れた位置に，ユーティリティワックスなどを全周にわたって巻きつける．下顎では，さらに口腔底部をパラフィンワックスで封鎖しておく．その後，ボクシングワックス（パラフィンワックス）を巻きつける（図 5-30〜32 参照）．

2）石膏の注入および作業用模型の仕上げ

（1）石膏の注入

超硬質石膏または硬質石膏を所定の混水比により真空練和器で練和を行った後，気泡が混入しないように注意しながら一方向から注入する．部分床義歯では残存歯と顎堤粘膜の両者が混在する機能印象が行われるため，直接残存歯に注入することは避けて比較的平坦な欠損部から注入することにより，気泡の巻き込みを防ぐことができる（図 5-33 参照）．

（2）作業用模型の仕上げ

① 残存歯を破損しないように個人トレーと印象材を撤去する．**孤立歯**および**挺出**

歯などのように破損の危険性がある症例では，個人トレーを分割する方法およびトレーを軟化させる方法をとると作業用模型が破損しにくくなる．

② 基底面からの厚みが10 mmになるように，また咬合平面と基底面が平行になるようにモデルトリマーをかける．作業用模型側面は，基底面と直角になるように調整する．

③ 欠損部は筋圧形成されているため，歯肉頰移行部から2～3 mmの幅の石膏を残して作業用模型の辺縁部を保護する．

④ 作業用模型の後縁部は，上顎ではハミュラーノッチより後方，下顎はレトロモラーパッドの後方まで設定する（図13-15）．

3 オルタードキャスト法

オルタードキャスト法は部分床義歯の印象法の1つであり，残存歯部と顎堤粘膜との被圧変位量の差を補償する目的で行われ，主に下顎遊離端義歯に適応される．解剖学的印象により製作した作業用模型の顎堤部分のみを機能印象による模型に置き換え

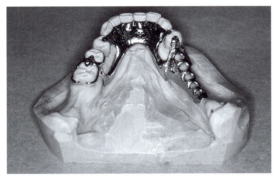
図13-16 解剖学的印象により製作された作業用模型でフレームワークを製作する

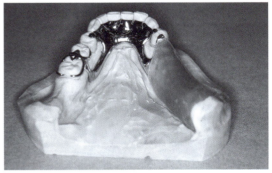
図13-17 フレームワークを口腔内に試適した後，基礎床を製作する

図13-18 咬合堤を製作する

有床義歯技工学

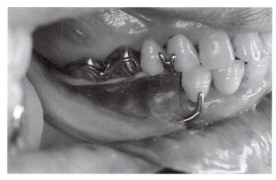 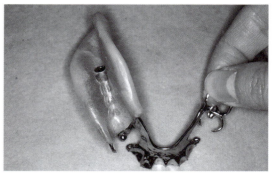

図 13-19, 20　咬合床を製作したフレームワークと印象材を使用して，顎堤粘膜の機能印象を行う

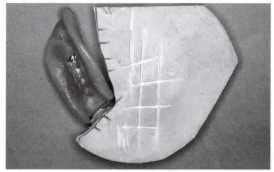

図 13-21　作業用模型の顎堤部分を切り離し，フレームワークを戻す

図 13-22　パラフィンワックスなどでボクシングを行う

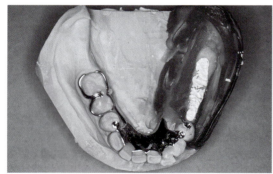 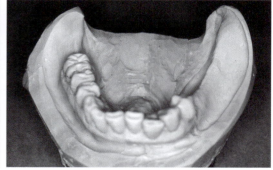

図 13-23　ボクシングを行った顎堤部分に石膏を注入する

図 13-24　オルタードキャスト法により完成した作業用模型

ることで，解剖学的印象と機能印象を組み合わせた作業用模型をつくる．
　オルタードキャスト法の印象方法は，以下のとおりである．
　①　弾性印象材を使用して解剖学的印象により印象採得を行い，作業用模型を製作する．この作業用模型を使用してフレームワークを製作する（図 13-16）．
　②　フレームワークを口腔内で試適後，作業用模型に戻し，顎堤部分の咬合床を製

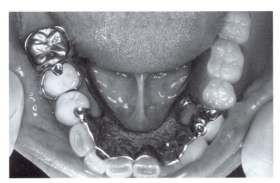

図13-25　オルタードキャスト法により製作された部分床義歯

作する（図13-17，18）.

③　咬合床を製作したフレームワークと印象材（ゴム質印象材，酸化亜鉛ユージノール印象材，印象用ワックスなど）を用いて，顎堤粘膜の機能印象を行う（図13-19，20）.

④　作業用模型の顎堤部分のみを切り離した後，機能印象を行ったフレームワークを作業用模型に戻す（図13-21）.

⑤　辺縁部をユーティリティワックスなどで固定し，パラフィンワックスなどでボクシングを行う（図13-22）.

⑥　顎堤部分に石膏を注入し，模型を改造し，新たな作業用模型を完成する（図13-23～25）.

14 部分床義歯の咬合採得に伴う技工作業

到達目標

① 咬合採得の目的を説明できる.
② 咬合床の役割を説明できる.
③ 咬合床を製作できる.
④ 作業用模型を咬合器に装着できる.

1 咬合採得に伴う技工作業

1）咬合床の製作

　　　　上下顎間の前後・左右・上下の位置的関係を記録し，再現する作業を**咬合採得**という．咬合採得を行うためには，欠損した歯や顎堤の代わりに**咬合床**が必要となる．

　　　咬合床は，直接粘膜に接する**基礎床**と歯槽頂に沿って走る**咬合堤**からなり，中心咬合位，咬合平面，咬合高径の決定や唇・頰側部の豊隆度合，人工歯排列時の基準線の記入などに用いられる．咬合床は，歯科医師が個々の患者に合わせて口腔内で修正し，咬合採得を行う．その後，歯科技工士は，修正された咬合床を用いて上下顎の作業用模型を咬合器に装着する．

　　　部分床義歯には多様な欠損状態が存在しているが，残存歯との**対合関係**により以下のように大別される．

　　① 　1～2歯の中間欠損など，残存歯が多数存在して全部あるいは一部が対合歯と咬合しており，作業用模型上で咬合関係が容易に再現できる場合は，上顎模型に対して下顎模型をそのまま嵌合させて固定し，咬合器に装着する．

　　② 　**遊離端欠損**（片側性，両側性），**複合欠損**など，残存歯により咬頭嵌合位（中心咬合位）は確保されているが，作業用模型上で患者の適正な咬合関係を十分に再現できない場合は，残存歯の対合関係を参考にしながら，咬合床あるいはフレームワークの欠損部にある維持格子を利用して咬合床を設け，咬合採得を行う．

　　③ 　**すれ違い咬合**，片顎が無歯顎の症例など，残存歯はあっても患者固有の咬合関係が得られない場合は，無歯顎の咬合採得に準じた方法を用いて咬合採得を行うことになり，咬合床の準備が不可欠である．

14．部分床義歯の咬合採得に伴う技工作業

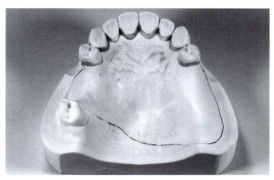
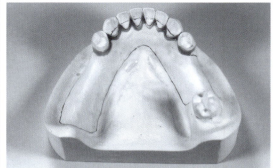

図 14-1, 2　外形線の設計およびブロックアウト

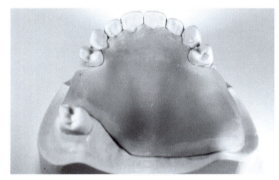
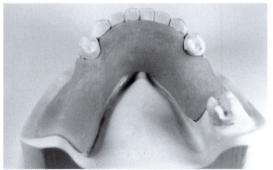

図 14-3, 4　基礎床

　部分床義歯では残存歯を利用して咬合採得する場合が多いが，咬合関係を再現できない場合（上記②，③）には欠損部に咬合床が必要となる．歯科医師はこの咬合床を利用して咬合採得を行う．

（1）基礎床の製作
　① サベイヤーを用いて，残存歯と顎堤にサベイラインを描記する．
　② 原則的には完成義歯の床外形線と一致させるように，基礎床の外形線を記入する．中間欠損では安定させるために近遠心的に1〜2歯延長させ，遊離端欠損では，上顎は硬口蓋と顎堤，下顎は残存歯舌側面および顎堤を覆うようにする（図 14-1, 2）．
　③ 義歯の着脱方向を考慮して残存歯と顎堤のアンダーカット部の**ブロックアウト**を行う（図 14-1, 2）．また，**口蓋隆起**，**下顎隆起**，**フラビーガム**およびその他の部位で緩衝する必要がある場合はリリーフを行う（p.35 参照）．
　④ 作業用模型表面に分離剤を塗布後，トレー用常温重合レジンを混和し，1.5 mm程度の均等な厚み（パラフィンワックス1枚分）になるように作業用模型に圧接する．レジン硬化前に外形線からはみ出した部分を切り取る．
　⑤ レジン硬化後，作業用模型から取り外し，辺縁をタングステンカーバイドバー

有床義歯技工学

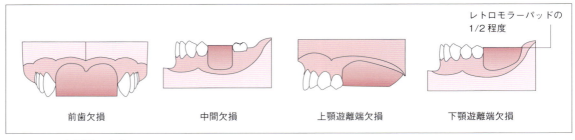

図 14-5　咬合堤の高さ

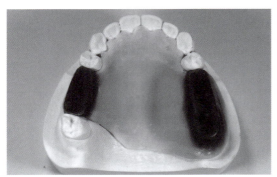
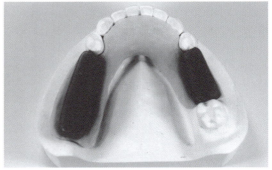

図 14-6, 7　咬合床の完成

で修正し，ペーパーコーンで仕上げる（図 14-3, 4）．

⑥　咬合床の安定が得にくい場合には，残存歯の一部に暫間的なクラスプを設ける（図 14-11 参照）．

（2）咬合堤の製作

a．咬合堤の形態

①　咬合堤の幅：一般的には残存歯の頰舌径に合わせる．幅の平均は前歯部で 5 mm，小臼歯部で 7 mm および大臼歯部で 10 mm である．

②　咬合堤の高さ：前歯部では中切歯の切縁または犬歯の尖頭の高さに合わせる．臼歯部は，**中間欠損**症例では隣接する歯の辺縁隆線の高さに一致させ，遊離端欠損症例では，上顎はハミュラーノッチから 5〜7 mm を基準として下顎との咬合関係を考慮する．下顎はレトロモラーパッドの高さの 1/2 程度となるようにする（図 14-5）．

③　咬合堤の彎曲：一般的に歯列の彎曲に合わせるが，対合歯がある場合はその歯列形態も考慮する．

b．咬合堤の製作

①　パラフィンワックスを軟化し，角柱状の形態に整える．

②　基礎床に軟化したスティッキーワックスを置き，その上に成形したパラフィンワックス（咬合堤）を置いて固定する．

14．部分床義歯の咬合採得に伴う技工作業

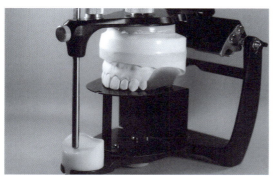
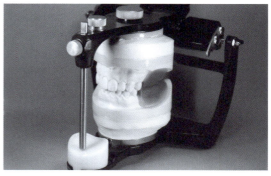

図14-8 咬合平面板を使用して上顎作業用模型を装着する

図14-9 咬合採得された下顎位になるように下顎作業用模型を装着する

③ 基礎床と咬合堤の間にパラフィンワックスを流し，咬合堤の形を修正する（図14-6，7）．

2）歯科医師による咬合採得

咬合採得は，咬合床を歯科医師が個々の患者に合わせて審美的，機能的に合うように修正をする．上顎歯列の頭蓋あるいは顎関節に対する三次元的位置関係の記録を行った後，上顎歯列に対する下顎歯列の位置関係の決定を記録する．さらに下顎運動が咬合器上で正確に再現されるような偏心咬合位の記録を行う．その際，咬合平面の決定，口唇の豊隆度の決定および人工歯排列時の基準線の記入などを行う．その後，歯科技工士は咬合採得された咬合床を用いて上下顎の作業用模型を咬合器に装着する．

2 咬合器への作業用模型の装着

咬合器装着に際して，咬合器の関節部と作業用模型との位置関係に注意が必要である．平均値咬合器を使用する場合は，咬合器上に設定されている基準平面（咬合平面板）に平均的位置関係に上顎作業用模型を装着する．調節性咬合器を使用する場合は，フェイスボウを使用して記録された位置に上顎作業用模型を装着する．その後，咬合採得された下顎位で下顎作業用模型を装着する．

1）咬合平面板を使用して作業用模型を装着する方法

① 上下顎作業用模型の基底面に**スプリットキャスト**用の溝を形成する．
② 作業用模型基底面に分離剤を塗布し，模型側面にビニールテープでボクシングを行う．
③ **咬合平面板**と上顎作業用模型の咬合平面が一致するように固定し，**正中線を切歯指導標**に合わせる．さらに，上顎作業用模型と咬合器の正中が一致するように左右

171

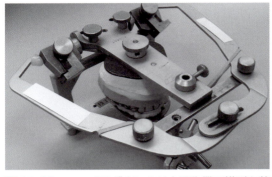

図14-10 フェイスボウにより上顎作業用模型を装着する

図14-11 咬合採得された下顎位になるように下顎作業用模型を装着する

を整え，作業用模型基底面に装着用石膏を盛り上げて咬合器に装着する（図14-8）．

④ 咬合平面板を取り除き，咬合採得された下顎位になるように，下顎作業用模型基底面に装着用石膏を盛り上げて咬合器に装着する（図14-9）．

2）フェイスボウを使用して作業用模型を装着する方法

　フェイスボウを使用して作業用模型を咬合器に装着すると，作業用模型の位置関係が生体と類似し，製作された補綴装置がより機能的なものとなる．**アルコン型半調節性咬合器**（ウィップミックス咬合器）に作業用模型を装着する方法を以下に示す．

① **スプリットキャスト**用の溝を形成する．
② フェイスボウを咬合器に適切に装着する．
③ 上顎作業用模型をフェイスボウの**バイトフォーク**上に設置する．
④ 上顎作業用模型基底面に装着用石膏を盛り上げる（図14-10）．
⑤ 装着用石膏が硬化したらフェイスボウを咬合器から取り外す．
⑥ 両側の**顆頭**が**コンダイラーガイド**の最後位にあることを確かめた後，**上弓**を逆にして，咬合採得された下顎位になるように下顎作業用模型を装着する（図14-11）．

3）咬合器の顆路調整

　半調節性咬合器の顆路を調整するには，チェックバイト法が用いられる．偏心咬合位の記録としては，前方咬合位と左右側方咬合位の3顎位のチェックバイトが必要である．各チェックバイトを上下の作業用模型間に介在させ，咬合器の顆路調節機構について矢状顆路傾斜角や側方顆路角を変化させ，チェックバイトが最もよく適合する角度を探す．最適な角度が得られたら顆路調節機構を固定することにより矢状顆路傾斜角，側方顆路角が決定される．

15 クラスプの製作

到達目標

① サベイヤーの使用目的と構造を説明できる．
② サベイヤーを使用できる．
③ クラスプの製作法を説明できる．
④ クラスプを製作できる．

1 支台歯の前処置

支台装置を設置し，義歯の維持，把持および支持機能を十分に発揮させるためには，支台歯の**前処置**を行う必要がある．前処置は支台歯の状態および設置する支台装置の種類により異なるが，**咬合調整**，咬合面の縮小，歯冠形態の修正，ガイドプレーンの形成，**レストシート**の形成などを行う．天然歯を切削して行う場合と，補綴装置によって支台歯の形態を付与する場合（図 15-1）がある．

1) ガイドプレーン（誘導面）

ガイドプレーンは，支台歯側面に義歯の着脱方向と平行に形成される平面である．支台歯の保護と義歯の動揺を規制する機能を発揮する．支台歯が天然歯の場合はエナメル質を切削して形成し，支台歯を歯冠修復する場合は補綴装置に付与する．

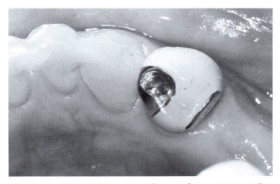

図 15-1　補綴装置によるガイドプレーンおよびレストシートの付与

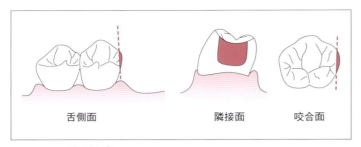

図 15-2　ガイドプレーン

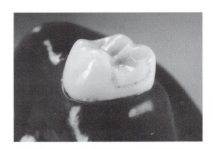

図 15-3　ガイドプレーンの形成

ガイドプレーンの形態は以下のようにする（図 15-2，3）．

① ガイドプレーンの幅：頰舌側咬頭頂間距離の約 2/3 の領域とし，鋭利な部分を残さないように形成する．

② ガイドプレーンの高さ：臨床的歯冠長の約 2/3 を原則とする．

2）レストシート

レストシートは，レストを受け入れるために支台歯に形成される小窩である．義歯に加わる咬合力を垂直方向の力として支台歯へ伝達する．口腔内で支台歯を切削して形成する場合と，クラウンなどの**補綴装置**に形成する場合がある（咬合面レストシートの形態は，12 章参照）．

2　サベイヤーの構造と使用方法

サベイヤー（surveyor）は，残存歯や顎堤の**最大豊隆部**を求めると同時に，残存歯間の相対的な**平行関係**などを調べるために用いられるもので，部分床義歯の設計および製作にあたって必要な器械である．

模型上で部分床義歯の**着脱方向**を決定し，その方向を基準として各種の測定線を印記するなどの操作を**サベイング**（surveying）といい，決定した着脱方向にもとづいて残存歯や顎堤の最大豊隆部に印記された線を**サベイライン**（survey line）という．

1）サベイヤーの使用目的

① 義歯の着脱方向を決定する．
② 支台歯にサベイラインを描記して**鉤外形線**の指標とする．
③ 義歯床および**連結子**の外形線の指標とする．
④ **アンダーカット**を測定して，**クラスプの先端**（鉤尖）の位置を決定する．
⑤ 義歯の着脱を妨げるアンダーカットの修正領域の指標とする．
⑥ **アタッチメント**，**テレスコープ**などの平行性を測定する．
⑦ 個人トレー設計の指標とする．

15. クラスプの製作

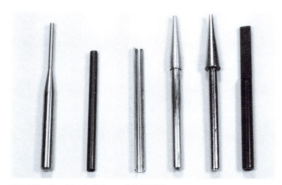

図 15-4　サベイヤーの付属品
左から，アナライジングロッド，カーボンマーカー，補強鞘，テーパートゥール（2°，6°），ワックストリマー

図 15-5　アンダーカットゲージ
左から，0.25 mm，0.5 mm，0.75 mm

2）サベイヤーの構造および種類

（1）サベイヤーの構造

サベイヤーは，水平台，支柱，水平アーム，スピンドル，模型台から構成されている．また，以下の付属品がある（図 15-4）．

a．アナライジングロッド（測定杆）

円柱状のゲージであり，残存歯および顎堤のアンダーカットの状態を調べて着脱方向を検討する場合や，アンダーカットの量をおおまかに把握する場合に使用する．

b．カーボンマーカー（炭素棒）

円柱状のカーボンロッドであり，サベイラインを描記するために使用する．

c．補強鞘

カーボンマーカーが入る金属製のカバーで，カーボンマーカーの破折を防ぐために使用する．

d．アンダーカットゲージ

支台歯のアンダーカット量を測定し，鉤尖の位置を決定するために使用する．一般的に，0.25 mm，0.5 mm および 0.75 mm の 3 種類のゲージがあり，クラスプの種類によりそれぞれのゲージを選択する（図 15-5）．

e．ワックストリマー

不必要なアンダーカットをワックスによって填塞し，義歯の着脱方向と一致させるために使用する．

f．テーパートゥール

ワックストリマーと同じ目的で，ブロックアウトの際に修正部分にテーパーを付与する場合に使用する．円錐状の形態をしており，2°と 6°のものがある．

有床義歯技工学

図 15-6　非可動式サベイヤー

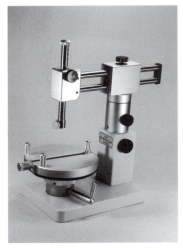
図 15-7　可動式サベイヤー

（2）サベイヤーの種類
a．非可動式サベイヤー
　水平アームが支柱に固定されているもの．付属品を取りつけるスピンドルが上下に移動し，模型台を水平台の上で移動させることによってサベイングを行う（図15-6）．
b．可動式サベイヤー
　模型台が水平台に固定されているもの．スピンドルが上下および水平に移動することによってサベイングを行う（図15-7）．

3）サベイング
　サベイングとは，サベイヤーを使用する一連の技工作業である．
　① **予備測定**（研究用模型のサベイング）：研究用模型上で残存歯，顎堤の平行関係およびアンダーカットを診査し，**仮設計**のために行うサベイングである．前処置の資料とするために必要である．着脱が容易で適切な維持力があり，装着感のよい部分床義歯を製作するために必要な作業である．
　② **本測定**（作業用模型のサベイング）：研究用模型上の仮設計を参考にして，作業用模型をサベイングすることで，着脱方向を確認し，支台装置，義歯床および連結子などの設計を最終的に決定する．

（1）着脱方向の決定
　模型を咬合平面に平行な位置（図15-8）から前後，左右に傾斜させ（図15-9），アナライジングロッド（測定杆）を接触させて残存歯および顎堤のアンダーカットの有無やその量を測定する．以下の項目を考慮して，最も望ましい着脱方向を決定する．

15. クラスプの製作

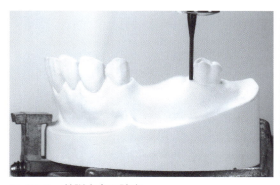

図 15-8 着脱方向の診査
残存歯，顎堤を診査し，着脱が容易で適切な維持力が得られる方向を決定する．

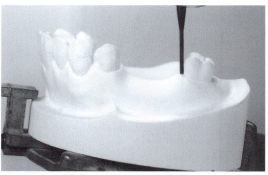

図 15-9 着脱方向の診査（後方傾斜）
模型を傾斜させることによりアンダーカット部が変化する．

図 15-10 サベイラインを描記する

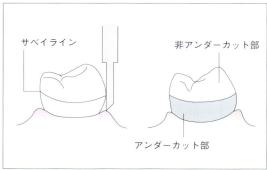

図 15-11 サベイラインとアンダーカット部

① 適切な**維持力**がどの支台歯にも設計できる．
② 患者にとって義歯の着脱が容易な方向である．一般的には，咬合平面に対してほぼ垂直方向である．
③ 義歯の着脱を妨げるアンダーカットが，顎堤になるべく生じないようにする．
④ 前歯部では，審美性を考慮してクラスプができるだけ歯頸部近くを走行するようにし，しかも歯周組織に為害作用を与えないようにする．

(2) サベイラインの描記

　サベイラインは，残存歯，顎堤および軟組織の最大豊隆部を連ねた線で，**クラスプや義歯床の外形線を決定するための基準となる線**である．カーボンマーカー（炭素棒）を残存歯の歯冠部と辺縁歯肉部に同時に接触させ，サベイラインを描く（図 15-10）．この時サベイヤーの円筒を上下に動かすとともに回転させ，常にカーボンマーカー（炭素棒）の先端の斜め切り口が外向きになるようにする．
　サベイラインを描記することにより，歯冠部はサベイラインを境に**アンダーカット部**と**非アンダーカット部**に分けられる（図 15-11）．

177

有床義歯技工学

 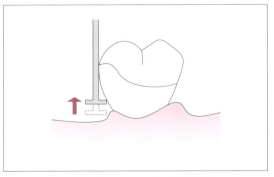

図15-12 アンダーカットゲージによる鉤尖の位置の決定　図15-13 アンダーカットゲージの位置

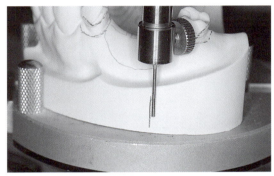 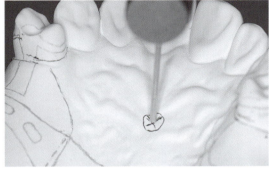

図15-14 義歯の着脱方向と平行な線を描記する　図15-15 等高点を3点描記する
等高点（トライポッド）の描記は，クラスプや義歯床の設計後に本作業を行っているが，鉤尖位置決定後に行うこともある．

（3）鉤尖の位置の決定

クラスプは，種類，支台歯の大きさ，使用する金属などによって鉤尖のアンダーカット量が異なる．

歯面にアンダーカットゲージの側面をあて，スピンドルを上方に移動してアンダーカットゲージの先端が歯面に触れたところをマークする（図15-12）．このとき，アンダーカットゲージの側面とアンダーカットゲージの先端の両方が支台歯の歯面に接触していることが必要である（図15-13）．この位置が鉤尖の位置となる．

（4）等高点（トライポッド）の描記

適切な着脱方向が決定したら，模型側面の3カ所（左・右・後方）に着脱方向と平行な線を記入する（図15-14）．また，等高点を記入する場合は，模型上に3カ所，義歯の設計に支障のない領域に同じ高さになる点をできるだけ離して正三角形に近くなるように記入する．この3点によってできる平面に対する垂線が義歯の着脱方向となる（図15-15）．これらを記入しておくことにより，設計中に模型をいつでも同じ位置に再現することができ，サベイングの再操作ができる．

3 鋳造鉤

鋳造鉤の製作法は，①耐火模型上で**ワックスパターン**を形成して模型ごと埋没，鋳造する方法と，②作業用模型上でパターンを形成して埋没，鋳造する方法がある．近年では，材料の進歩により，パターン用常温重合レジンおよびパターン用光重合レジンを使用して②の方法で製作することが多くなっている．

1) 鉤外形線

（1）鉤外形線の記入

鋳造鉤のサベイラインと鉤外形線の関係は 12 章を参照（図 15-16，17）．

鉤腕からレストおよび鉤体への移行部は鋭角にならないように注意する．また，鉤脚の長さは支台歯の近遠心径と同程度とし，鳩尾形にする．

使用金属が**白金加金**の場合，第一大臼歯を基準とすると，クラスプの幅は**上腕**で 2 mm，**下腕**は 1 mm とし，先細りの形態とする．使用する金属により，クラスプの幅は調整する必要がある．

（2）ブロックアウト，リリーフ

支台歯の不要なアンダーカット部は，パラフィンワックスや石膏などで填塞して**ブロックアウト**を行う（図 15-18，19）．テーパートゥールを使用し，歯冠の短い支台歯は 6°，歯冠の長い支台歯は 2°のものを使用する（図 15-20）．

リリーフは，義歯床とクラスプやバーを保持するために鉤脚部の下面にスペースを設ける目的で行う．設計された鉤脚部の領域に 0.5 mm 程度のシートワックスなどを貼りつける（図 15-21）．鉤脚の後方部分にティッシュストップを設置する．

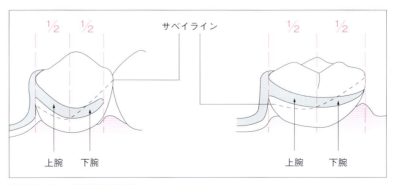

図 15-16　**鋳造鉤の設計**

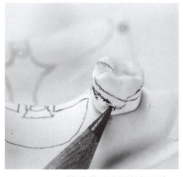
図15-17 鋳造鉤の外形線設計
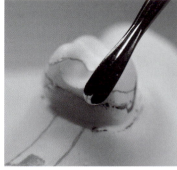
図15-18, 19 ブロックアウト(ワックスや石膏などを使用)
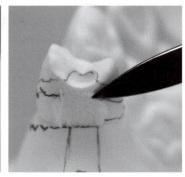

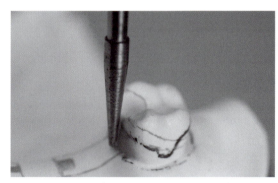
図15-20 テーパートゥールを使用してブロックアウトの角度を決定する

図15-21 シートワックスによる鉤脚部のリリーフ

2) 間接法(耐火模型上でワックスパターン形成を行う方法)

　作業用模型をシリコーンゴム印象材,アルジネート印象材および寒天印象材などで印象することを**複印象**という.また,複印象された陰型に**耐火模型材**を注入して製作された模型を**耐火模型**という.耐火模型を使用してワックスパターン形成を行うことにより,完成した部分床義歯の適合性の向上がはかれる.

　耐火模型材には,寸法精度,表面粗さ,強度,熱膨張,耐熱性,通気性および印象材との相性などが求められ,石膏系埋没材およびリン酸塩系埋没材が多く用いられている.

(1) 耐火模型の製作
① 作業用模型の複印象(23章参照)を行う(図15-22).
② 真空練和器を使用して耐火模型材を所定の混水比(混液比)で練和し,印象内面に注入する(図15-23).十分に硬化したら,模型を取り外す(図15-24).
③ 耐火模型の強度が低い場合は,**表面処理**を行う.

図 15-22 作業用模型の複印象

図 15-23 陰型に耐火模型材を注入する

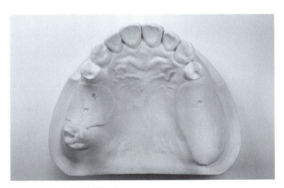
図 15-24 耐火模型

(2) 表面処理

a. 表面処理の目的
① 耐火模型の表面を滑沢にし硬度を増す．
② 耐火模型上でのワックスパターン形成を容易にする．
③ 鋳造体内面を滑沢に仕上げることができる．

b. 表面処理の方法
　表面処理には，**ニスバス法**，**ワックスバス法**などがある．耐火模型を100～110℃の電気炉（リングファーネス）で十分乾燥させ，その後，溶液中に30～60秒浸漬する．次に，耐火模型を取り出して余分なワックスを除去し，自然乾燥させる．

(3) ワックスパターン形成
　耐火模型上で**ワックスパターン**を形成する方法には以下の2つの方法がある．
① 既製のワックスパターンを圧接形成する方法
② ワックスを盛り上げて形成する方法

図 15-25　耐火模型上に鋳造鉤の外形線を模写する

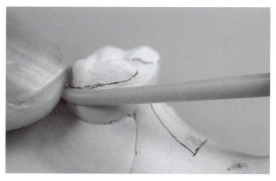
図 15-26　既製のワックスパターンを用いて，鉤尖部から鉤体部に沿って圧接を行う

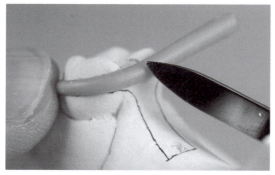
図 15-27　鉤体部付近で切断する
ワックスパターンを指で強く圧接すると，厚さが薄くなることがあるので注意する．

図 15-28　鋳造鉤のワックスパターン形成完了

　ここでは，既製のワックスパターンを圧接形成する方法について説明する．

① 耐火模型上に鉤外形線を模写する（図 15-25）．鉤腕の厚さは，鉤体付近で 1 mm，鉤尖で 0.5 mm であり，鉤体から鉤尖に向かって先細りの形態とすることが標準とされている．この寸法は白金加金を使用した場合の標準寸法であるので，鉤腕の長さ，使用する金属の種類によって調整する必要がある．

② 既製のワックスパターンを，耐火模型上の舌側または頰側の鉤尖部から外形線に沿って圧接し（図 15-26），鉤体部付近で切断する（図 15-27）．

③ レストシートと鉤脚部にワックスを盛り上げ，**ワックスパターン**を完成する（図 15-28）．

(4) 埋没および鋳造

a. 埋没

① 鋳造鉤は**型ごと埋没法**で製作するため，耐火模型を小さくトリミングし（図 15-29），金属が流れやすい肉厚部にスプルー線を植立する（図 15-30）．

15. クラスプの製作

図15-29 タングステンカーバイドバーなどを使用して，耐火模型を小さくトリミングする

図15-30 スプルー線を植立する

図15-31 鋳造が終了した鋳造鉤

② 耐火模型を水中に3〜5分間浸漬し，水分をよく取り除いてから円錐台にワックスパターンを植立する．その後，界面活性剤を塗布する．

③ 真空練和器を使用して埋没材を規定の混水比（混液比）で練和し，気泡が入らないように一方向から注入して埋没を行う．

b. 鋳造

合金の融解に際しては，合金の融点に応じた融解熱源を使用する．合金の融解方法には，可燃性ガスを使用する方法と電気的融解方法がある（『歯科理工学』参照）．一般的には，**貴金属合金**の場合は，**ブローパイプ**を用いて都市ガス（プロパンガス）と空気を混合し，炎を直接合金に当てて融解する．一方，**非貴金属合金**では，融点が高く融解金属量が多い場合は，**高周波誘導**，**アーク**などの高熱源が必要となる．

鋳造後は自然放冷させ，鋳造体を割り出す．鋳造体に付着している埋没材を除去し，さらに，鋳造体を清掃液に浸漬して酸化膜を除去する（図15-31）．なお，鋳造法には**遠心鋳造**，**加圧式鋳造**，**吸引（減圧）鋳造**などがある（『歯科理工学』参照）．

有床義歯技工学

（5）熱処理および研磨

a．熱処理

　金属を加熱・冷却することによって所要の性質を得るための操作を熱処理という．補綴装置は，熱処理を行うことによってそれぞれの使用目的に適した所要の性質を得ることができるため，適切な方法で行うことが大切である．

　熱処理の方法は合金の種類によって異なる．

　①　ISOタイプ3，4金合金：700℃で10分間加熱し，急冷後，450℃で2分間加熱保持した後，炉内で30分かけて250℃まで徐冷して大気中に放冷する．

　②　金銀パラジウム合金：700℃で5分間加熱し，急冷後，さらに400℃で15分間加熱して室温まで放冷する．

　③　14K金合金：800℃で3分間加熱し，急冷後，さらに450℃から250℃まで30分かけて炉内で徐冷し，大気中に放冷する．

b．研磨

a）研磨の目的

　①　光沢を出すことにより外観をよくする．

　②　デンチャープラークの沈着を防いで補綴装置を衛生的に保持し，食物の流出をよくする．

　③　粗糙面による不快感や傷害を防ぐことにより舌感をよくし，周囲組織（唇，頬，舌，歯肉）への為害作用を防止する．

b）研磨の方法

　研磨方法には以下の2つの方法がある．

　①　**機械研磨**：粗研磨から仕上げ研磨へと進めていく．粒度を粗いものから細かいものへと変えることにより平滑な面を得ることができる．

　②　**電解研磨**：コバルトクロム合金などの研磨に用いられ，合金の表面を電解液中に溶出させる方法である．

c．機械研磨の手順

　①　鋳造体が変形しないように十分留意して，スプルー線を**セパレーティングディスク**で切断する（図15-32）．

　②　気泡およびバリなどをカーボランダムポイントで除去し，クラスプの形態修正を含め粗研磨を行う．

　③　**ペーパーコーン**で粗研磨を行う．粗研磨を終了した段階で作業用模型に試適して適合状態を調べる．鉤尖がアンダーカットに設置されているため，着脱方向を確認しながら慎重に行わなければならない．

　④　**粗研磨**を終了後，熱処理の必要な金属は熱処理を行う．熱処理は使用金属によって異なるため，上記の方法を参考とする．

　⑤　熱処理後，**シリコーンポイント**で中研磨を行う（図15-33）．

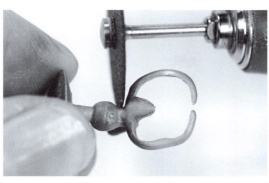
図15-32 セパレーティングディスクによりスプルー線を切断する

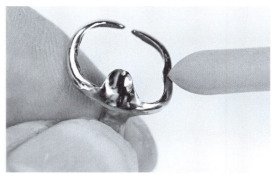
図15-33 研磨は粗い研磨材から細かい研磨材へと段階的に行う

図15-34 研磨終了

⑥ 最後にバフにつや出し材をつけて，**仕上げ研磨**を行う．
⑦ 超音波洗浄器で清掃して完成する（図15-34）．

（6）適合状態の検査

クラスプの適合状態の検査は，上腕部の下縁およびアップライト部がアンダーカットに設置されていないかなどを調べ，不備なところがあれば修正する．

3）直接法（作業用模型上で製作する方法）

① 鉤外形線の記入，ブロックアウトおよびリリーフを行う．
② 作業用模型に分離剤を塗布する．
③ **パターン用常温重合レジン**をクラスプの形態に盛り上げる（図15-35）．パターン用光重合レジンで製作されている既製パターンを作業用模型に圧接し，光重合して形成する方法もある．

有床義歯技工学

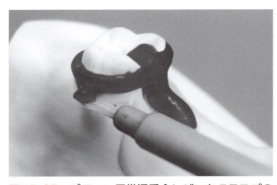
図 15-35　パターン用常温重合レジンをクラスプの形態に盛り上げる

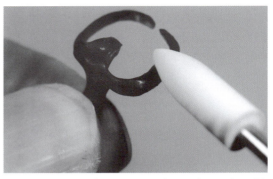
図 15-36　タングステンカーバイドバーなどで形態を整えた後，表面を仕上げる

図 15-37　スプルー線植立後，作業用模型から取り外して円錐台に植立する

④　作業用模型からパターンを取り外し，タングステンカーバイドバーなどで形態修正する．
⑤　形態修正した面をシリコーンポイントなどで仕上げる（図 15-36）．
⑥　作業用模型にパターンを戻し適合を確認する．
⑦　パターンにスプルー線を植立する（図 15-37）．
⑧　埋没，鋳造，研磨を行い完成する．

4　線　鉤

　既製のクラスプ用金属線をプライヤーで屈曲して製作したものを**線鉤**という．線鉤の製作方法には，**1線法**と**2線法**がある（12章参照）．
　線鉤の屈曲に広く用いられているプライヤーとしては，ヤングのプライヤー，ピーソープライヤー，アングルのプライヤーおよび河辺式2号プライヤーなどがある（図 15-38）．ヤングのプライヤー，ピーソープライヤー，アングルのプライヤーは，ワ

15. クラスプの製作

図 15-38　ワイヤー屈曲に用いる各種プライヤー

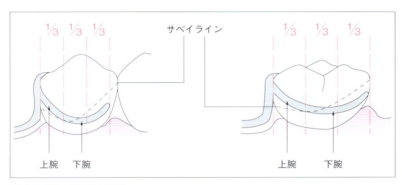

図 15-39　線鉤の設計

イヤーをプライヤーで把持し手指で屈曲を行う．河辺式2号プライヤーは，ワイヤーをプライヤーで把持することにより屈曲が可能であり，鉤尖などの屈曲に使用すると便利である．

1）線鉤の外形線

線鉤におけるサベイラインと鉤外形線の関係は，12章を参照（図15-39）．

2）屈曲の原則

① **ワイヤー**が滑らないように**プライヤー**でしっかり把持し，手指でワイヤーを曲げる．

② 外形線と一致しているか確認しながら，鉛筆，サインペンなどで印記し少しずつ屈曲する．

③ 作業用模型への適合でいままで適合していた部分が不適合となった場合は，最後に屈曲した部分を伸ばして再度屈曲を行う．

④ 数回逆屈曲したワイヤーは使用しない．

⑤ 作業用模型を傷つけないように注意する．

有床義歯技工学

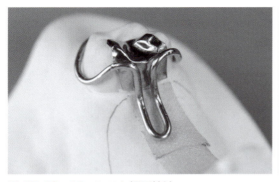

図 15-40, 41　レスト板圧接法
図 15-40：レスト板圧接，図 15-41：レスト板に流ろう

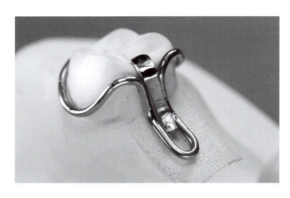

図 15-42　レスト屈曲法

3) レストの製作法

① 鋳造法：鋳造により製作したレストをクラスプにろう付けする方法（ろう付け法，図 15-56 参照）と，レストをろう付けしないでレジン床の中に埋入固定する方法（無ろう付け法，図 15-62 参照）があり，丈夫で良好な適合が得られる．ろう付けする場合はレストと鉤体部のワックスパターン形成を行い，ろう付けしない場合はレストから鉤脚部までのワックスパターン形成を行ってレジン床内に保持される形態に形成する．

② **レスト板圧接法**：**レスト板**（純金板またはニッケルクロム板）をレストシートとアップライト部に圧接した後（図 15-40），線鉤の鉤腕および鉤脚，レスト板を一塊として埋没し，レストとアップライト部にろうを流して製作する（図 15-41）．

③ 屈曲法：**レスト用ワイヤー**を圧延して辺縁隆線部に適合させた後，鉤体から鉤脚に向かって屈曲を行い製作する（図 15-42）．

4) 1 線法

線鉤を **1 線法**で屈曲し，**鋳造レスト**をろう付けする方法を以下に示す．

① 鉤体部アンダーカットのブロックアウトを行う．また，鉤脚部に絆創膏などを貼りつけてリリーフを行う．

15. クラスプの製作

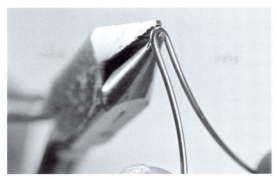

図15-43 ワイヤーを平行に屈曲し，鉤脚部の形態を与える

図15-44 アップライト部を屈曲する

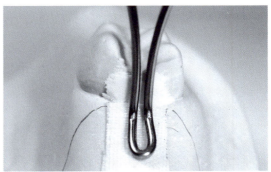

図15-45 鉤脚とアップライト部の適合を確認する

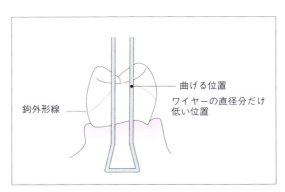

図15-46 鉤腕への移行部

② ワイヤーを必要な長さに切断し，鉤脚から屈曲を開始する．ワイヤーを平行に屈曲し，鉤脚の形態を与える（図15-43）．

③ 鉤脚の長さに合わせて屈曲を行い，アップライト部をつくる（図15-44，45）．

④ ワイヤーを作業用模型に適合させ，鉤脚から鉤体に移行する部分をマーキングする．マーキングはワイヤーの直径分低い位置に行い，さらに，対合関係などを考慮する（図15-46）．

有床義歯技工学

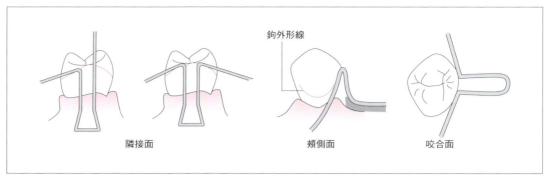

図 15-47　鉤腕の起始部

隣接面　　頰側面　　咬合面

鉤外形線

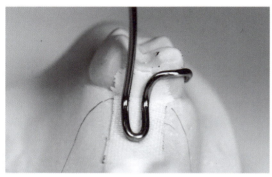

図 15-48　鉤体の屈曲．鉤外形線よりもワイヤーの直径分低い位置を把持し屈曲する

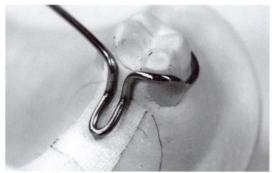

図 15-49　鉤体から鉤尖に向けて適合を確認しながら，少しずつ屈曲する

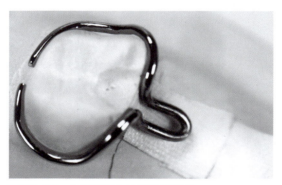

図 15-50　1 線法による線鉤の完成

⑤　鉤体から鉤腕への屈曲は，位置と角度が重要である（図 15-47〜49）．屈曲する点を油性ペンなどでマーキングしながら屈曲を行い，少しずつ適合を確認しながら進める．

⑥　頰舌側の鉤腕の屈曲を行い，鉤尖をプライヤーで適合させる（図 15-50）．

15. クラスプの製作

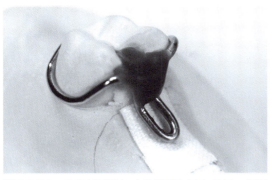
図 15-51 ろう付け法による鋳造レストのワックスパターン形成

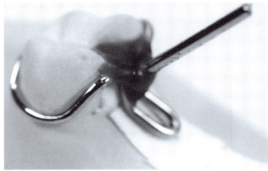
図 15-52 スプルー線を植立する

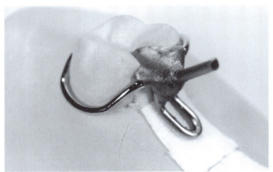
図 15-53 鋳造レストの適合を確認する

図 15-54 スティッキーワックスで線鉤と鋳造レストを仮着する

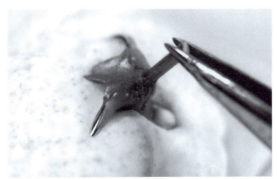
図 15-55 鋳造レストと線鉤を埋没する

図 15-56 1線法で屈曲を行い，鋳造レストとろう付けした線鉤

⑦ 作業用模型の鉤体部とレストシートに分離剤を塗布した後，インレーワックスを使用してレストシートと鉤体部にワックスパターン形成を行う（図 15-51）．

⑧ レストおよび鉤体部の形態を整えた後，表面を滑沢に仕上げてスプルー線を植立する（図 15-52）．

⑨ 埋没，鋳造を行った後，作業用模型に適合させて形態を確認する（図 15-53）．

191

⑩ 屈曲した線鉤と鋳造レストをスティッキーワックスで固定する（図15-54）．

⑪ 線鉤と鋳造レストを一体として作業用模型から外した後，裏面からもスティッキーワックスを流して接合部の隙間を封鎖する．

⑫ **ろう付け用埋没材**を使用して埋没し，ろう付け部分だけを露出させる．埋没材硬化後，火炎が十分にまわるようにろう付け用ブロックの形成を行う（図15-55）．

⑬ **ろう付け用ブロック**を電気炉で乾燥させる．その後ブローパイプを使用して最小限の火炎でブロック全体を温めた後，フラックスとろうを置いて再度火炎をあててろうを流し，ろう付けを完了する．

⑭ ろう付けしたブロックを放冷後，埋没材を除去し，研磨を行って完成する（図15-56）．

5）2線法

2線法で屈曲し，鋳造レストを無ろう付けする方法を以下に示す．

① 作業用模型に鉤外形線を記入してブロックアウトを行った後，鉤脚部のリリーフを行う．

② 舌側腕を鉤尖から屈曲し，上腕まで適合させる（図15-57）．

③ 鉤腕から鉤体までの屈曲部位をマークし，プライヤーの先端部を使用して鋭角に屈曲する．

④ 鉤体から鉤脚にかけて屈曲が完了したら，鉤尖を頰側に向かってループ状に屈曲する．

⑤ 頰側腕も同様にして屈曲する（図15-58）．

⑥ 鉤尖と鉤脚のループ状の部分をスティッキーワックスで固定し，レストシートから鉤体部に分離剤を塗布した後，インレーワックスを盛り上げて移行的にワックス

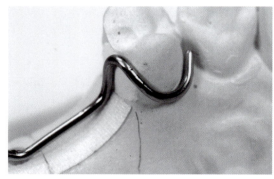

図15-57　2線法の屈曲（舌側）．鉤尖から屈曲し，鉤体に移行する

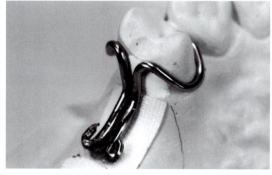

図15-58　2線法による線鉤の完成

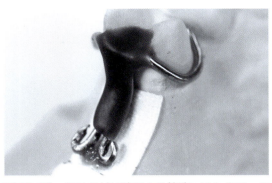

図 15-59　無ろう付け法による鋳造レストのワックスパターン形成

図 15-60　スプルー線を植立する

図 15-61　線鉤および鋳造レスト

図 15-62　2線法で屈曲し，鋳造レストを無ろう付け法で行った線鉤

アップを行う（図 15-59）．

⑦　鉤体部にスプルー線を植立した後（図 15-60），埋没，鋳造，研磨を行って完成する（図 15-61，62）．

16 バーの製作

到達目標

① 鋳造バーの製作法を説明できる.
② 鋳造バーを製作できる.
③ 屈曲バーを製作できる.

部分床義歯の大連結子には，バーもしくはプレートが用いられる．このうちバーによる大連結子は金属で製作し，その方法は鋳造と屈曲のいずれかによる．いずれの方法で製作する場合も，金合金よりも曲げに対してたわみにくいコバルトクロム合金やニッケルクロム合金などの非貴金属が用いられ，屈曲用の金属線も同じ合金が市販されている．

1 鋳造バーの製作

鋳造バーは，鋳造鉤やフレームワークを製作する場合と同様に耐火模型上でワックスパターン形成を行い，型ごと埋没で鋳造製作するのが基本である（型ごと埋没法については23章を参照）.

一方，顎堤にアンダーカットがみられない症例では，耐火模型を用いない簡便な方法を用いることができる．本章では，作業用模型上でワックスパターンを成形して製作する方法について説明する．

1）バーの外形線と作業用模型のリリーフ

義歯の設計，設計線の記入を通法どおり行い（図16-1），次に顎堤部（レジン維持部となる部分）のリリーフを行う．リリーフはシートワックスを用いる（図16-2）.
バーの部分は粘膜と密着するよう製作するため基本的にリリーフは行わないが，骨隆起などの部分にリリーフを行ってバーと粘膜が密着しないよう製作する場合もある．

2）パターンの形成

模型の表面に分離剤を塗布後，パターン用常温重合レジン（パターンレジン）を築盛してバーとレジン維持部の形態を成形する（図16-3）．パターンは硬化後，模型か

16. バーの製作

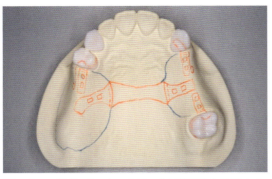

図 16-1 鋳造バーとクラスプの外形線を記入した模型

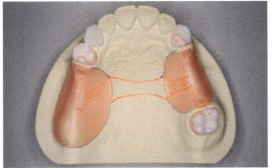

図 16-2 レジン床となる部分のリリーフ

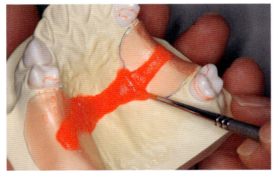

図 16-3 パターンレジンの築盛操作

図 16-4 パターン硬化後の形態修正

ら外して形態修正と研磨を行い（図 16-4），模型との適合を確認して完成する（図 16-5）．

　同じ目的で，光重合レジンのパターンを用いることもできる（図 16-6）．光重合により模型上で硬化させた後は（図 16-7），パターンレジンの場合と同様に，変形しないよう注意しながら仕上げを行う．

3) スプルー線の植立と埋没

　パターンを模型から静かに撤去し，レディキャスティングワックスをスプルー線に用いて円錐台に植立する（図 16-8）．植立したパターンと鋳造リングとの位置関係を確認し，使用する埋没材を定められた混水比（粉液比）に従って練和し，リング内を満たすように埋没する．パターンへの気泡の付着を避けるために真空練和とバイブレーターの使用が推奨される．

4) 鋳造と研磨

　鋳造時の条件と方法は，使用する金属，埋没材，鋳造機それぞれが指定する条件に従う．鋳造後，スプルー線を切断し，タングステンカーバイドバーやカーボランダム

図16-5 完成したパターン

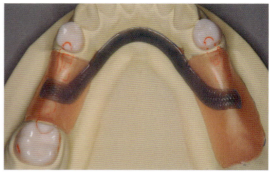

図16-6 下顎リンガルバーの症例において，模型に圧接した光重合レジンのパターン

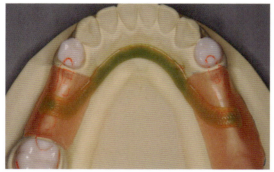

図16-7 光重合を行って硬化したパターン
硬化したことを示すため色が変化する．

図16-8 スプルー線植立

図16-9 鋳造体の模型への試適

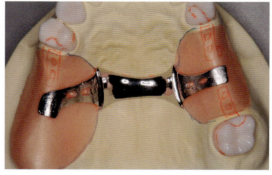

図16-10 研磨を終了した上顎のバー

ポイントを用いてバリなどを除去して模型に戻す（図16-9）．必要に応じて電解研磨を行い，シリコーンポイント，硬毛ブラシ，バフなどを適宜用いて研磨を行う（図16-10）．ただし，レジン維持部はカーボランダムポイントによる粗研磨までとしたほうがレジンとの接着が向上する．

16. バーの製作

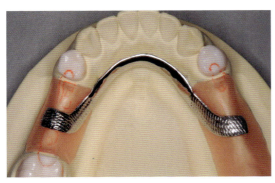 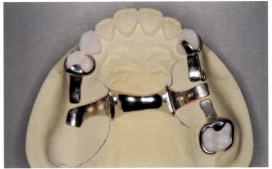

図16-11 光重合パターンを使用して製作した下顎のリンガルバー

図16-12 支台装置とバーとの位置関係

　光重合パターンを用いた下顎のリンガルバーを研磨後に模型に戻した状態も示す（図16-11）．

5）支台装置とバーとの位置関係

　クラスプなどの支台装置とは別にバーを製作した場合，それぞれを義歯床用レジンに埋入する方法で一体とすることができる．この場合，それぞれの位置関係は図16-12のようになる．一方，義歯の強度を高めるために，バーと支台装置をろう付け，または溶接してからレジンに埋入することもあり，その場合はそれぞれの位置が接近するようにレジン維持部（脚部）を製作する．

2 屈曲バーの製作

　屈曲バーは，断面の形態が半楕円または楕円形の，直線状の金属バーをプライヤーなどを用いて屈曲して製作するバーである．屈曲用のバーには，コバルトクロム合金線または18-8ステンレス鋼バーが市販されている．いずれもたわみにくく，堅固な合金であるため，屈曲操作には専用の鉗子が必要である．作業用模型上に適合するよう，屈曲するたびに何度も模型に試適しながら，最終的に模型面に密着したバーを製作する．

1）屈曲用鉗子の使い方

　屈曲に用いる鉗子として，バー捻転鉗子#1，バー捻転鉗子#2，およびバー屈曲鉗子#2が挙げられる（図16-13）．バー断面の長軸方向に屈曲する操作を縦曲げ，短軸方向に屈曲する操作を横曲げとよび，それぞれバー屈曲鉗子#2の手前の溝（図16-14），または先端の溝（図16-15）に金属線を把持して行う．3次元的な形態をもつバーを屈曲するためには，縦曲げと横曲げを組み合わせながら行い，必要に応じてバー捻転鉗子#1およびバー捻転鉗子#2を用いてひねりの形態を付与する．

197

図 16-13　バーの屈曲に用いる鉗子
左から，バー捻転鉗子 #1，バー捻転鉗子 #2，バー屈曲鉗子 #2.

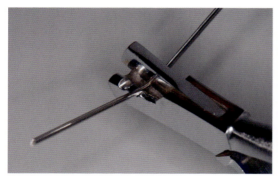

図 16-14　縦曲げ

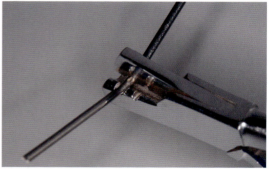

図 16-15　横曲げ

2）バーの外形線と作業用模型のリリーフ

　義歯の設計，設計線の記入を通法どおり行い（図 16-16），レジン床に埋入される予定の顎堤部にリリーフを行う．リリーフは，ワックスでは作業中にすり減ってしまうため絆創膏を用いる（図 16-17）．骨隆起の部分にリリーフを行って，バーと粘膜が密着しないよう製作する場合もある．

3）参照用ワックスパターンの準備

　リンガルバー用のレディキャスティングワックスまたは帯状のパラフィンワックスを圧接し，参照用のパターンを準備する（図 16-18）．

4）屈　曲

　ワックスパターンを平面上に延ばし，バー屈曲鉗子 #2 を用いて金属バーに縦曲げを行って同形体になるよう屈曲する（図 16-19）．次に，横曲げを行い，模型に試適しながら横曲げと縦曲げを組み合わせて適合するまで行う（図 16-20）．顎堤に移行する部分では，バー捻転鉗子 #1 およびバー捻転鉗子 #2 を用いて三次元的なひねりの

16. バーの製作

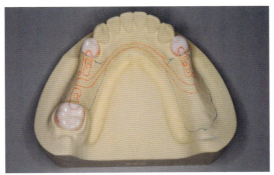

図 16-16　設計線を記入した模型

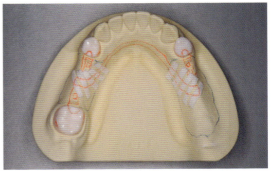

図 16-17　レジン床に埋入される部分は絆創膏でリリーフする

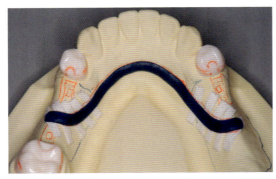

図 16-18　レディキャスティングワックスを圧接し，参照用のパターンとする

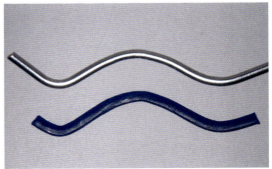

図 16-19　ワックスパターンを平面上に延ばし，金属バーが同形体になるよう縦曲げを行う

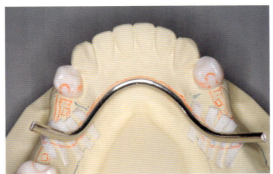

図 16-20　模型に試適しながら繰り返し横曲げを行い，模型に適合させる

図 16-21　顎堤部の三次元的な形態の付与

形態を付与する（図 16-21）．バー部分の屈曲が終了したら，セパレーティングディスクなどを用いて余剰な部分は切断する．

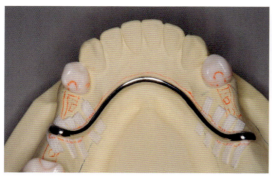 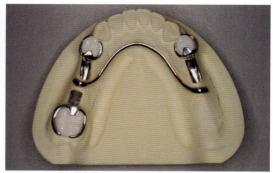

図 16-22　研磨して完成した屈曲バー　　図 16-23　支台装置と屈曲バー

5）研磨と完成

　鉗子で把持したときに生じた表面の傷や切断したバー先端部は，カーボランダムポイント，シリコーンポイント，バフなどで研磨し，完成する．ただし，レジン維持部はカーボランダムポイントによる粗研磨までとしたほうが，レジンとの接着が向上する．

6）支台装置とバーとの位置関係

　クラスプなどの支台装置と屈曲バーとの位置関係は図 16-23 のようになり，それぞれを義歯床用レジンに埋入する．義歯の強度を高めるために，バーと支台装置をろう付け，または溶接することもあるが，その場合は両者を密着するように製作する．

　なお，大連結子としての屈曲バーは，リンガルバーおよびパラタルバーの一種として臨床で使用されており，健康保険の適用でもあるが，たわみ強度や適合性が鋳造バーに劣ると考えられている．

17 部分床義歯の人工歯排列，削合，歯肉形成

到達目標

① 人工歯の選択に関わる要素を説明できる.
② 前歯部の人工歯排列方法を説明できる.
③ 臼歯部の人工歯排列方法を説明できる.
④ 人工歯排列ができる.
⑤ 歯肉形成における残存歯との関係を説明できる.
⑥ 歯肉形成ができる.

部分床義歯における人工歯排列は，残存歯と調和のとれた自然感を表現できることを目的とする．基本的には全部床義歯の排列に準ずるが，部分床義歯では天然歯が残存しているため，正常な排列ができるとは限らない.

人工歯排列には**前歯部排列**と**臼歯部排列**とがある．前歯部は**審美性**の回復をはかることが主たる目的であり，臼歯部は**咀嚼**の回復をはかることなどが主たる目的である．そのため前歯部の人工歯選択は，形態および色調が重要であり，臼歯部の人工歯選択は，咬合面形態あるいは人工歯の大きさに重点がおかれる.

部分床義歯の排列では，排列を開始する前に咬合器の切歯指導釘を 1 mm 挙上し，排列終了後には元の位置まで削合して対合歯との正しい咬合関係をつくる.

1 前歯部排列

1）審美性の回復

（1）人工歯の形態および色調

患者の **SPA 要素**（性別，個性，年齢）を考慮し，人工歯の形態，大きさ，色調を決定する．部分床義歯では，残存歯との調和をはかることが重要であり，前歯部では，**シェードガイド**，**モールドガイド**を使用して，最も調和のとれた人工歯を選択することが大切である.

a. 形態

前歯部の形態は，顔の形，大きさ，性，年齢などによって決定される場合が多い．男性的で角張った形態，女性的で丸みをおびた形態および両者の中間的な形態など，

有床義歯技工学

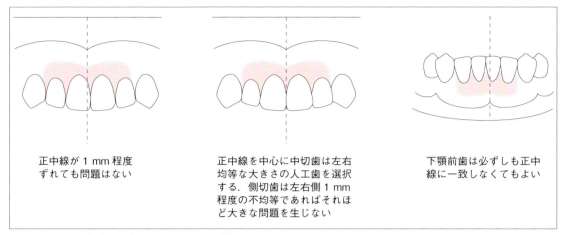

図 17-1　前歯部人工歯排列と正中線の関係

残存歯に調和した自然な状態を再現できる人工歯を選択する.

b. 色調

年齢の増加に伴って, 切縁の摩耗, 唇側面の摩耗が生じる. そのため, 内部象牙質の色調が若年者に比べて濃くなる傾向があり, 歯冠色も黄味を帯びてくる. したがって, 前歯部の人工歯は残存歯の色調, 年齢, 髪の色などを考慮して選択する必要がある.

(2) 正中線

部分床義歯の場合は, 義歯の正中線と顔の正中を一致させることが比較的困難な場合がある. しかし, この不一致の幅が約 1～2 mm 程度であれば, 義歯の正中線を少しずらすことによって調和のとれた排列が可能となる (図 17-1 左).

人工歯は, 正中線を中心に左右均等に選択することが望ましい. 大きさの異なる中切歯の排列や小さな中切歯の選択は, 残存歯との調和から考えると好ましい方法とはいえない. ただし, 側切歯での左右 1 mm 程度の不均等は, 審美的にそれほど大きな問題を生じない (図 17-1 中). また, 下顎では必ずしも正中線に一致した排列を行う必要はない (図 17-1 右).

前歯部にわずかな間隙が生じた場合は, その間隙をなるべく遠心部にずらして, 両側に均等に排列することが好ましい. ただし, 間隙の幅が非常に小さい場合は, 開いたまま排列しても審美的な問題が生じない場合もある.

(3) 歯軸の傾斜

部分床義歯では, 残存歯の歯軸が極端に傾斜している以外は, 残存歯の傾斜に人工歯の傾斜を合わせることで残存歯との調和をはかる場合が多い. ただし, 唇舌的傾斜は前方運動に影響を及ぼし, 排列が不適切な場合は運動時に強い負荷を受けて義歯が

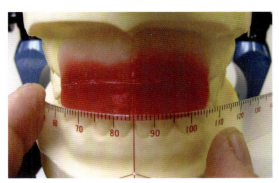

図17-2 左右犬歯遠心間距離を測定し，人工歯の幅径を決定する

破折したり，残存歯に影響を及ぼすので，単に審美性のみで人工歯歯軸の傾斜を決定することは避けるべきである．

(4) 前後的位置

人工歯の排列位置を前後的に変化させることにより，立体観が得られ，残存歯との調和がはかれる．

(5) 切縁，歯頸部の上下的位置

切縁と歯頸部の上下的な位置関係を残存歯に一致させることは，審美的な調和を得るために重要である．

(6) 人工歯の形態修正

部分床義歯の排列では，人工歯をそのままの形態で排列すると残存歯との調和をはかることができない場合，人工歯の形態を修正をすることによって自然観あふれる排列が得られ，審美性が増す．

(7) 前歯部排列の手順

① 咬合床の左右犬歯遠心間の距離を計測し，**人工歯の幅径**を決定する（図17-2）．

② 咬合床に記入されている上唇線と咬合堤切縁間を計測し，**人工歯の長径**を決める（図17-3）．

③ 正中を基準として左右中切歯を排列し，その後側切歯および犬歯の排列を行い，残存歯および対合歯との調和をはかる（図17-4）．

2）発音の回復

人工歯の排列の状態は，**発音機能**にも大きく影響を与える．天然歯が存在していた

有床義歯技工学

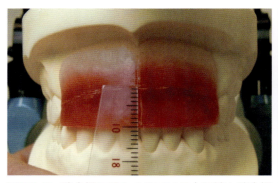

図17-3　咬合堤に記入されている上唇線と咬合堤切縁間を測定し，人工歯の長径を決定する

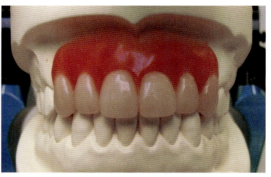

図17-4　残存歯との調和を考慮して排列を行う．正中線を基準として，左右中切歯を排列し，その後，側切歯，犬歯と排列を進める

位置に人工歯を排列することが望ましく，また，舌の運動を阻害するような排列や義歯床が過度に厚い場合は発音障害を起こしやすい．

2 臼歯部排列

　部分床義歯の臼歯部の排列は，咀嚼機能の回復をはかることを目的とし，その結果として義歯の維持・安定がはかれる．すなわち，人工歯の大きさ，位置関係，排列方向など咬合関係を総合的に考慮し，排列を行うことが大切である．
　臼歯部の排列の原則を以下のとおりである．
　①　残存歯が多く咬合状態が安定している症例では，残存歯の**咬合様式**に調和した排列をする．
　②　残存歯が少なく咬合状態が不安定な症例では，全部床義歯の排列に準じて行い，咬合様式をつくり上げる．
　③　①，②の中間の症例では，各症例に応じて，天然歯と人工歯の咬合のバランスが取れるように排列する．

1）対合歯との関係

（1）対合歯が義歯の場合

　残存歯列との移行に留意し，原則として全部床義歯の人工歯排列に準じて排列する．

（2）対合歯が天然歯の場合

　歯槽頂線上に排列し，咬合力を歯槽頂に伝達することを優先する．そのため，人工歯の咬合接触面積が小さくなり，外観が劣る場合がある．顎堤が対合歯より頰側にずれているような症例では正常な排列が困難なので，交叉咬合排列を行うことにより義

17．部分床義歯の人工歯排列，削合，歯肉形成

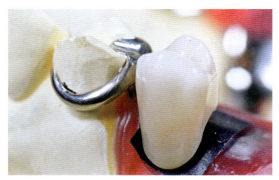

図 17-5　人工歯と鉤脚の間に咬合紙を介在させる

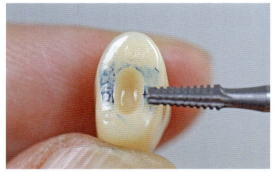

図 17-6　鉤脚が接触している部分が人工歯基底面に印記されるので，その部分を削除する

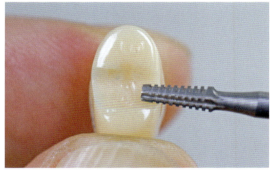

図 17-7　咬合紙で印記された部分を削除することにより，鉤脚が入るスペースが確保される

歯の安定をはかる場合もある．

（3）対合歯との間隙が少ない場合

陶歯は，破折を起こしやすいので使用をさけたほうが望ましい．このような症例では，**レジン歯**や**硬質レジン歯**，耐摩耗の点から**金属歯**などの使用が望ましい．

2）支台装置との関係

部分床義歯の人工歯排列では，支台装置の鉤脚や鉤体が欠損側に設定されているため，人工歯排列の際にこれらの部分が障害となる場合が多い．その場合は，以下のように対処する．

① 人工歯と鉤脚の間に咬合紙を介在させ（図 17-5），排列の障害となる部分を人工歯の基底面に印記して，その部分を削除する（図 17-6, 7）．

② 鉤体に接する部分は，同じく隣接面に咬合紙を介在させ，印記された部分を削除する（図 17-8, 9）．

③ 対合歯との咬合関係，頰舌的な位置関係および歯軸の傾斜を考慮して排列す

205

有床義歯技工学

図17-8 支台装置の鉤体に接する部分に咬合紙を介在させる

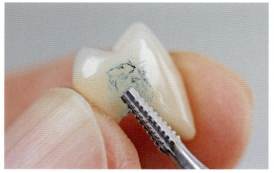
図17-9 咬合紙で印記された部分を削除する

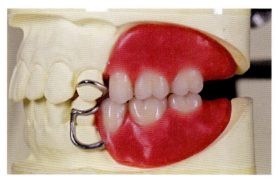
図17-10 切歯指導釘を1mm挙上した状態で排列は完了する

る．切歯指導釘を1mm挙上した状態で排列を完了する（図17-10）．

3 削　合

　部分床義歯の人工歯の削合は，残存歯に調和した咬合関係を構築することで機能時の義歯の安定をはかり，咀嚼能率を高めることを目的としている．削合の原則は全部床義歯に準じるが，部分床義歯は残存歯の咬耗状態により削合の程度を調整する必要がある．**人工歯削合**にあたっては，排列時に切歯指導釘を1mm挙上しているので，切歯指導釘を元の位置に戻して人工歯の削合を開始する．

1）選択削合
（1）臼歯部の削合
a. 咬頭嵌合位（中心咬合位）での削合
　上下顎の多数歯欠損症例では，全部床義歯に準じて行い，咬頭嵌合位（中心咬合位）

17．部分床義歯の人工歯排列，削合，歯肉形成

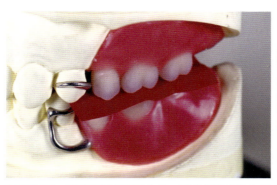

図17-11　咬合調整を行うため，咬合紙を介在させる．切歯指導釘を元の位置に戻し，これが切歯指導板に接触するまで削合を行う

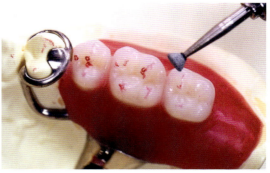

図17-12　残存歯の咬合状態と調和をはかりながら必要な部分を削除する

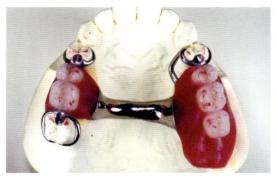

図17-13　咬頭嵌合位（中心咬合位），偏心咬合位での削合を行う

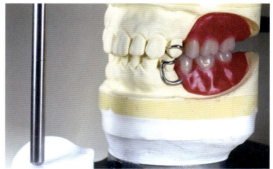

図17-14　切歯指導釘が切歯指導板と接触した状態となる

での**早期接触部**を削合する．削合はカーボランダムポイントなどで少量ずつ削るように行う（図17-11, 12）．

b．偏心咬合位での削合

　咬頭嵌合位（中心咬合位）で均等な接触が得られたら，偏心咬合位での削合は側方運動での削合を行った後，前方運動での削合を行う．側方運動で作業側の早期接触があった場合は，上顎の頰側咬頭内斜面および下顎の舌側咬頭内斜面を削合し，できるだけ咬頭嵌合位（中心咬合位）における接触部位は削合しないようにする．平衡側の早期接触は，上顎の舌側咬頭内斜面と下顎の頰側咬頭内斜面に起こりやすい．この両咬頭は咬頭嵌合位（中心咬合位）での接触部位であるため，安易に削除することは避けて，咬合関係を考慮して上下顎どちらかを削合して，調和のとれた咬合関係を構築する（図17-13, 14）．

c．対合歯が天然歯の場合の削合

　対合歯に傾斜，捻転，挺出および摩耗などが起こることが多いので，基本的な削合

有床義歯技工学

がすべてあてはまるわけではない．切歯指導釘を 1 mm 挙上した状態で排列を行い，削合を進めながら咬合関係をつくり上げて人工歯の形態修正を行うようにする．

（2）前歯部の削合

残存歯の咬耗状態に調和するように切縁の形態修正を行う．特に，上下顎の犬歯および下顎前歯の切縁は，より自然観を与えるように削合する．

4 歯肉形成

部分床義歯の**歯肉形成**は，基本的には全部床義歯に準ずるが，残存歯と調和した審美性，機能性および衛生面を考慮して歯肉形成を行う．

1）歯肉形成の目的

歯肉形成は，審美的形態の付与，義歯の維持・安定の向上および辺縁封鎖の確立をはかることを目的とする．

（1）審美性

前歯部および小臼歯部の唇頬側は**審美性**に影響を及ぼすので，性別，性格，年齢などを考慮し，残存歯に調和した自然な外観をつくるように形成する．残存歯が隣接しない場合も，性別および年齢，歯頸線の位置や形態，歯間乳頭の形態および歯根部の豊隆などを考慮して，形成を行う．

（2）機能性

咀嚼や発音が円滑に行われるためには，機能時の**義歯の維持・安定**が重要であり，義歯の歯肉形成面に加わる機能圧が義歯の維持力となるような形成をすることが重要である．筋圧形成によって得られた形態に丸みを与えることにより，辺縁封鎖と筋圧による義歯の維持・安定がはかれる．

発音については，上顎義歯では**口蓋ヒダ**および前歯部舌側歯頸部から口蓋に至る **S 字状隆起**，下顎義歯では舌側面の形態と**舌房**の広さが影響する．

（3）衛生面

食片圧入や食物残渣の停滞を防止して，良好な清掃性を考慮した形態を与える．食物残渣が停滞しやすい歯間乳頭および歯頸部，デンチャープラークの付着しやすい下顎前歯舌側部および上顎第一大臼歯頬側付近には，鋭利な溝の形成は行わない．自浄性が良好でデンチャープラークの付着しにくい滑沢な面に仕上げることが重要である．

17．部分床義歯の人工歯排列，削合，歯肉形成

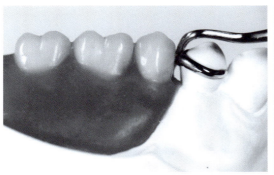

図17-15 歯肉形成の前処理．支台装置と人工歯との間はパラフィンワックスで封鎖し，唇頬側，舌側にワックスを盛り上げる

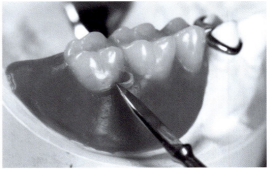

図17-16 人工歯の歯頸線に沿ってワックスをカットする．前歯部は60°，臼歯部は45°が適当である

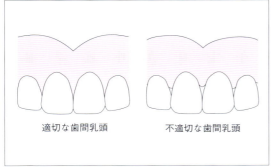

図17-17 歯間乳頭は，人工歯の接触点まで達するように形成し，歯頸部に食物残渣が停滞しないように形成する

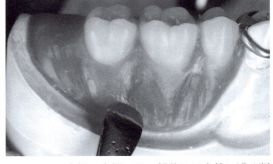

図17-18 歯根と歯根の間の部分はV字状に浅く削除する．臼歯部は，極端に凹凸をつけないようにする．食物残渣が停滞しないよう滑らかに仕上げる

2）歯肉形成の方法

（1）唇頬側の歯肉形成

① 歯肉形成の前準備として，ろう義歯の唇頬側，舌側にワックスを盛り上げる．支台装置，人工歯および義歯床の隙間はワックスで埋める（図17-15）．

② 唇頬側面の歯頸部は，前歯部では唇側面に対して60°，臼歯部では頬側面に対して45°の傾斜になるように歯間乳頭部のワックスを削除する．さらに，人工歯の唇頬側面に付着している過剰なワックスを取り除く（図17-16）．

③ **歯間乳頭**は，人工歯の接触点に達するまで，また，歯頸部は食物残渣が停滞しないような形態に形成する（図17-17）．

④ 歯根部は人工歯の大きさによって長さおよび豊隆を形成し，歯根と歯根の間はV字状になるように形成を行う．このとき，食物の流れと自浄性を考慮し，極端に強い凹凸状の形成は与えないようにして表面を滑らかに仕上げる（図17-18）．

209

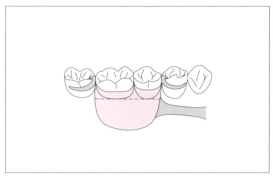
図17-19　舌側面の歯頸線の位置

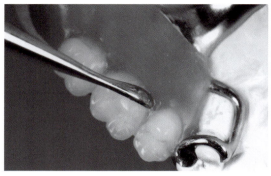
図17-20　舌側の歯頸線は，食物残渣が停滞しないように，段差を除去して鋭い溝をつくらないように形成する

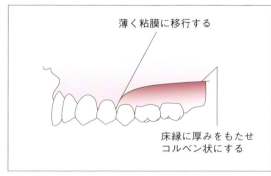
図17-21　床縁の形態

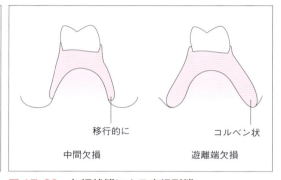
図17-22　欠損状態による床縁形態

(2) 舌側の形成

① 人工歯の舌側面は，唇頰側面に比較すると歯冠長が短いため，人工的に舌側歯頸部を形成する（図17-19）．

② 歯頸線の位置は，中間欠損の症例では残存歯の歯頸部の位置を参考に形成する．

③ 食物残渣が停滞しないように，歯頸部にできた段差を除去し，歯頸部に鋭い溝をつくらないように形成を行う（図17-20）．

(3) 床縁の形態

① 遊離端欠損の症例では，食物残渣の停滞防止，筋圧維持の強化および辺縁粘膜への刺激の防止などを目的として，丸みをもたせた**コルベン状**の断面形態に形成する（図17-21）．

② 前歯部および中間欠損の症例では，唇頰側の床縁を薄くして粘膜に移行的な形態にする（図17-22）．

17．部分床義歯の人工歯排列，削合，歯肉形成

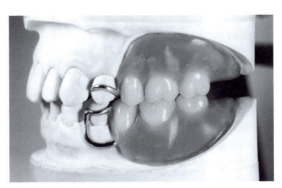

図17-23　歯肉形成完了

（4）義歯床表面の仕上げ

① 歯肉形成した表面に弱い火炎をあてて滑沢に仕上げる．その後，中性洗剤などを浸した脱脂綿などで軽く磨くことによりワックス面に光沢が出る．

② 上下顎のろう義歯を咬合器に戻し，咬合関係を確認して歯肉形成を終了する（図17-23）．

5　ろう義歯の口腔内試適

　ろう義歯の口腔内の**試適**は，歯科医師により人工歯の排列や歯肉形成が残存歯や顔貌と調和しているのか，関係が適切か，口唇，頰，舌の機能運動を阻害しないかなどをレジン重合前に確認することを目的とする．必要に応じて排列，歯肉形成など患者の意見などを求め，不備な点，不満な点については歯科診療所もしくは歯科技工所で修正する．

18 部分床義歯の埋没と重合

到達目標

① 埋没の種類と方法を列挙できる.
② 部分床義歯の埋没, 流ろうおよび重合ができる.

　部分床義歯の**埋没**および**重合**は, 全部床義歯と異なり支台装置, 連結子などの構成部分を含むため, 症例に適した埋没および重合法を選択する必要がある.

　義歯床用レジンとしては, ポリメチルメタクリレートレジンが主流を占めている. これは, 比較的簡便な術式で義歯床を製作でき, また, 口腔内組織を再現できる色調を有し, 寸法安定性, 機械的性質ともにほぼ満足できる材料である.

　義歯床用レジンの重合法の種類・方法を表 18-1 に, 塡入方法の分類を表 18-2 に示す.

表 18-1　義歯床用レジンの重合法の種類・方法

加熱重合型	湿式重合法
	・2 ステップ法
	・低温長時間重合法
	・ヒートショック法
	乾式重合法（乾熱重合法）
	マイクロ波重合法
常温重合型	化学重合型
	・流し込み法
	・加圧注入法
	光重合型
射出成形型	射出成形法

表 18-2　義歯床用レジンの塡入方法による分類

圧縮法
注入法
流し込み法

1 加熱重合法

1）埋没の前準備

（1）作業用模型への前準備

① 咬合器に装着した石膏と**ろう義歯**を製作した作業用模型を分離させておく．

② 作業用模型と**フラスク**内面の距離が約5mm以上となるように，作業用模型の周囲および基底面をトリミングする（図18-1）．

③ 人工歯とフラスク上部の間に十分なスペースがあるかを確認する．

④ 重合後にスプリットキャスト法によって咬合器に再装着する場合は（9章参照），トリミングを行わずに作業用模型基底面にアルミホイールを貼りつけて，重合後に作業用模型を破損しないで取り出せるようにする（図18-2, 3）．

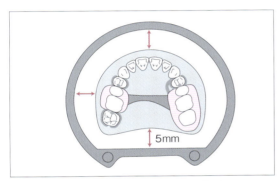

図18-1 フラスク内の作業用模型の位置

図18-2 スプリットキャストの場合は，作業用模型基底面のスプリット部にアルミホイールを貼りつけて，保護する

図18-3 レジン重合後，再度咬合調整を行うので，咬合関係を再現するために残存歯をアルミホイールで保護する

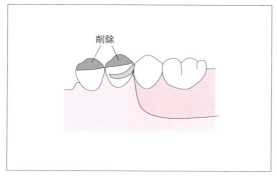

図 18-4 残存歯およびクラスプをフラスク下部に埋没する場合，前処置として鉤腕の位置まで残存歯を削除する場合がある

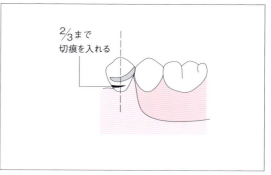

図 18-5 残存歯およびクラスプをフラスク上部に取る場合，支台歯の歯頸部 2/3 まで V 字切痕を入れる

(2) クラスプへの前準備

a. 残存歯およびクラスプが装着された支台歯をフラスク下部に残す方法

残存歯と支台歯をそのままの状態で埋没する場合と，鉤腕よりも咬合面寄りを削除する場合がある（図 18-4）．

b. 残存歯およびクラスプをフラスク上部に取る方法

支台歯および残存歯の歯頸部に，近遠心径の 2/3 まで V 字切痕を入れる（図 18-5）．

(3) バーへの前準備

a. フラスク下部にバーを取る方法

症例によっては，バー周囲の作業用模型表面にアンダーカットを形成して，バーが剥離しないように石膏で固定する場合もある．通常，この方法が使用されている．

b. フラスク上部にバーを取る方法

バーの下の作業用模型を削除して，バー周囲を固定する石膏の厚さが確保されるようにする．

2) 埋　没

部分床義歯の埋没法には 3 つの方法がある（図 18-6）．

① **アメリカ式埋没法**：人工歯，支台装置，連結子をフラスク上部に埋没する方法．レジン床義歯の埋没方法として多く行われている埋没方法である．人工歯，クラスプを上部に取るために支台歯や残存歯に V 字切痕を入れるので，フラスク下部は作業用模型のみとなる．そのため，作業用模型と人工歯およびクラスプとの位置関係がくるいやすい．

② **フランス式埋没法**：人工歯，支台装置，連結子をフラスク下部に埋没する方法．前歯 1～4 歯欠損，臼歯 1～2 歯欠損程度の少数歯欠損に行われる埋没方法である．す

18. 部分床義歯の埋没と重合

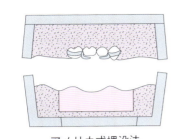
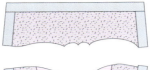

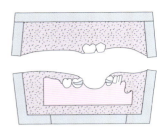

アメリカ式埋没法　　　　フランス式埋没法　　　　アメリカ・フランス併用式埋没法

図 18-6　部分床義歯の埋没法の模式図

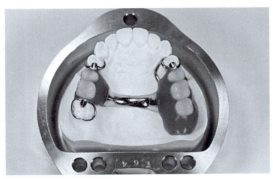
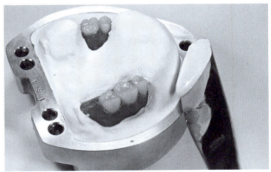

図 18-7　フラスクに対する作業用模型のスペースを確認する．スペースがない場合は，モデルトリマーで作業用模型を削除する

図 18-8　残存歯，支台装置，バーなどを石膏で被覆する．人工歯と義歯床は露出させておく．埋没した石膏面にアンダーカットがないようにする

　べての構成要素がフラスク下部に埋没されるため，作業用模型，人工歯およびクラスプなどの位置関係がくるわない．しかし，分離剤の塗布などが困難である．
　③　**アメリカ・フランス併用式埋没法**：人工歯をフラスク上部に取り，支台装置，連結子などをフラスク下部に埋没する方法．部分床義歯において一般的に多く行われている埋没方法である．金属床義歯，バーを含む義歯，アタッチメント義歯などすべての義歯に適している．クラスプ，バーなどが下部に埋没され作業用模型に固定されているので，作業用模型とクラスプ，バーの位置関係のくるいはないが，人工歯を上部に取るために咬合関係が高くなる可能性がある．

　以下，アメリカ・フランス併用式埋没法の手順を示す．
　①　作業用模型がフラスクに十分入るかどうかを確認する（図 18-7）．
　②　フラスク下部に石膏を流し込み，作業用模型を埋没する．このとき，ろう義歯がフラスクの側壁から 5 mm 以上離れた位置にくるようにし，ろう義歯の床縁とフラスク下部の上縁ができるかぎり一致するようにする．
　③　残存歯，支台装置およびバーなどの部分に，十分な厚みが確保できるように石

有床義歯技工学

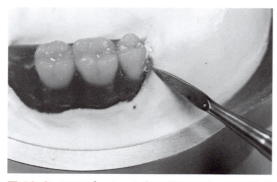

図18-9 アンダーカット部を修正する．細部はインスツルメントを用いる

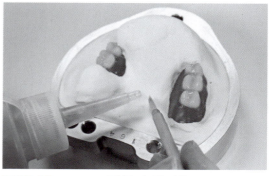

図18-10 フラスク下部の埋没が終了したら，石膏面に分離剤を塗布する．ろう義歯には界面活性剤を塗布する

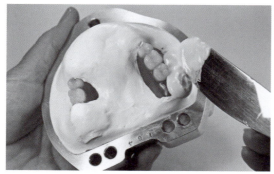

図18-11 フラスク上部の埋没
石膏をろう義歯全体に5mm程度の厚さに盛り上げる．このとき，歯間乳頭に気泡を入れないように丁寧に埋没する．

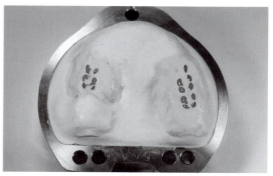

図18-12 フラスク上部の二次埋没完了
石膏が硬化する前に，人工歯切縁および咬頭頂は手指などで露出させておく．

膏を盛り上げる．人工歯およびろう義歯以外にはアンダーカットをつくらないように，筆などを使用して石膏面をなだらかな面に仕上げることが重要である（図18-8）．

④ フラスク下部への埋没が終了したら，彫刻刀などでアンダーカット部の修正を行う（図18-9）．

⑤ 埋没した石膏面に分離剤を塗布した後，乾燥させる．その後，ろう義歯のワックス面に界面活性剤を塗布する（図18-10）．

⑥ フラスク上部の埋没は2回に分けて行う（p.83参照）．歯間乳頭などに気泡を入れないように，ろう義歯全体に約5mm程度の厚さで均一に石膏を塗布する（図18-11）．ただし，石膏の硬化前に人工歯の前歯部切縁および臼歯の咬頭頂は露出させておく（図18-12）．

⑦ フラスク上部をフラスク下部に適合させて，普通石膏を多めに流し込む（図18-13）．その後，蓋をして油圧プレスで加圧し，石膏が硬化するまでそのままの状態を保っておく（図18-14）．

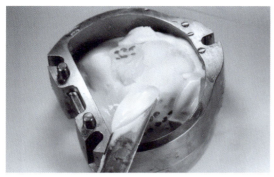

図18-13 フラスク上部の三次埋没
二次埋没硬化後，フラスク上部をフラスク下部に重ねて接合部が正確に密着しているかどうかを確認し，普通石膏をフラスク上部から注入する．

図18-14 フラスクの埋没完了
普通石膏による三次埋没は，フラスク上縁より少し高く盛り上げ，フラスクの蓋をして，はみ出した余剰な石膏を取り除く．

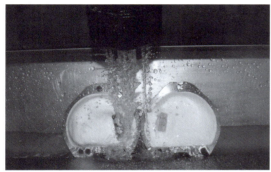

図18-15 流ろう
フラスク上・下部を分割するため，60～70℃の温水中で加温した後，フラスクを分割する．その後，石膏面に残っているワックスを熱湯で洗い流す．

図18-16 埋没状態の点検
石膏面のバリ，鋭角な部分などは除去する．

3）流ろう

　　　　流ろうとは，**レジン塡入**の前準備としてフラスク上・下部を分割し，ワックスを完全に除去する操作いう．流ろうを完全に行うことにより，分離剤の塗布が良好になり，レジン表面に石膏が付着することを防止できる．

　流ろうにはいくつかの方法があるが，主に以下の手順で行う．

　①　60～70℃の温水中に7～8分程度浸漬してワックスを軟化させ，フラスクを上部と下部に分割する．軟化したワックスおよびレジンの基礎床を取り除く．

　②　100℃の熱湯で十分に流ろうを行う（図18-15）．石膏面に付着している油脂などを取り除くため，中性洗剤を塗布してよく洗い流す（図18-16）．

　③　石膏面がある程度冷めたら，石膏面に分離剤を塗布して乾燥させる（図18-17）．

有床義歯技工学

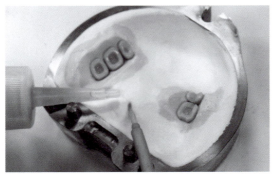

図 18-17　フラスク上・下部の石膏面全体に分離剤を塗布する

図 18-18　レジン塡入の前準備
レジン混和器で粉と液を混ぜ合わせ，餅状であることを確認する．

図 18-19　レジン塡入
支台装置の脚部の下にも十分にレジンが入るようにする．レジンの不足がないように注意する．

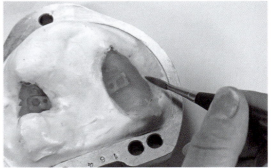

図 18-20　レジンを試圧することにより余剰なレジンすなわちバリが出てくるため，デザインナイフなどで除去する

4）加熱重合レジンの塡入と重合

（1）加熱重合レジンの混和

　流ろうが終了すると，ワックスで形成された部分が空洞となる．その空間部分に餅状のレジンを満たし，加熱することにより重合反応が進行することを重合という．

　レジンは，粉末（**ポリマー**）と液（**モノマー**）を 2〜2.5：1 の重量比で混和する．

（2）加熱重合レジンの塡入

　ここでは圧縮法について述べる．

　① 加熱重合レジンの粉末と液をレジン混和器に入れ，バイブレーターで振動を与えて脱泡しながら混和を行う（図 18-18）．加熱重合レジンは，時間の経過とともに糸をひく状態から軟らかい**餅状**を呈する．

　② 餅状になったレジンを，ポリエチレンフィルムを介在して手指で混和器より取り出す．まず支台装置の脚部および人工歯基底部に塡入する．フラスク上部と下部に適量に分けて塡入する（図 18-19）．

図 18-21　レジン塡入を終えたフラスク上・下部
最終加圧はポリエチレンフィルムを介在させずに圧力をかけてレジン塡入を完了する．

図 18-22　湿式重合法によるレジン重合
レジンの気泡および重合収縮による内部応力の発生を防ぐため，加熱条件を守る．

　③　フラスク上・下部の間にポリエチレンフィルムを介在させて，油圧プレスで試圧する．最初は2MPa（20 kgf/cm^2）で行い，30秒程度試圧したままの状態に保持する．その後フラスクを開け，余剰なレジン（バリ）をデザインナイフなどで切り取る（図 18-20）．

　④　試圧操作は3～4回繰り返し，余剰なレジンが出なくなるまで行う．2～3回の試圧は3MPa（30 kgf/cm^2）で行い，最終試圧は4MPa（40 kgf/cm^2）で行う．最終加圧は，ポリエチレンフィルムを介在させずに，フラスク上・下部のそれぞれのレジン面にモノマーを塗布してフラスク上・下部を接合させる（図 18-21）．

　⑤　最終加圧をした後，フラスクの**クランプ**を固定する．

（3）加熱重合レジンの重合

　重合条件は，使用する重合器および使用するレジンにより異なるため，メーカーの指示どおりに行う．一般的な重合方法である**湿式重合法**（2ステップ法）は，65～70℃の温水中に60～90分間浸漬して加熱した後，100℃で30～60分間係留して重合を完了する．その後，フラスクを重合槽より取り出し，自然放冷する（図 18-22）．

　重合時に温度を急激に上昇させると，レジンの反応熱で100℃以上になり，モノマーの沸点よりも高くなるため，反応熱が蓄積されて気泡および内部応力が発生する．そのため，レジン重合では徐々に加熱する必要がある．また，重合後は自然放冷をすることにより**残留応力**による義歯床の変形が防止されるので，急冷することはさける．

5）義歯の取り出し

　①　**フラスクイジェクター**を使用して，内部石膏を一塊として取り出す（図 18-23）．

　②　取り出した石膏を石膏分割用プライヤーで唇頰側から分割する．このとき，プ

有床義歯技工学

図18-23 重合が終了したら，フラスクイジェクターを使用して石膏を一塊として取り出す

図18-24 作業用模型の取り出し
作業用模型を破損しないように，埋没石膏を分割除去する．

図18-25 残存歯はアルミホイールで保護しておいたので，埋没石膏を取り除いても作業用模型は破損せずに残る

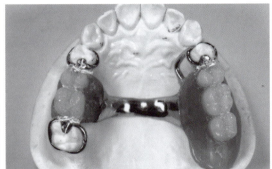

図18-26 人工歯の咬合面および作業用模型のスプリット部は，咬合器再装着を行うためにきれいに処理しておく

ライヤーの力の方向を義歯方向に向けると義歯を破折させることがあるので，外側に向けながら分割する．

③ フラスク上部の石膏を徐々に分割することにより，支台装置，連結子，義歯床および人工歯などの義歯全体が露出してくる（図18-24, 25）．支台装置や連結子の周囲は，エアカッターなどを使用すると無理せずに少しずつ石膏を除去でき，部分床義歯を傷つけたり，変形させずに取り出すことができる（図18-26）．

2 流し込みレジン重合法

流し込みレジン重合法は，ろう義歯にスプルー線とベントを植立し，寒天，シリコーンゴム印象材などの弾性印象材および特殊な石膏の陰型に常温重合レジンを流し込んで義歯を製作する方法である．

寒天を使用する場合は専用のフラスクを使用し，シリコーンゴム印象材および特殊石膏を使用する場合はコアを製作する．シリコーンゴム印象材および特殊石膏によるコア法については以下の特徴がある．

220

18. 部分床義歯の埋没と重合

① フラスクに埋没しないため，作業用模型上で操作を行うことができる．

② 製作方法が容易である．

③ 操作時間が短い．

1） 寒天埋没法

（1） 埋没

① 寒天を溶解して約50℃で保ち，準備しておく．

② 支台装置および連結子を石膏で被覆して，アンダーカットが生じないように作業用模型を調整する．

③ 作業用模型と寒天の温度差を小さくして変形を防止するために，作業用模型を約37℃の温水中に5分間程度浸漬する．

④ 作業用模型を寒天埋没用フラスク内に固定し，溶解した寒天を流し込んで埋没する．

⑤ フラスクの高さ1/3までを水中に浸漬して60分間程度放置しておき，寒天の硬化を待つ．

（2） 流ろう

① フラスク基底部の金属枠を取り除く．

② 作業用模型基底部と寒天との境目を5～10 mm程度の幅・深さで斜めにカットする．この操作により，作業用模型を寒天から取り出しやすくなる．

③ 作業用模型の周囲より空気を入れながら作業用模型を取り出す．

④ ろう義歯から人工歯を取り除き，流ろうする．

（3） スプルー線の植立

① 寒天部分にレジンの注入孔を設ける穿孔パイプを用いて，スプルーおよびベントの製作を行う．スプルー線は義歯床の下部に，ベントは上部に植立する．スプルーおよびベントの開口部は義歯床に対してできるだけ直角にする．

（4） レジン注入・重合

① 人工歯を寒天内の正しい位置に置く．

② 作業用模型に分離剤を塗布して乾燥させておき，寒天に戻してフラスクを組み立てる．

③ 常温重合レジンの粉末と液を混合して10～15秒間攪拌した後，スプルーからレジンを注入する．

④ レジン注入から5分間放置した後，加圧重合器に入れて加圧重合を30分間行う．

⑤ フラスクから寒天を除いて義歯を取り出す．

有床義歯技工学

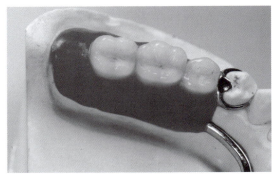

図18-27 石膏コア法による流し込み法

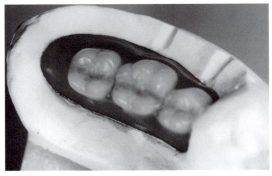

図18-28 支台装置および連結子をアンダーカットがないように石膏で被覆する．頰舌側にV字状の溝を形成する

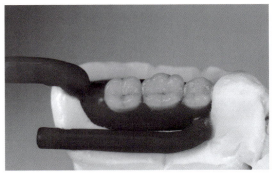

図18-29 ろう義歯にスプルー線およびベントを植立する

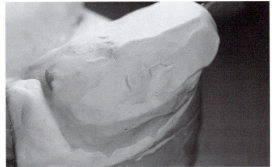

図18-30 人工歯および作業用模型を10 mm以上の厚さで被覆するようにして石膏コアを製作する

2）石膏コア法

（1）スプルー線の植立

① 支台装置および連結子を石膏で被覆して，アンダーカットが生じないように作業用模型を調整する（図18-27，28）．

② ろう義歯にスプルー線およびベントを植立する（図18-29）．

（2）埋没

① 作業用模型に分離剤を塗布した後，石膏を練和し，人工歯および作業用模型を10 mm以上の厚さで被覆するようにして石膏コアを製作する（図18-30）．

（3）流ろう

① 作業用模型と石膏コアを湯の中に5分程度浸漬してワックスを軟化させる．

② 作業用模型と石膏コアを流ろうした後，分離剤を塗布して乾燥させる（図18-31）．

③ 人工歯を石膏コアの正しい位置に戻し，作業用模型に石膏コアを設置してゴムバンドなどで固定をする（図18-32）．

18. 部分床義歯の埋没と重合

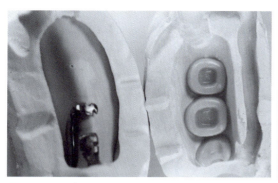

図 18-31　流ろう
作業用模型と石膏コアを湯に5分程度浸漬する．その後，流ろうして分離剤を塗布し，乾燥させておく．

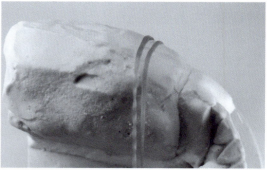

図 18-32　人工歯
石膏コアが正しい位置にあるか確認し，ゴムバンドなどで固定する．

図 18-33　常温重合レジンの粉末と液を混和し，スプルーから注入して5分間放置する

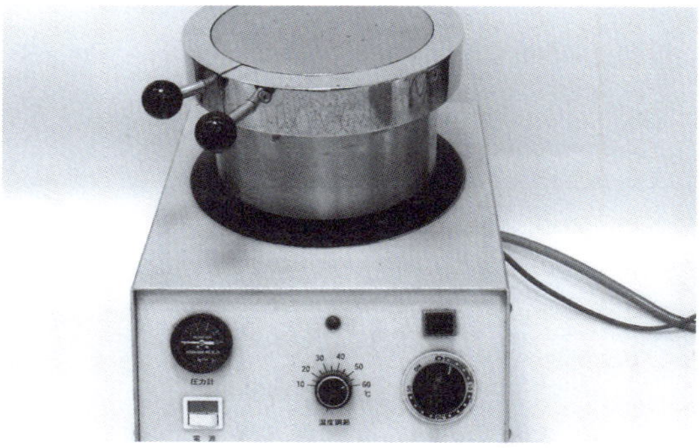

図 18-34　加圧重合器で，加圧重合を30分間行う

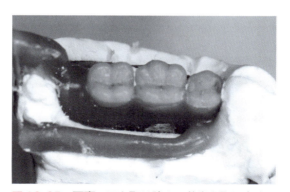

図 18-35　石膏コアを取り除き，義歯を取り出す

(4) レジン注入・重合

① **常温重合レジン**の粉末と液を混和し，スプルーから注入して5分間放置する（図18-33）．

② **加圧重合器**を使用し，加圧重合を30分間行う（図18-34）．

③ 重合後，義歯を取り出して自然放冷する（図18-35）．

3) シリコーンコア法
(1) シリコーンコアの製作
① 支台装置および連結子を石膏で被覆して，アンダーカットが生じないように作業用模型を調整する（図18-36，37）．
② ろう義歯にスプルー線とベントを植立する（図18-38）．
③ シリコーンゴム印象材を練和してろう義歯の**シリコーンコア**を製作する（図18-39〜41）．

図18-36 シリコーンコア法による流し込み法

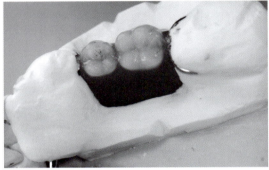
図18-37 支台装置および連結子をアンダーカットがないように石膏で被覆する

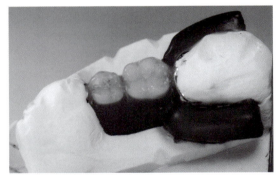
図18-38 ろう義歯にスプルー線とベントを植立する

図18-39 シリコーンゴム印象材を練和する

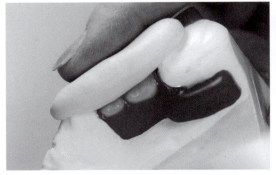
図18-40，41 ろう義歯のシリコーンコアを製作する

18．部分床義歯の埋没と重合

(2) 流ろう

① シリコーンコアを取り外す（図 18-42）．

② 人工歯をろう義歯から取り除き，ろう義歯のワックスをおおまかに除去しておく．

③ 人工歯と作業用模型の流ろうを行い，人工歯をシリコーンコアに戻す（図 18-43）．人工歯の固定が不安定な場合は，瞬間接着剤で人工歯をシリコーンコアに固定する．

④ シリコーンコアと作業用模型を瞬間接着剤で固定する（図 18-44）．

(3) レジン重合

① 石膏コア法と同様に，常温重合レジンの粉末と液を練和してスプルーから注入し，5 分間放置する（図 18-45）．

② 加圧重合器を使用し，加圧重合を 30 分間行う．

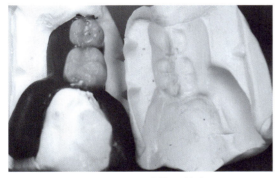

図 18-42　シリコーンコアを取り外す

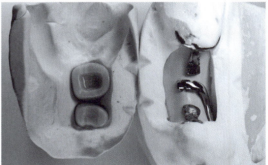

図 18-43　流ろうを行い，人工歯をシリコーンコアに戻す

図 18-44　人工歯の固定，シリコーンコアと作業用模型の固定は，瞬間接着剤で行う

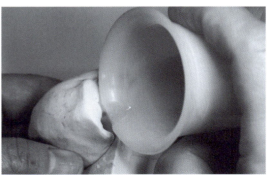

図 18-45　常温重合レジンの粉末と液を練和してスプルーから注入し，5 分間放置する

有床義歯技工学

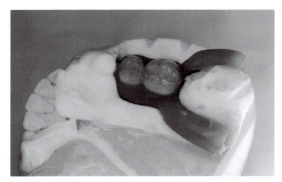
図 18-46　シリコーンコアを取り除く

③　シリコーンコアを取り除いて義歯を取り出す（図 18-46）.

19 部分床義歯の咬合調整と研磨

到達目標

① 部分床義歯を研磨できる．

1 咬合調整

　部分床義歯では**人工歯排列**後に**咬合調整**を行っているが，レジンの重合収縮や埋没操作時の人工歯の移動が生じるため，咬合関係に影響が生じてくる場合がある．そのため，咬合器に再装着して，再度咬合調整をする必要がある．

　部分床義歯の**咬合器再装着**には**スプリットキャスト法**，**テンチの歯型法**および**フェイスボウトランスファー法**などがある（9章参照）．以下，スプリットキャスト法により咬合器に再装着した義歯の咬合調整について説明する．咬合調整は，基本的には人工歯排列時に行った削合の基本原則に準ずる．

　① 重合の終了した義歯付きの作業用模型を，作業用模型基底面に形成したスプリットキャストにより咬合器の元の位置に戻す（図19-1）．その後，ビニールテープなどで固定する（図19-2）．
　② まず，**咬頭嵌合位**（**中心咬合位**）での**早期接触部**を削合する（図19-3）．
　③ 次に**側方運動**，**前方運動**をさせて削合を行い，**早期接触部**を取り除く．咬頭嵌

図19-1　スプリットキャスト法による咬合器再装着
作業用模型基底面のスプリットキャストと咬合器に装着した石膏面のスプリット部を合わせる．

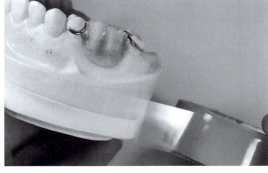

図19-2　作業用模型基底面と咬合器の石膏面にビニールテープを巻き，固定する

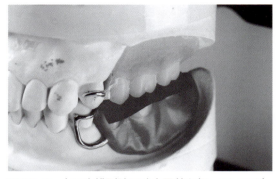 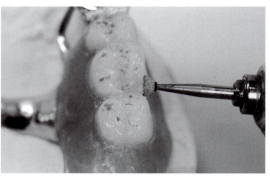

図 19-3　人工歯排列時に咬合調整を行っているが，義歯の重合操作によって寸法変化が生じるので再度咬合調整を行う

図 19-4　レジンの収縮やひずみによって，ろう義歯のときより人工歯の咬合状態がわずかに変化している

合位（中心咬合位）で接触している部位は削合しない（図 19-4）．

④　各運動時の咬合調整が終了したら，最後に形態修正する．頬舌面の鋭角な部分はシリコーンポイントなどで仕上げ，咬合面は裂溝および**スピルウェイ**（逃路）をつける．

2　研　磨

　　重合した義歯床の表面は粗糙面である．したがって，バリや不必要な部分をタングステンカーバイドバーなどで除去し，義歯の形態を整える必要がある．部分床義歯は，クラスプやバーなどと義歯床が混在している形態のため凹部は不潔域になりやすいので，この部分の研磨は特に注意が必要である．
　　研磨の目的は以下のとおりである．
　①　研磨することで審美的に優れたものとする．
　②　装着感や舌感をよくし，咀嚼，発音機能を向上させる．
　③　粘膜を保護し，デンチャープラークや食物残渣をなくし，口腔内を清潔に保つ．
　以下，研磨の手順を示す．
　①　取り出した義歯は，タングステンカーバイドバーで余剰な**バリ**を除去する（図 19-5, 6）．
　②　歯間乳頭および歯頸部に付着している石膏を，彫刻刀，デザインナイフなどで除去する．石膏の分離が悪い場合は**石膏溶解液**に入れて石膏を溶解する．
　③　クラスプと義歯床の境は，シリコーンディスクなどで研磨する（図 19-7）．
　④　クラスプ内面の鉤体から鉤脚に移行する部分は，不要なレジンを取り除く（図 19-8）．
　⑤　義歯床の表面をシリコーンポイントにより平滑に仕上げる．歯間乳頭などはシリコーンポイントをドレッシングして先端を形態修正し，細部まで平滑に仕上げる

19．部分床義歯の咬合調整と研磨

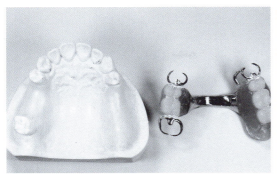

図 19-5　咬合調整が終了した後，作業用模型から義歯を取り外す

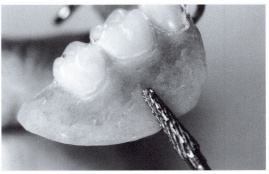

図 19-6　粗研磨
義歯床表面にバリが生じている場合は，タングステンカーバイドバーでバリを除去し，形態を整える．

図 19-7　クラスプと義歯床移行部の処理
食物残渣が残らないように，クラスプ上腕部と義歯床をシリコーンディスクなどで処理する．

図 19-8　ブロックアウト部の余剰なレジンを除去する

（図 19-9）．

⑥　**レーズ研磨**では，摩擦熱によるレジンの変形，変色を防ぐため，レジン表面が湿った状態で研磨を行うことが重要である．このため湿った研磨材を常時補給しながら，レーズの回転を低速にして研磨を行う．範囲によってブラシを使い分ける．義歯床の内面は**磨き砂**で研磨する（図 19-10）．

⑦　レジン表面に傷や研磨のあとが残っていないか確認し，**仕上げ研磨**を行う．仕上げ研磨はバフにレジン用つや出し材をつけて行う（図 19-11）．

⑧　クラスプ，バーなどの金属部は，バフと金属用のつや出し材を使用して**仕上げ研磨**を行う．

⑨　超音波洗浄器で研磨材を除去して完成する（図 19-12）．レジン床義歯は，そのまま大気中に置いておくとレジンが乾燥して変形を起こすため，水の入った容器に入れて保存しておくことが大切である．

229

有床義歯技工学

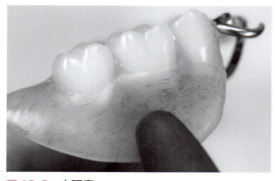

図 19-9 中研磨
義歯床全体にシリコーンポイントをかけて，より細かい面の仕上げを行う．

図 19-10 中研磨
レーズにブラシをつけ，磨き砂を使用してより細かいレジン面に仕上げていく．

図 19-11 仕上げ研磨
バフにつや出し材をつけて，義歯床全体のつやを出す．クラスプ，バーなどの金属部についてもつやを出す．

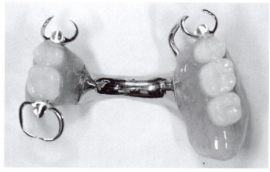

図 19-12 完成した部分床義歯

IV

有床義歯と
その関連事項

20 修　理

到達目標

① 破折と破損の原因を列挙できる.
② 修理方法を説明できる.

　　全部床義歯の破損には，義歯床および人工歯の破折・破損，人工歯の脱離などがあり，部分床義歯では，これらに加えて支台装置および連結子の破損がある．また，修理後に破損が再発することも多く，再発を防ぐためには破損に至る原因を調べて修理することが重要である．破損の原因としては，多くの原因が相互に関係しているが，以下に主な原因を列記する．

1　破折・破損の原因

　　破折・破損の原因にはさまざまなものがある（図 20-1）．一般的に，義歯設計の誤りや技工作業の不備による破折・破損は，義歯装着後の早い時期に発現することが多く，患者の口腔内の変化による破折・破損は，義歯が装着されて長期間経過後に発現することが多い．

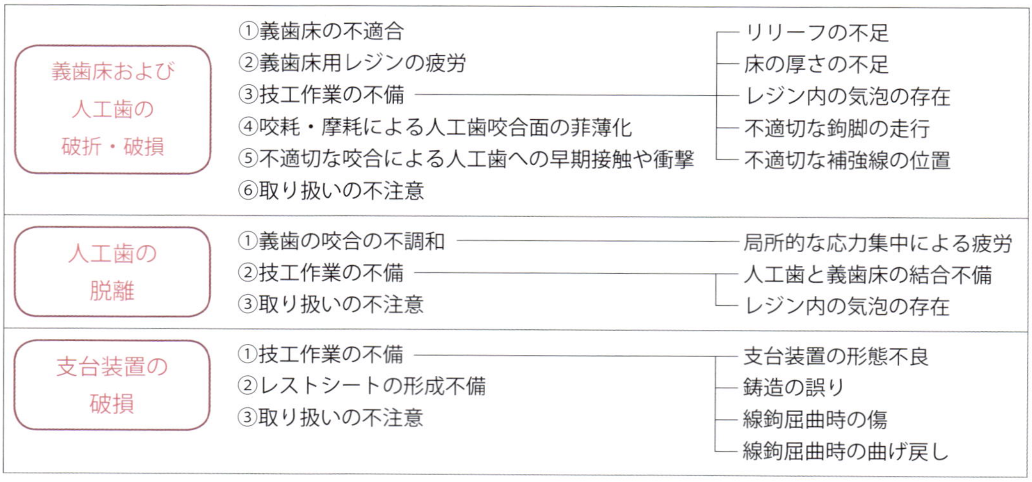

義歯床および人工歯の破折・破損	①義歯床の不適合 ②義歯床用レジンの疲労 ③技工作業の不備 ④咬耗・摩耗による人工歯咬合面の菲薄化 ⑤不適切な咬合による人工歯への早期接触や衝撃 ⑥取り扱いの不注意	― リリーフの不足 ― 床の厚さの不足 ― レジン内の気泡の存在 ― 不適切な鉤脚の走行 ― 不適切な補強線の位置
人工歯の脱離	①義歯の咬合の不調和 ②技工作業の不備 ③取り扱いの不注意	― 局所的な応力集中による疲労 ― 人工歯と義歯床の結合不備 ― レジン内の気泡の存在
支台装置の破損	①技工作業の不備 ②レストシートの形成不備 ③取り扱いの不注意	― 支台装置の形態不良 ― 鋳造の誤り ― 線鉤屈曲時の傷 ― 線鉤屈曲時の曲げ戻し

図 20-1　**義歯の破折・破損の主な原因**

20. 修理

2　義歯破折・破損のメカニズム

　装着時に義歯に付与した咬合が長期間維持される場合は少なく，実際は時間の経過とともに変化する．患者が義歯を装着すると，義歯には咬合圧が加わる．上顎の全部床義歯を例にとると，義歯床の粘膜面側は圧縮の力，研磨面は引っ張りの力が加わる（図 20-2）．毎日の咀嚼により，レジン床内に咬合圧による疲労が蓄積していく．

　支台歯の動揺あるいは顎堤の吸収（図 20-3）が起こり，口腔内における義歯の位置関係がくるい，人工歯の機能咬頭の咬耗により，アンチモンソンカーブ（図 20-4〜6）となる．その結果，咬頭嵌合位で臼歯部の咬合面全体が接触するようになり，咬合圧によって義歯の頬側に力がかかる．さらに，義歯の構成材料の疲労が起こり，蓄積する．そして，局所的に義歯に咬合圧が集中して，義歯床あるいは支台装置の破折・破損が起こる（図 20-7）．義歯床が破折した場合の修理方法としては，上顎全部床義歯を例にとると，図 20-8 に示すように破折した部分を削除し，その部分を常温

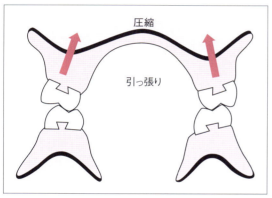

図 20-2　咬合圧が人工歯に加わると，義歯床粘膜面は圧縮，研磨面は引っ張りの力が働く

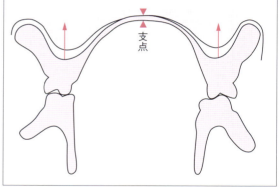

図 20-3　顎堤の吸収が起こると，口蓋中央部を支点とした破折が起こりやすい

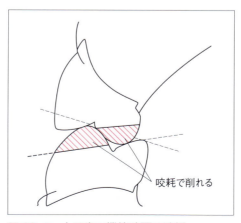

図 20-4　人工歯の機能咬頭の咬耗

有床義歯技工学

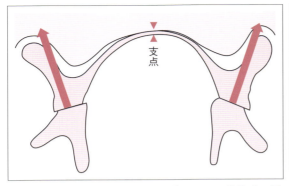

図20-5 アンチモンソンカーブとなり，義歯床の破折を招く

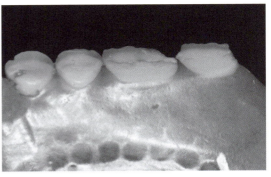

図20-6 臨床における機能咬頭の咬耗
この症例では硬質レジン歯を使用している．

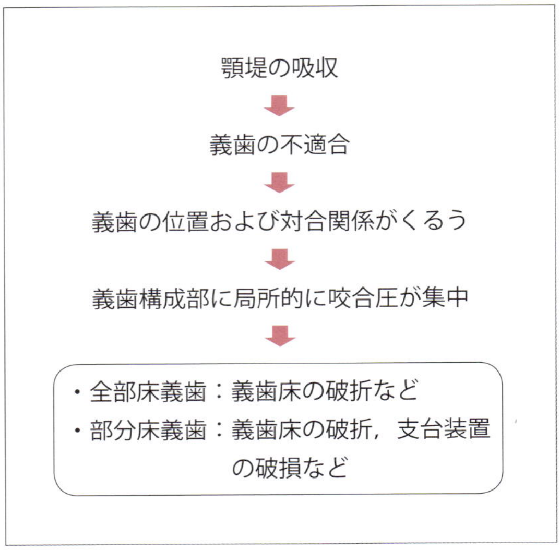

```
顎堤の吸収
  ↓
義歯の不適合
  ↓
義歯の位置および対合関係がくるう
  ↓
義歯構成部に局所的に咬合圧が集中
  ↓
・全部床義歯：義歯床の破折など
・部分床義歯：義歯床の破折，支台装置
　　　　　　　の破損など
```

図20-7 義歯破折・破損のメカニズム
義歯装着後，顎堤の吸収および咬合圧の集中が，義歯が壊れるまで繰り返される．

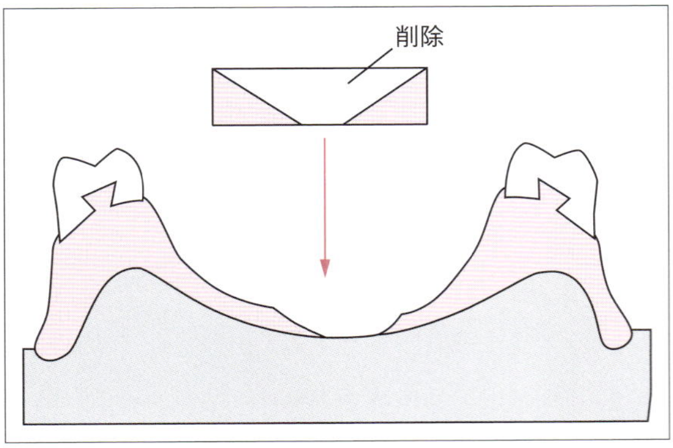

図20-8 義歯床の破折部をレジン床の新鮮面が出るように削合し，常温重合レジンで修理を行う
グラスファイバーあるいは金属製の補強線を埋入する場合もある．

重合レジンを使用して筆積み法で築盛し，重合する修理方法が基本である．

これらのほかに，義歯装着後の時間の経過とともに，レストの咬耗あるいは不適切な設計によるレストの破折・破損（図20-9），クラスプの不適合あるいは破折・破損（図20-10），義歯床の破折・破損（図20-11，12）および人工歯の脱離や破折・破損（図20-13，14）が起こる場合もある．

以上，義歯装着後の破折・破損と生体および義歯の変化について，そのメカニズムを簡単に記載した．上記のもの以外に，義歯製作時の技工的なミスがある（義歯床の厚みの不足，骨隆起部のリリーフ量の不足（図20-15）や鉤脚のレジン床内埋入位置の誤り（図20-16）など）．これらのミスの原因としては，歯科医師の義歯設計の誤りや，義歯設計の内容が十分に歯科技工士に伝わっていないことが考えられる．

20. 修理

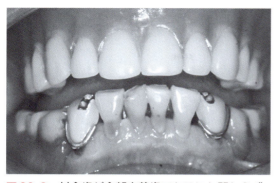

図 20-9　対合歯が全部床義歯であるにも関わらず，レストが破損している

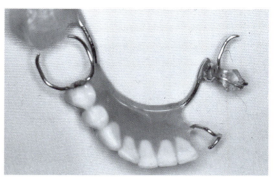

図 20-10　レストおよび線鉤のクラスプが破折している

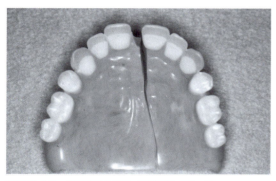

図 20-11　義歯正中部から破折している

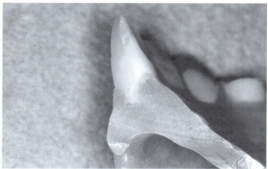

図 20-12　破折線は，硬質レジン歯の唇側歯頸部から隣接面に沿って入っており，その部分から破折が起こっていることが考えられる
この症例では，硬質レジン歯の唇側のエナメル部分は床用レジンとは接着していない．

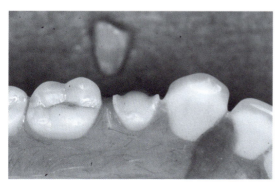

図 20-13　硬質レジン歯のエナメル部分の剝離

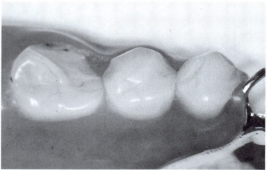

図 20-14　人工歯の咬耗
この症例では硬質レジン歯を使用している．

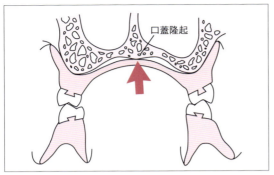
図 20-15　骨隆起部位のリリーフが不足して破折が起こる

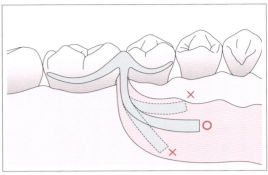
図 20-16　鉤脚をレジン床内の正しい位置に埋入しないと，破折の原因となる

3 義歯床の修理

　義歯床の破折はレジン床義歯に多くみられ，上下顎義歯の正中部（図 20-17），支台装置の脚部に沿ったレジン床などに生じやすい．まれに金属床義歯でも金属部分の破折がみられる．

　修理法は，加熱重合レジンによる方法と常温重合レジンによる方法がある．加熱重合レジンによる方法では，再重合によりレジン床内部の応力緩和が促進され，義歯全体のひずみが生じやすいという欠点があり，常温重合レジンによる方法では，加熱重合レジンによる修理に比較して修理後の強度が低いという欠点がある．一般には，修理は急を要することから，簡便にできる常温重合レジンによる方法（筆積み法，流し込み法）が行われている．

1）常温重合レジンによる修理方法

　① 義歯床の破折部の汚れを清掃する．

　② 破折面を義歯床粘膜面および研磨面の両面から正確に適合させる．その状態で接着剤あるいはスティッキーワックスを使用して固定する（図 20-18）．必要に応じて，破折線をはさんだ人工歯間に，不要になったバーおよびスティッキーワックスで補強して固定する．

　③ 破折面が正確に接合していることを確認し，義歯床粘膜面に石膏を注入してコアを採得する．義歯床粘膜面にアンダーカットがあるときは石膏の注入前にワックスなどでブロックアウトを行い，分離剤を塗布しておく（図 20-19）．石膏は印象用石膏を使用すると，硬化が速く，また，修理後の取り外しが容易である．

　④ 石膏硬化後，義歯を注意深く取り外し，破折線を中心に両側のレジンを削除して新鮮面を出す（図 20-20）．修理に使用する常温重合レジンの接着力を高めるために，傾斜面とした新鮮面表面にモノマーの塗布を行う．

20. 修理

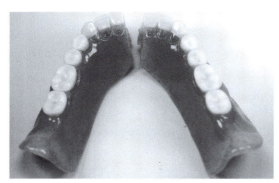

図 20-17　下顎義歯の正中部の破折

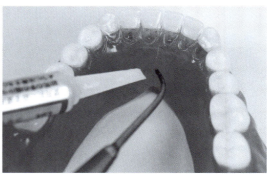

図 20-18　破折部の汚れを取り除いて義歯を正確に適合させ，接着剤などで固定する（必要に応じて，義歯を利用して印象採得を行う場合もある）

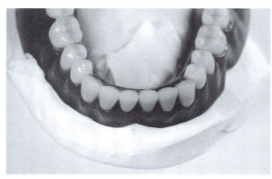

図 20-19　義歯床粘膜面の石膏コアを採得する

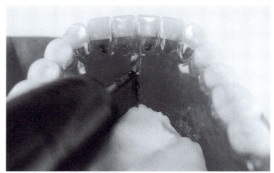

図 20-20　石膏コアに義歯が正確にもどることを確認後，破折部のレジンを削合し新鮮面を露出させる

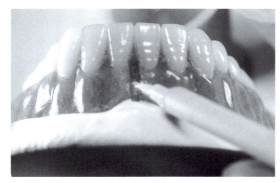

図 20-21　常温重合レジンを使用し筆積み法で修理を行う

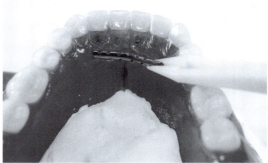

図 20-22　修理部分の補強のため表面処理を施した金属線を使用する場合もある

⑤　石膏コアの表面に分離剤を塗布後，義歯を戻す．

⑥　レジン床と同じ色調の常温重合レジンを選択し，筆積み法により修理を行う（図 20-21）．必要に応じてグラスファイバーや金属製の補強線を埋入し，修理後の強度を高める（図 20-22）．ただし，金属製の補強線を使用する場合は，サンドブラス

有床義歯技工学

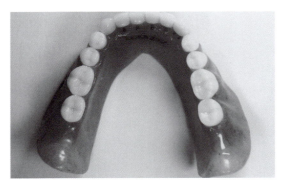
図20-23 修理終了後，最終的な研磨を行う

ト処理およびメタルプライマーの塗布を行い，常温重合レジンとの接着力を高める必要がある．

⑦ 加圧下での重合完了後，研磨を行う（図20-23）．

4 人工歯の修理

　通常，少数の人工歯の脱離および破損の修理には，常温重合レジンが使用される．しかし，現在，広く使用されている硬質レジン歯の咬頭や切縁の破損の修理には，常温重合レジンだけでなくコンポジットレジンも使用される．この際，硬質レジン歯の新鮮面にサンドブラスト処理およびモノマーの塗布などの表面処理を適切に行わないと，新たに築盛したレジンとの間に十分な接着力が得られない場合が多い．

　人工歯の脱離はレジン歯に比較して陶歯に多くみられる．少数の人工歯の脱離や義歯床用レジンとの境界部のわずかな剝離の修理では印象採得や作業用模型は必要ないが，多数歯の脱離および破損では，作業用模型のみならず対合歯および咬合採得の必要がある．

1）人工歯の脱離あるいは大部分が破損した場合の修理

　① 義歯床用レジンの新鮮面を出し，義歯床に残っている人工歯をすべて削除する（図20-24）．
　② 脱離・破損した人工歯と同一あるいは類似する新たな人工歯を選択する．
　③ 常温重合レジンを使用し，新しい人工歯と義歯床用レジンを接着させる（図20-25，26）．必要により，人工歯基底部に保持孔を形成する場合もある．
　④ 硬化後，研磨を行う（図20-27）．

2）人工歯が義歯床用レジンごと脱離した場合の修理

　① 義歯床に残っている義歯床用レジンを削合して新鮮面を出す．

20. 修理

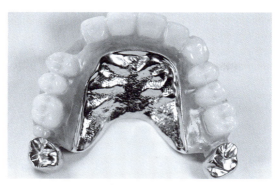

図 20-24 人工歯が植立していた義歯床用レジン内面の新鮮面を形成する

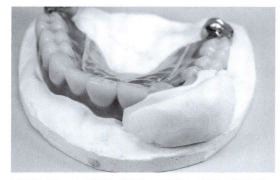

図 20-25 人工歯を選択し，適切な位置に仮排列して頰側のコアを採得する

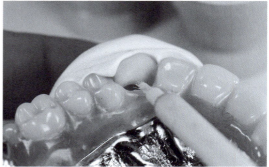

図 20-26 人工歯をコアに適合させて固定し，常温重合レジンで人工歯舌側部と義歯床用レジンを接着させる

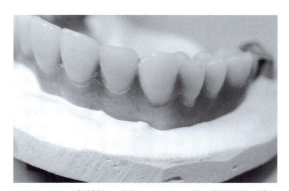

図 20-27 審美的に良好となるように歯頸部などを形態修正し，最終的な研磨を行う

 ② 口腔内と調和する人工歯を選択する．

 ③ 人工歯を調整しながら修理する欠損部に適合させる．このとき，対合関係に注意する．

 ④ ワックスで固定し，石膏やパテタイプのシリコーンゴム印象材で唇側および頰

側面のコアを採得する．
⑤ コア材料が硬化後，取り外して流ろうする．
⑥ 石膏コアの場合は分離剤を塗布し，常温重合レジンで義歯床を製作して人工歯を接着させる．修理する部分が広範囲な場合は，加熱重合レジンを使用する場合もある．
⑦ 硬化後，研磨を行う．

5 支台装置の修理

部分床義歯では支台装置の鉤腕やレストが破折することが多い．修理は破折部分だけに限定できないため，新たに製作した支台装置と交換する．
① 歯科医師が義歯を口腔内に再装着し，支台歯とともに印象採得を行う．
② 印象内のアンダーカット部のブロックアウトを行う．
③ 印象内に石膏を注入し，硬化後，印象を撤去する．
④ 義歯を含んだ修理用の作業用模型が完成する（図20-28）．
⑤ 修理用の作業用模型から注意深く義歯を取り出し，破損した支台装置を義歯床から鉤脚ごと撤去する（図20-29）．
⑥ 新しい支台装置を製作する．
⑦ 修理用の作業用模型に分離剤を塗布する．
⑧ 新しい支台装置を支台歯に適合させ，常温重合レジンにより義歯床用レジンと接着させる（図20-30，31）．
⑨ 硬化後，研磨を行う（図20-32）．

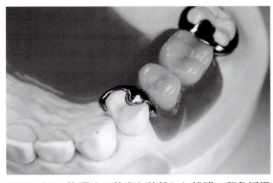 

図20-28 修理する義歯を装着した状態で印象採得を行い，修理用の作業用模型を製作する

図20-29 支台装置の鉤脚周囲のレジンを削除し，支台装置を取り除く

20. 修理

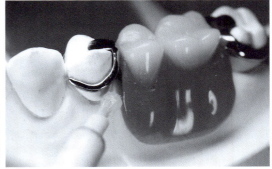

図 20-30　新しい支台装置の鉤脚にはサンドブラスト処理などを行い，あらかじめ常温重合レジンを接着させておく

図 20-31　正しい位置に支台装置と義歯を設置後，不足部分を常温重合レジンで修正する

図 20-32　修理終了後，咬合関係などを調べる

6　人工歯の追加（増歯）

　支台歯あるいは残存歯を保存不可能なため失ったものの，義歯は不都合がなくそのまま使用できるような場合には，欠損した部分に人工歯を追加して修理をする．修理方法は，「人工歯が義歯床用レジンごと脱離した場合」（p.238）と同じである．

21 リベースおよびリライン

到達目標

① リベースとリラインの目的を述べる．
② リベースとリラインの方法を説明できる．

　義歯を装着し，ある期間使用した後，顎堤の吸収により義歯床が不適合となり機能時の維持が不安定となった場合，その義歯を顎堤粘膜に再び適合させる方法として**リベース**と**リライン**の2つの方法がある（図21-1）．

1　リベース

　人工歯以外の義歯床をすべて新しい義歯床用材料に置き換え，顎堤粘膜との再適合をはかる操作をいう（図21-2〜5）．
　リベースには，使い慣れた義歯の咬合関係をそのまま維持した状態で再び顎堤粘膜と義歯の適合性が得られるため順応が早く，また，新しい義歯を製作するよりも経済的であるなどの利点がある．しかし，リベースを行うためには義歯を患者から預かる必要があるなどの欠点もある．
　以下，リベースの適応を示す．
　①　リラインでは回復できない程度の床の形態不良と不適合を伴う義歯．
　②　リラインでは上顎義歯の口蓋部分が厚くなり，異物感や発音障害が生じる場合．
　③　破折の修理を繰り返し，義歯自体の強度が不足している場合．

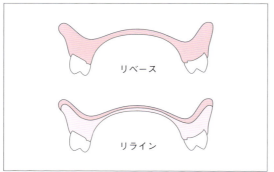

図21-1　**リベースとリライン**
リベースは人工歯を除いて義歯床をすべて新しくする．リラインは義歯床粘膜面だけを新しくする．

21. リベースおよびリライン

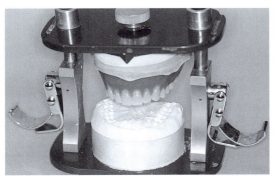

図21-2 義歯を使用した印象に石膏を注入して作業用模型を製作する．リライニングジグ（p.248参照）に装着後，義歯人工歯の石膏コアを採得する

図21-3 作業用模型から義歯を外し，人工歯だけの状態にして石膏コアに適合させ固定する

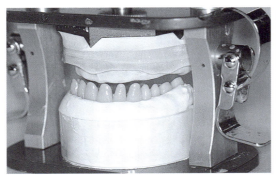

図21-4 作業用模型と人工歯の位置のくるいが生じないように注意し，リライニングジグに固定する

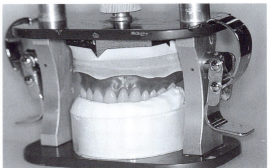

図21-5 人工歯と作業用模型粘膜面の間隙をワックスで固定して歯肉形成し，その後，フラスクに埋没，重合して義歯を完成する

ただし，現在，臨床でリベースを行う頻度は少ない．リライン用レジン材料が改良されたことでリラインにより十分に目的が達成されるようになってきたこと，また，従来，リベースは主に陶歯を使用している義歯に行われてきたが，陶歯の使用頻度が少なくなったことから，複雑な技工操作に費やす時間を考慮するとむしろ義歯を新たに製作する場合が多い．

2 リライン

義歯床粘膜面の表層を新しい義歯床用材料に置き換え，顎堤粘膜との再適合をはかる操作をいう．

リラインの方法は直接法と間接法に大別される．間接法はさらにフラスクに埋没する方法とフラスクに埋没しない方法に分けられる．一般的には間接法のほうが耐久性がよいが，臨床では直接法が主に行われている．

有床義歯技工学

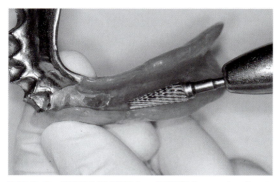
図21-6 義歯床粘膜面を一層削除して，レジンの新鮮面を露出させる

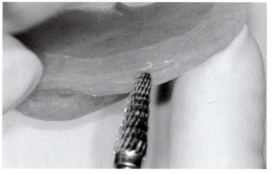
図21-7 床縁の研磨面の一部も移行的に削除する

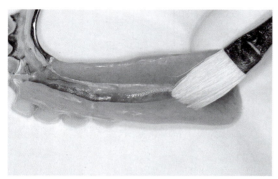
図21-8 リライン材料専用の接着材を塗布する

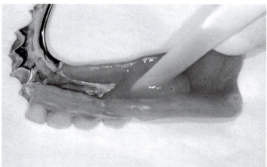
図21-9 混和したリライン材料を義歯床内面に流し込む

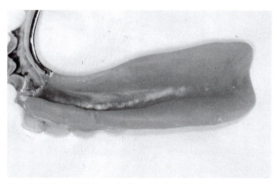
図21-10 口腔内で床縁の形成を行う

1）直接法

常温重合レジンや光重合レジンを使用し，歯科医師が患者の口腔内で直接行う方法をいう（図21-6〜10）．

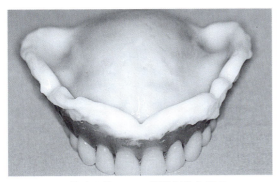

図21-11 義歯を使用して機能印象を行う

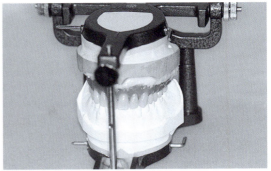

図21-12 義歯による印象を使用し，スプリットキャストを付与した作業用模型を製作して咬合器に装着する

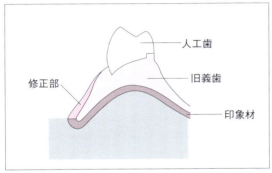

図21-13 床縁から義歯床研磨面に出ている余剰な印象材を取り除き，ワックスで形態を修正する
修正された義歯は，重合後に咬合器に再装着し，咬合調整が終了するまで作業用模型から取り外さない．

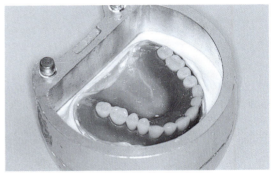

図21-14 義歯と一体となった作業用模型を埋没する

2）間接法

現在使用中の義歯をトレーとして使用し，顎堤粘膜の機能印象を採得し患者から義歯を預かり歯科技工所でリラインする方法をいう．

(1) フラスクに埋没する方法

印象をフラスク内に埋没して加熱重合レジンや常温重合レジン（流し込みレジン）によりリラインする方法をいう（図21-11～18）．通常の義歯の印象採得と同様，ボクシングした印象面に石膏を注入して作業用模型を製作した後，フラスク埋没を行う．印象のままフラスク埋没する場合もある．レジンの塡入および重合以降の技工作業は通法に従って行う．

フラスクに埋没する方法の特徴を表21-1に示す．

有床義歯技工学

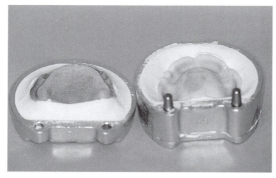

図 21-15　フラスクの分割

図 21-16　印象材の除去

図 21-17　レジン重合

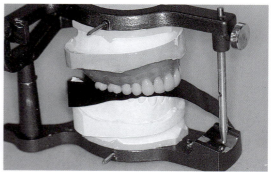

図 21-18　スプリットキャストによる咬合器再装着後の咬合調整と研磨

表 21-1　フラスクに埋没する方法の特徴

長所	・リライン面が滑沢で汚れにくい． ・十分な強度が得られる． ・リライン後，残留モノマーによる刺激が少ない． ・十分な加圧下で重合するため義歯床と強固に接着する． ・義歯床とリライン材との境界部に剝離が起こりにくい．
短所	・技工作業が煩雑なため，患者から義歯を預かる時間が長くなる． ・部分床義歯では支台装置や連結子の変形のおそれがある． ・リライン材塡入によってバリが生じ，咬合高径が高くなることがある． ・重合時の加熱を 65℃以上で行うと，義歯床が変形するおそれがある． ・加熱することにより義歯内部の応力が解放され，義歯全体の変形を来たすことがある．

(2) フラスクに埋没しない方法

　印象に石膏を注入して製作した作業用模型を**リライニングジグ**（作業用模型と人工歯の位置関係および咬合関係を保持し，印象材の部分を義歯床用材料に置き換えるために使用される器具）に装着し，常温重合レジンや光重合レジンによってリラインす

21. リベースおよびリライン

表 21-2　フラスクに埋没しない方法の特徴

長所	・技工作業を簡略化でき，時間を短縮できる. ・患者から義歯を預かる時間を短縮できる. ・常温重合レジンを使用するため，加熱重合レジンに比較して適合がよい. ・義歯の不適合の程度が大きくても用いることができる. ・顎堤に大きいアンダーカットが存在しても用いることができる.
短所	・加熱重合レジンに比較して強度が劣る. ・短期間ではあるが義歯を預かるため，患者に不便を感じさせる.

る方法をいう．作業手順を以下に示す．

①　通常の義歯の印象採得と同様，使用中の義歯による印象をボクシングして石膏を注入し，作業用模型を製作する．

②　作業用模型をリライニングジグに装着する．

③　リライニングジグの上弓と下弓を分離し，義歯を作業用模型から外す．

④　義歯から印象材を除去後，義歯床粘膜面のレジンを一層削除して新鮮面を出す．

⑤　作業用模型および義歯床研磨面に分離剤を塗布する．リライン材が塡入される義歯床粘膜面にはモノマーを塗布する．

⑥　義歯をリライニングジグに装着してある作業用模型に注意深く戻し，義歯床粘膜面と作業用模型の間に常温重合レジンを流して，リライニングジグをロックする．

⑦　流し込んだレジン表面の光沢が消えたら，リライニングジグのまま加圧釜の温水中に入れて重合を行う．

⑧　重合終了後，研磨を行い，リラインが完了する．

フラスクに埋没しない方法の特徴は表 21-2 に示す．

22 オーバーデンチャー

到達目標

① オーバーデンチャーの目的を述べる．
② オーバーデンチャーの種類を列挙できる．

　オーバーデンチャーとは，歯根あるいはインプラントを被覆する形態の可撤性義歯である（図22-1，2）．歯冠部を切除した歯根に根面板や根面アタッチメントを支台装置として適用し，義歯の維持・安定をはかる．
　形態的に以下に分類できる．

① **コンプリートオーバーデンチャー**：全部床義歯形態のオーバーデンチャーであり，残存歯はすべて義歯により被覆される．少数歯残存症例に適用されることが多く，最終義歯として適用する以外に，全部床義歯への移行義歯にもなる（図22-3，4）．

② **パーシャルオーバーデンチャー**：部分床義歯形態のオーバーデンチャーであり，通常の遊離端義歯の義歯床に数本の残存歯やインプラントが被覆され，支持される（図22-5，6）．

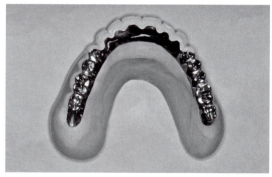
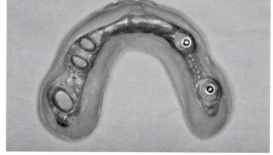

図22-1，2　オーバーデンチャー
残存歯あるいはインプラントを被覆する．

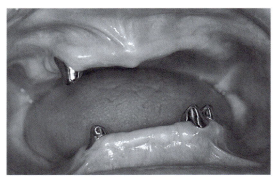
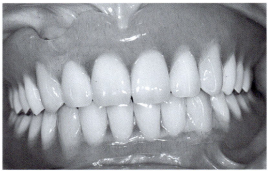

図22-3, 4　コンプリートオーバーデンチャー
残存歯はすべて義歯により被覆される．少数歯残存症例に適用されることが多い．

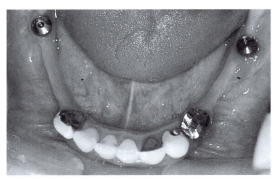
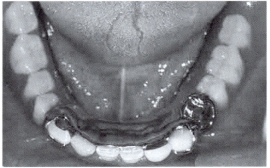

図22-5, 6　パーシャルオーバーデンチャー
通常の遊離端義歯の義歯床に数本の残存歯やインプラントが被覆される．

1 歯根被覆

　　残根に対して歯冠修復や抜歯をせずにオーバーデンチャーの支台とすることには大きな意義がある．

1）オーバーデンチャーの意義

① 歯冠修復できない歯根であっても抜歯を回避できる．
② 歯冠歯根比を改善し，残存歯の負担を軽減できる．
③ 歯根膜の感覚受容器を活用し，リズミカルな咀嚼ができる．
④ 残根を保存することにより，顎堤吸収を抑制できる．
⑤ 義歯の支持，把持，維持を獲得できる．
⑥ 抜歯後の対応が容易なため，移行義歯として適用しやすい．
⑦ 即時義歯に応用できる．
⑧ 咬合平面を揃えることができるため，咬合平衡を得やすい．

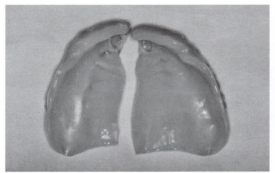
図22-7 義歯の破折を誘発しやすい

図22-8 辺縁歯肉の炎症や腫脹を惹起しやすい

図22-9 バーアタッチメントはバー下部の空隙部に歯肉増殖を発現しやすい

2) オーバーデンチャーの問題点

前述のような利点の反面，通常の全部床義歯や部分床義歯と比較して以下の問題点も有する．

①支台歯上部の義歯床の厚みが不足し，支点になりやすいことから，義歯の破折を誘発しやすい（図22-7）．
②残根周囲の自浄性に劣ることから，辺縁歯肉の炎症や腫脹を惹起しやすい（図22-8）．
③歯肉退縮後に二次齲蝕に罹患しやすい．
④バーアタッチメントにおいては歯肉増殖を発現しやすい（図22-9）．

3) オーバーデンチャーの支台装置

根面板をはじめとするコーピング，各種根面アタッチメントやバーアタッチメントが適用されている．機械的嵌合力や磁力を利用して，維持を得ることができる（図22-10）．

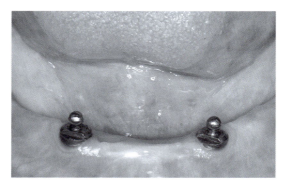

図 22-10　オーバーデンチャーの支台装置
機械的嵌合力や磁力を利用して，維持を得る．写真は機械的嵌合力を利用した支台装置の例．

2 インプラント被覆

　インプラントを支台とした場合には，特に**インプラントオーバーデンチャー**とよばれ，歯根支持オーバーデンチャー同様にコンプリートオーバーデンチャーとパーシャルオーバーデンチャーに分類できる．インプラントに各種のアタッチメントを設置することにより，支持，把持，維持を求めることができる（図 22-11～13）．2002 年の McGill コンセンサス会議では，下顎無歯顎患者に対して 2 本のインプラントを埋入したインプラントオーバーデンチャーは，予知性の高いスタンダードな治療であることが確認された．

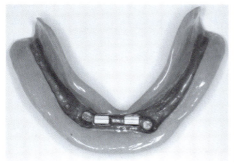 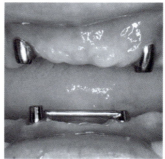 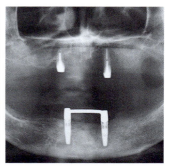

図 22-11～13　インプラントオーバーデンチャー
インプラントに各種のアタッチメントを設置する．

23 金属床義歯

到達目標

① 金属床義歯の利点と欠点を列挙できる．
② 金属床義歯の製作法を説明できる．

　主要な構成要素の一部あるいは全部を金属フレームワークにより製作し，強度，装着感に優れた義歯であり，レジン床義歯に対比して金属床義歯とよばれる（図23-1）．フレームワークは鋳造により製作されるため，設計の自由度が高く，機能的にも優れ，衛生的である．

1 金属床義歯の利点と欠点

1）金属床義歯の利点

① レジン床義歯と比較して強靱である．
② 破損，変形，たわみが少ない．
③ 合理的な設計と製作が可能である（図23-2）．
④ 床が薄くでき，異物感が少ない（図23-3）．
⑤ 熱の伝導性がよい．
⑥ 吸水性がなく衛生的である．
⑦ 適合性に優れる．

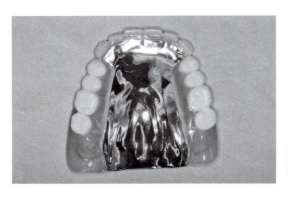

図23-1　**金属床義歯**
主要な構成要素の一部あるいは全部を金属フレームワークにより製作された義歯

23. 金属床義歯

図 23-2　金属床義歯は合理的な設計と製作が可能

図 23-3　金属床義歯は床が薄くでき，異物感も少ない

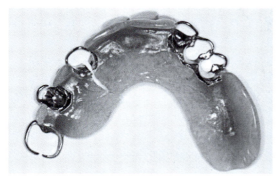

図 23-4　修理や補修が困難

図 23-5　リラインや粘膜調整がしにくい

2）金属床義歯の欠点

① レジン床義歯と比較して修理や補修が困難である（図 23-4）．
② リラインや粘膜調整がしにくい（図 23-5）．
③ 製作ステップが多く，煩雑である．
④ 義歯の重量が増加する．
⑤ 高価である．

2　金属床義歯の種類

1）金属フレームワークの材料

（1）コバルトクロム合金

弾性係数が大きいため，硬くたわみにくい金属であり，最も一般的に使用されている（図 23-6, 7）．

253

有床義歯技工学

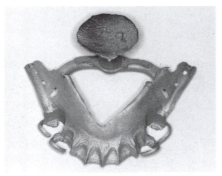
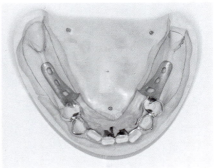

図 23-6, 7　コバルトクロム合金製フレームワーク
弾性係数が大きいため，硬くたわみにくい金属であり，最も一般的に使用されている．

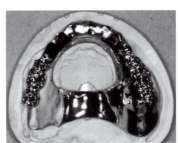

図 23-8, 9　チタン製フレームワーク
生体親和性に優れており，軽量で耐食性も良好である．

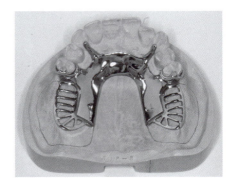

図 23-10　白金加金製フレームワーク
適切な適合性や維持力を付与しやすい．比重が大きく，弾性係数はコバルトクロム合金の約 1/2 である．

（2）チタン，チタン合金

　生体親和性に優れており，軽量で耐食性も良好である．弾性係数は金合金と同等であるが，酸化しやすいことから特別な鋳造機が必要である（図 23-8, 9）．

（3）金合金（白金加金）

　加工性や鋳造精度に優れており，適切な適合性や維持力を付与しやすい．比重が大きく，弾性係数はコバルトクロム合金の約 1/2 である（図 23-10）．

2）顎堤部フレームワークの構造

　欠損部顎堤に接する金属フレームワークの構造により，下記の 4 種類に分類できる（図 23-11）．

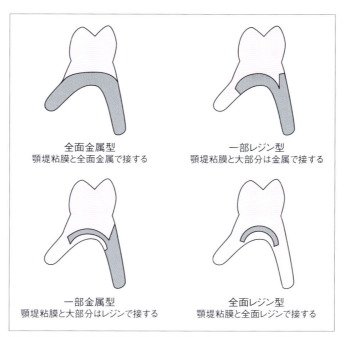

図 23-11　欠損部顎堤に接する金属フレームワーク構造

（1）全面金属型

顎堤粘膜に全面が金属で接する設計の義歯であり，義歯床内面はすべて金属で製作される．粘膜面の削合やリラインが困難であり，現在はほとんど製作されない．

（2）一部レジン型

顎堤粘膜に接するほとんどの義歯床内面が金属で製作されている．比較的小型の中間欠損型義歯で，粘膜面の調整がほとんど必要のない症例に適用される．

（3）一部金属型

経年的に顎堤粘膜が大きく吸収変化しそうな部位の粘膜面をレジンで，顎堤吸収が変化しにくい部位の粘膜面を金属で製作する．上顎全部床義歯の口蓋部に適用されている．

（4）全面レジン型

粘膜面に接する義歯床内面がすべてレジンで製作される．義歯床粘膜面の調整やリラインが最も容易であり，遊離端欠損や少数歯残存症例など顎堤部の調整頻度が高い症例に適用される．

有床義歯技工学

3　全部床義歯のフレームワーク

全部床義歯のフレームワークは下記のいずれかにより製作される.

1）鋳造床

通常のフレームワークと同様に耐火模型上でパターンを製作し，コバルトクロム合金，チタン，チタン合金，金合金などを用いて鋳造により製作される．現在，ほとんどすべての金属口蓋床は鋳造床である（図 23-12）.

2）CAD/CAM（詳細は 24 章を参照）

口腔内を直接口腔内スキャナー（intraoral scanner）にてスキャンするか，作業模型を据置型スキャナーにてスキャンして得られた3次元データをもとに，CADにてフレームワークの設計を行う．フレームワークのSTLデータを加工機に出力し，金属ディスクよりミリング（切削切工）するか，あるいは金属粉末を用いて粉末床溶融結合法（付加製造法）により造形する（図 23-13，14）.

4　部分床義歯のフレームワーク

コバルトクロム合金を用いた一般的な部分床義歯フレームワークの鋳造製作方法は以下のとおりである.

1）模型と設計

下顎両側遊離端欠損症例に対して，歯科医師が診察と検査を行い，通法に従いアルジネート印象材を用いた概形印象から研究用模型を製作する．模型上で基本設計を行い，個人トレーを製作する．次の来院時には，印象前の基本設計に従い，レストシート，ガイドプレーンの形成，支台歯の形態修正等の前処置を施す．個人トレーを使用して，遊離端部はモデリングコンパウンドによる筋圧形成を行い，シリコーンゴム印象材を用いた機能印象（加圧印象）を採得する．印象をボクシングした後，気泡が混入しないように石膏を注意深く注入し作業用模型を製作する.

作業用模型をサベイヤーに装着し設計を行う（図 23-15）．設計は歯科医師と歯科技工士との間で表記方法を取り決めて解釈を容易にしておく．通常，サベイラインは黒色，金属部分は赤色，レジン部分は青色で表記され，リリーフ部位や量，金属部の厚みなどを示す設計補助線は黒色で作業用模型上に具体的数値が記入される．最終の設計に従い，作業用模型上にブロックアウトやリリーフを行う（図 23-16）.

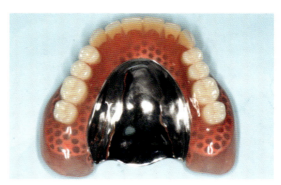

図 23-12 鋳造床

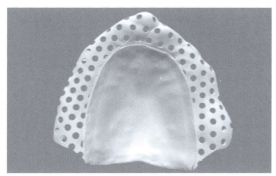
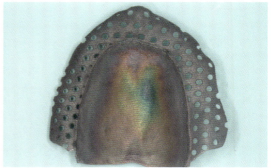

図 23-13, 14 CAD/CAM

2) 複印象

　一般に金属床義歯フレームワークは**型ごと埋没法**により製作される．そこで，ブロックアウトやリリーフを行った作業用模型から複模型を製作するために，寒天印象材やシリコーンゴム印象材を用いて複印象を行う（図 23-17）．

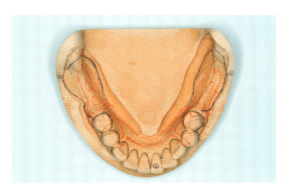
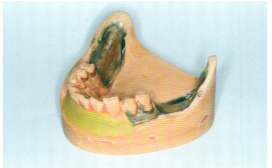

図 23-15　下顎両側遊離端欠損症例の模型と設計　　図 23-16　ブロックアウトやリリーフを行った作業用模型

図23-17 シリコーンゴム印象材による複印象

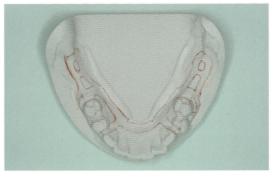
図23-18 リン酸塩系埋没材を用いた耐火模型の製作

（1）シリコーンゴム印象材による複印象

　作業用模型を複印象用のフラスクに固定し，気泡が入らないように注意してシリコーンゴム印象材をフラスクに満たす（図23-17）．印象材の硬化後，印象枠を大きく変形させないように作業用模型を取り出す．

　シリコーンゴム印象材は経時的な寸法精度にも優れ，寒天印象材に比較して作業時間も短縮されるが，できるだけ精度を高めるためにはシリコーンが均一の厚さとなるように心がける．

（2）寒天印象材による複印象

　一般に寒天印象材は85～100℃に加熱すると流動性のあるゾルに，40～70℃で弾性のあるゲルとなる．寒天印象材は反復使用ができるが，注入時間や温度管理に注意が必要である．

　まず作業用模型を30～40℃の水中に5～15分浸漬し，吸水させる．模型表面の水分を拭き取り，寒天印象用フラスクに模型を固定する．約45～55℃で溶解した寒天をフラスク上端まで注入する．その後フラスクごと冷却し，印象を壊さないように作業用模型を複印象から取り出す．

3）耐火模型の製作と表面処理

　　複印象に鋳込み口を付与するためにスプルーコーンを付与し，耐火模型材を真空撹拌して気泡が混入しないように慎重に注入する．コバルトクロム合金用の耐火模型材には，鋳造用合金の溶湯温度を考慮してリン酸塩系埋没材が選択される．耐火模型材の硬化後は，スプルーコーンを除去，トリミングし，乾燥器に入れて100～110℃で約1時間乾燥する．その後にビーズワックスへの浸漬（ワックスバス）やコーティング材の塗布などの表面処理を行い，表面を硬化し滑沢にする（図23-18）．

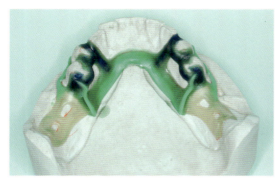
図 23-19　耐火模型上でのワックスパターン形成

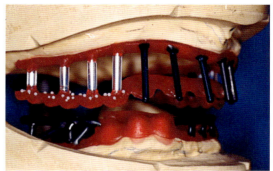
図 23-20　立体的フレームワークを構築する場合には強度に優れたレジンパターンやスチロール樹脂を使用

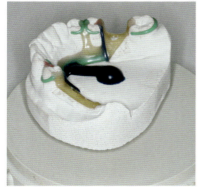
図 23-21　模型裏面からスプルーコーンを挿入するインバーテッドスプルーイング

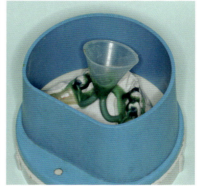
図 23-22　メインスプルーを植立し模型の上方にスプルーコーンを付与するトップスプルーイング

図 23-23　模型の後方にスプルーコーンを付与するポステリアスプルーイング

4）ワックスパターン形成

耐火模型完成後に設計線を転写し，フレームワークのワックスパターン形成を行う．既製の各種ワックスパターンを使用して，クラスプ鉤腕，バー，格子部のパターンを製作する（図 23-19）．特に支台装置のワックス形成は幅や厚みなどに十分に注意して設計意図に合わせる．またバッキングなどの立体的フレームワークを構築する場合には，強度に優れたレジンパターンやスチロール樹脂を使用するとよい（図 23-20）．

5）スプルー線の植立

スプルーの植立には，模型裏面からスプルーコーンを挿入するインバーテッドスプルーイング（図 23-21），模型の上方に設定するトップスプルーイング（図 23-22），模型の後方に設定するポステリアスプルーイング（図 23-23）などの方法がある．

スプルーは溶湯金属のスムーズな流れを考慮し，パターンの最厚部に植立し，移行的に仕上げる．湯口はパターンより最低でも 3〜4 mm 高く，鋳型中央に設置する．ま

有床義歯技工学

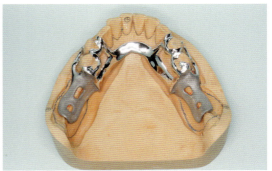

図 23-24 鋳造後は急冷をせずに，放冷後に埋没材を除去し鋳造体を変形させないように注意して割り出す

図 23-25 最終仕上げ研磨を行った金属フレームワーク

た．鉤先端部は連結しておくと変形を防ぐことができる．

6）埋　没

ワックスパターンにスプルー線を植立した後，界面活性剤を塗布してワックスと埋没材とのぬれをよくする．埋没材はメーカー指示に従い，真空練和後に気泡を巻き込まないよう型ごと埋没を行う．埋没材の硬化後に鋳造リングを取り外し，リングレスの鋳型とすることで埋没材の硬化膨張や加熱膨張を妨げないようにする．

7）焼却，鋳造，割り出し

加熱膨張タイプの耐火模型材には厳密な昇温スケジュールが非常に重要であり，電気炉を用いて徐々に昇温しワックスの焼却を行わなければならない（ヒートショックと称し，高温の炉内に一気に入れることができる埋没材も開発されている）．鋳造後は急冷をせず，放冷後に埋没材を除去し，鋳造体を変形させないように注意して割り出す（図 23-24）．

8）研　磨

鋳造体を割り出した後，強固に焼き付いている耐火模型材と酸化膜をサンドブラスターを使用して完全に除去する．スプルーはセパレーティングディスクを用いて切断し，カーボランダムポイントを用いてバリの除去や形態修正を行う．その後，電解研磨により，表面をさらに滑沢に仕上げる場合もある．次いで，各種のバー，ポイント，ホイールを使用して平滑に研磨する．その後はフェルトやバフを用いて最終仕上げ研磨を行う．

完成したフレームワークは作業用模型を傷つけないよう注意深く試適し，強いアンダーカット部などを調整する．レストやティッシュストップを視認し，適合しているかを確認する（図 23-25）．さらに口腔内で試適し，適合，咬合，維持力を確認する．

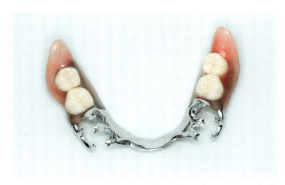

図 23-26　フレームワーク上に人工歯を戻し，歯肉形成後，フラスク埋没，レジン填入，重合，取り出し，研磨を行い，完成した金属床義歯

9）完　成

通法に従い，フレームワーク上に人工歯を戻し，歯肉形成後，フラスク埋没，レジン填入，重合，取り出し，研磨を行い，金属床義歯を完成する（図 23-26）．

5　フレームワーク製作に必要な技工操作

1）ブロックアウト（図 23-27）

義歯の着脱方向に対して生じる不必要なアンダーカットを，石膏，ワックス，セメントなどを用いて閉塞することである．通常，支台歯隣接面，残存歯舌側，上顎結節頬側部，唇頬側顎堤にアンダーカットが生じやすい．

作業用模型上でサベイラインの下方にブロックアウト材料を盛り上げ，サベイヤーにテーパートゥールやワックストリマーを装着し，義歯の着脱方向に合わせて形成する．

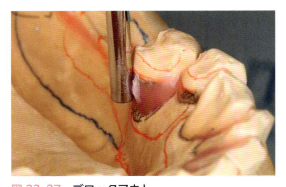

図 23-27　ブロックアウト
義歯の着脱方向に対して生じる不必要なアンダーカットを石膏，ワックス，セメントを用いて填塞する．

有床義歯技工学

図 23-28　リリーフ
骨隆起や骨鋭縁部，抜歯窩など，粘膜の被圧変位量が小さい部位や局所的に保護の必要な部位に対して，義歯床との間にスペースを付与する．

図 23-29　ビーディング
フレームワークの適合性と辺縁封鎖性の向上をはかるため，作業用模型上に 0.3～0.5 mm の溝を形成し，フレームワーク辺縁に小さな凸部を付与する．

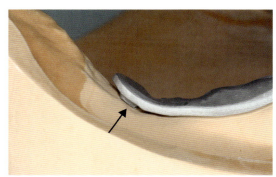

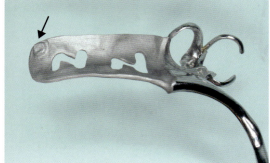

図 23-30, 31　ティッシュストップ
レジン塡入時のフレームワーク維持格子の変形や沈下を防止するために付与するストッパー．

2) リリーフ (図 23-28)

　　骨隆起や骨鋭縁部，抜歯窩など，粘膜の被圧変位量が小さい部位や局所的に保護の必要な部位に対して，義歯床との間にスペースを付与することである．作業用模型上のリリーフが必要な部位に対して，錫箔や鉛箔を貼付するかワックスを盛り上げて，被圧変位量の補正を行う．

3) ビーディング (図 23-29)

　　フレームワークの適合性と辺縁封鎖性の向上をはかるため，作業用模型上に 0.3～0.5 mm の溝を形成し，フレームワーク辺縁に小さな凸部を付与することである．通常，上顎義歯の口蓋を走行する大連結子の辺縁に付与される．

4) ティッシュストップ (図 23-30, 31)

　　遊離端義歯のレジン塡入時にはフレームワーク維持格子の変形や沈下が生じやすい．これらを防止するために，維持格子の最後方部が作業用模型と接して，変位しな

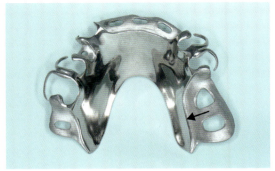

図 23-32, 33　フィニッシュライン
義歯表面に存在するレジン部と金属部の境界線であり，金属部に段差を付与し，粘膜面側は内側フィニッシュライン，研磨面側は外側フィニッシュラインとよばれる．

いようにストッパーとして付与される．

5) フィニッシュライン（図 23-32, 33）

　　　義歯表面に存在するレジン部と金属部の境界線をフィニッシュラインという．レジンで金属表面を覆うように移行的に接合させると，レジンの剝離や破折が生じやすいことから，金属部に段差を付与して，レジンに一定の厚みをもたせて接合させなければならない．フィニッシュラインは義歯床の粘膜面側と研磨面側の両面に設定されるが，粘膜面側は内側フィニッシュライン，研磨面側は外側フィニッシュラインとよばれている．レジンと金属の接合部は機能時に大きな応力が生じやすいことから，強度を確保するために内側フィニッシュラインと外側フィニッシュラインを 1 mm 以上ずらして設定する必要がある．また，フィニッシュラインは義歯の補強効果を高めるために重要で，その形態は鋳造時の湯道ともなる．

24 その他の有床義歯

1 ノンメタルクラスプデンチャー

義歯の維持部を義歯床用の樹脂を用いて製作した可撤性部分床義歯である．レジンクラスプ（樹脂クラスプ）とよばれるレジン製の維持部を有する．金属を全く使用しない樹脂のみで製作される義歯だけでなく，金属レストや従来型フレームワークを併用した金属を混在させた設計の義歯を含めた総称である．

1）種類と適応症

（1）樹脂のみのノンメタルクラスプデンチャー

ノンメタルクラスプデンチャーのなかでも金属を全く使用しない義歯である（図24-1）．

適応症としては，以下のものなどがある．

① 暫間義歯：インプラント治癒期間中や最終義歯装着前の短期間のみの使用に限定した義歯．
② スペア用義歯：通常の本義歯としては使用しない，いわゆる「外出用」あるいは「予備用」の義歯．
③ 金属アレルギー症例：市販の歯科用金属すべてにアレルギーが認められる患者．
④ 前歯部少数歯欠損症例（図24-2）：前歯欠損で審美領域にクラスプを設置しなければならない小型義歯．
⑤ 咬合支持のある少数歯欠損症例：多数の残存歯により咬合位が保持されてお

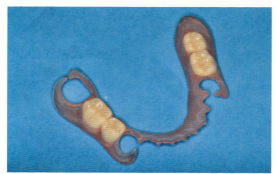

図24-1 金属を全く使用しない樹脂のみで製作されたノンメタルクラスプデンチャー

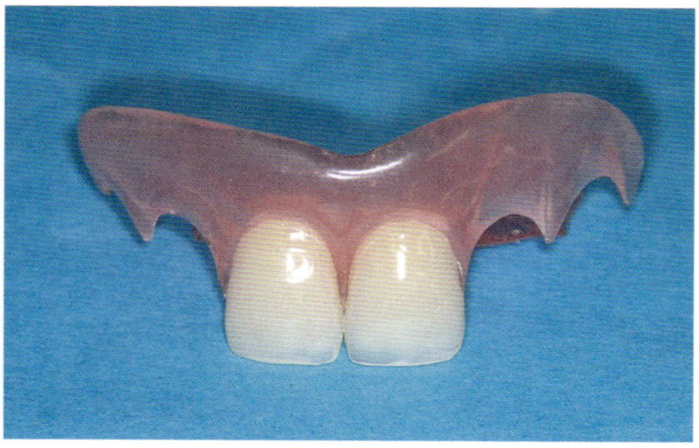

図24-2 前歯部少数歯欠損症例

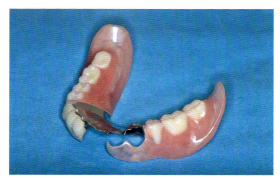

図 24-3　金属レストや従来型フレームワークなどの金属構成要素を含んだノンメタルクラスプデンチャー

り，咬合が非常に安定している症例．
　⑥　エピテーゼ：審美外観回復のための顔面補綴装置．
　⑦　義歯に機能力の負担がかからない症例：対合関係や欠損の状況により，義歯に機能力がほとんど負荷されない場合．
　⑧　審美性を最優先せざるを得ない症例：職業上または生活上，どうしても従来のメタルクラスプが許容されない患者．
　⑨　支台歯の切削（前処置）に同意が得られない症例：前処置をしなければクラスプを走行させることができない，咬合接触が緊密な状態．

（2）金属構成要素を含むノンメタルクラスプデンチャー

　金属レストや従来型フレームワークなどの金属構成要素を含んだノンメタルクラスプデンチャーである（図 24-3）．
　基本的に広い範囲に適応可能であるが，審美領域のレジンクラスプを除いて部分床義歯の設計原則を遵守したものでなければならない．

2）使用樹脂

　ノンメタルクラスプデンチャー用材料として認証されている熱可塑性樹脂は，ポリアミド系（ナイロン樹脂），ポリエステル系，ポリカーボネート系，アクリル系，ポリプロピレン系などがある．これらの樹脂の材料学的性質は大きく異なることから，各材料の性質を十分理解し，適切な使用材料を選択するとともに，曲げ強さ，弾性率，レジンとの接着性など，素材の特性を考慮した義歯設計が求められる．特に熱可塑性樹脂の一部は射出成形後の冷却により大きく収縮することから，アニーリングや複模型に高膨張石膏を使用して収縮を補償しなければならない．

図 24-4　素材によっては耐久性に劣り，短期間で変色や表面粗れを生じる

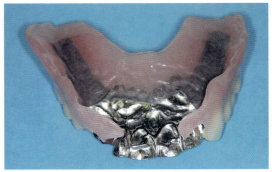
図 24-5　ノンメタルクラスプデンチャーの設計
支持，把持機能はフレームワークが負担し，審美領域の支台歯にのみレジンクラスプを使用する．

3）利点と欠点

（1）利点

① 審美性：レジンクラスプはメタルクラスプと比較して審美的に優れている．
② 装着感：薄床化や軽量化がはかれることから，装着感は良好とされている．
③ アレルギー：樹脂のみの義歯であれば，金属アレルギーの心配は全くない．また，熱可塑性樹脂を使用するので残留モノマーによるアレルギーを防止することもできる．

（2）欠点

① 材料の着色・劣化：素材によっては耐久性に劣り，短期間で変色や表面粗れを生じる（図 24-4）．
② 研磨が困難：従来のアクリルレジンと比較して研磨は非常に困難であり，専用研磨剤が必要である．
③ 維持部の破折，維持力調整や修理が困難：メタルクラスプと比較してレジンクラスプの維持力調整は困難である．レジンクラスプの追加や破折修理は，間接法によりレジンクラスプや修理片を再射出成形し，義歯との一体化をはかる．
④ 非衛生的環境：レジンクラスプは支台歯の辺縁歯肉を広く覆うため自浄性が低下することから，歯周疾患や齲蝕のリスクが高くなる．

4）設計と製作

　基本的には義歯全体の剛性が重要であり，特に大連結子がたわまないよう注意する．強固なフレームワークを併用することで，義歯の支持，把持といった主要な機能はフレームワークが負担し，審美領域の支台歯に求められる維持のみをレジンクラスプが担うように設計する（図 24-5）．レジンクラスプは支台歯周囲の辺縁歯肉を広く被覆し自浄性を低下させるため，レジンクラスプは審美領域に限定して使用すること

24. その他の有床義歯

図24-6 レジンクラスプは使用する熱可塑性樹脂の弾性率により，クラスプアームの幅，厚み，アンダーカット量を調整する

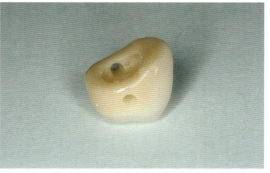
図24-7 人工歯の基底面や近遠心部に保持孔を付与して機械的結合をはかる

が推奨される．

しかしながら，本稿では理解のしやすい樹脂のみのノンメタルクラスプデンチャーの製作手順を概説する．

(1) 模型の製作と設計

通常の部分床義歯と同様に，設計線に従い作業用模型のブロックアウトとリリーフを行う．特に辺縁歯肉はわずかな機械的刺激にも敏感に反応し，歯肉退縮や炎症を惹起するため，同部を加圧しないよう適切なリリーフが必要である．レジンクラスプは使用する熱可塑性樹脂の弾性率により，クラスプアームの幅，厚み，アンダーカット量を調整する（図24-6）．長期使用により緩みが生じる可能性もあるため，ワイヤーによる頰舌的連結などの対策もとられている．

(2) 複模型の製作

ポリアミド系のような射出成形後の収縮が大きな熱可塑性樹脂を使用する場合には，作業用模型を複印象し，高膨張石膏を用いて複模型を製作する．

(3) ろう義歯の製作

通法に従い，人工歯排列を行う．人工歯と義歯床の化学的結合は期待できないため，人工歯の基底面や近遠心部に保持孔を付与して機械的結合をはかる（図24-7）．設計線に従いレジンクラスプのワックスパターン形成を行う（図24-8）．

(4) スプルー線の植立と埋没

専用フラスコに下部埋没を行った後，直径約8 mmの円柱状ワックスを用いてスプルー線の植立を行い，フラスコの射出口まで延長する（図24-9）．その後，上部埋没を行う．

267

有床義歯技工学

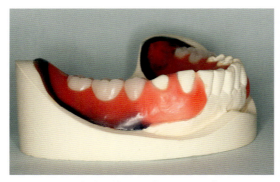

図 24-8 設計線に従いレジンクラスプのワックスパターン形成を行う

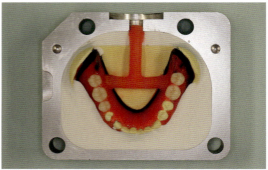

図 24-9 専用フラスクに下部埋没を行った後，直径約 8 mm の円柱状ワックスを用いてスプルー線の植立を行い，射出口まで延長する．

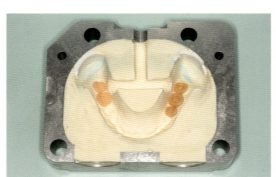

図 24-10，11 通法どおり流ろうを行った後，フラスクを閉じ合わせ，専用の射出成形機に装着する

(5) 射出成形

通法どおり流ろうを行った後，フラスクを閉じ合わせ，専用の射出成形機に装着する（図 24-10, 11）．メーカー指示に従い融解温度と射出圧を調整して熱可塑性樹脂のペレットを融解し，フラスク内に射出する（図 24-12）．

(6) 取り出し，形態修正，研磨

射出成形後，石膏型より取り出し，通法に従い形態修正をした後，専用の研磨材を使用して研磨完成する（図 24-13）．

24．その他の有床義歯

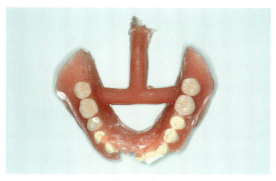
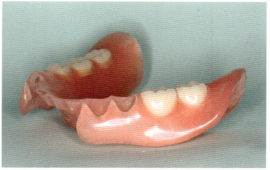

図 24-12　メーカー指示に従い融解温度と射出圧を調整して，熱可塑性樹脂のペレットを融解し，フラスク内に射出する

図 24-13　通法に従い形態修正をした後，専用の研磨材を使用して研磨完成する

2　CAD/CAMシステムによる義歯

　有床義歯分野においてもCAD/CAMを利用した義歯の製作が試行され始めている．デジタルデータを利用するため，①遠隔操作が可能，②再製作が容易，③再現性が高いなど多くの利点が挙げられる．ただし，固定性補綴装置やインプラント上部構造と異なり，いまだフルデジタル化は確立していない．

1）全部床義歯の製作

（1）製作方法の概要

　全部床義歯は義歯床と人工歯で構成される単純な構造のため，早くからCAD/CAM製作が開始されていた．しかし，求められる色調や理工学的性質が異なる2種類の樹脂を使用するため，ほとんどの症例で義歯床と人工歯は分けて製作されている．

[製作手順]

　①　上下顎作業用模型および顎間関係を据置型スキャナーにてスキャンする．（図24-14）

　②　得られたスキャンデータ（STLデータ）をCAD上で上下顎の顎間関係の構築を行い，人工歯排列と義歯床のデザインを行う．（図24-15, 16）

　③　デザインデータを基に液槽光重合法による単色の試適用義歯を製作し，咬合関係や歯列形態を口腔内で確認する．（図24-17, 18）

　④　義歯床と人工歯のデザインデータ（NCデータ）を別々にCAM（ミリング法もしくは液槽光重合法）に出力する．既存の人工歯を使用することも可能である．（図24-19）

　⑤　義歯床と人工歯を接着し，一体化して仕上げる．（図24-20）

有床義歯技工学

図 24-14 作業用模型のスキャン

図 24-15 粘膜面の読み込みと顎間関係の構築（CAD）

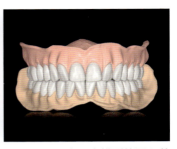
図 24-16 人工歯排列位置と義歯形状のデザイン

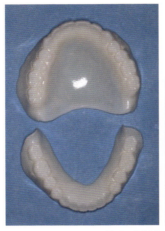
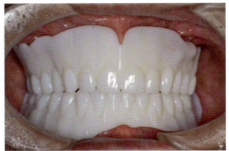
図 24-17, 18 液槽光重合法で製作された試適用義歯

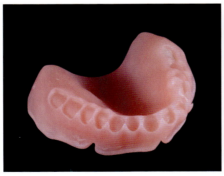
図 24-19 ミリング法もしくは液槽光重合法による義歯床の製作

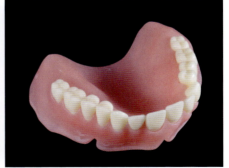
図 24-20 義歯床と人工歯の接着

（2）加工方法

a. ミリング法（切削加工法）による製作

　アクリルレジンディスクをミリングして義歯床や人工歯の形状に加工する．（図24-21）

24. その他の有床義歯

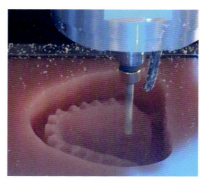

図 24-21 ミリング法による義歯床の製作

図 24-22〜24 液槽光重合法による義歯床と人工歯の製作

[利点]
① 高重合度のレジンディスクを使用するため，高い強度を有することから，口蓋を薄く製作することが可能である．
② 重合収縮などの変化がないため，高精度で製作することができる．

[欠点]
① 切削屑を再利用することができないため材料の無駄が多い．
② 一塊のディスクから製作するため，生産効率が悪い．
③ ディスクの大きさに限界があるため，顎義歯など高さを必要とする症例には適用できない．
④ 機器の切削軸の関係から曲線を正確に再現できないことがある．

b．付加製造法による製作（図 24-22〜24）

付加製造法のなかでも液槽光重合法が一般的に用いられている．紫外線を液体樹脂のプールに照射し，サポートで造形物を支えながら一層ごとに硬化させていく方法で，装置は比較的小型の装置で，材料の管理もしやすい．

[利点]
① 紫外線により硬化した材料以外は再利用できるため，材料の無駄がない．
② 中空形態を含めた複雑な形状の造形をすることができる．

有床義歯技工学

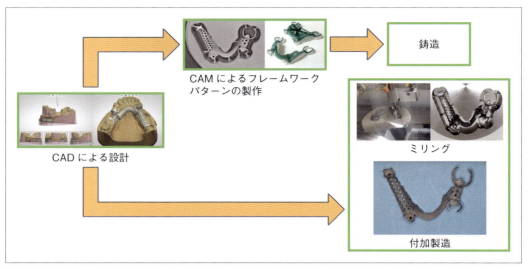

図 24-25　CAD/CAM を利用したフレームワーク製作の流れ

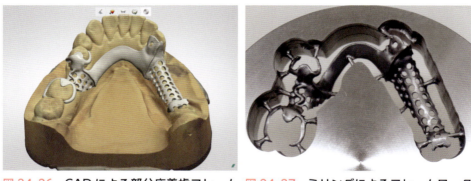

図 24-26　CAD による部分床義歯フレームワークの設計

図 24-27　ミリングによるフレームワークの製作

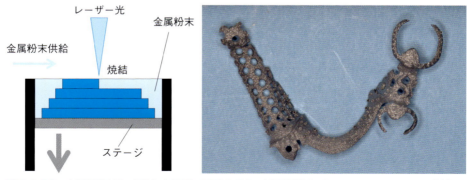

図 24-28　付加製造法（粉末床溶融結合法）の仕組み

図 24-29　付加製造によるフレームワークの製作

③　複数の補綴装置を同時に造形できるため，生産効率が高い．

[欠点]

①　重合収縮や造形角度が適合性に影響する．

②　重合が不均一になる可能性がある．

③　液槽光重合後にサポートの除去，溶剤による洗浄，二次硬化などの後処理が必要である．

④　機械的特性がミリングによる義歯よりも劣る．

2）部分床義歯への応用

（1）製作の概要

部分床義歯では主としてフレームワークの製作に CAD/CAM が利用されている．鋳造と比較して鋳造欠陥やテクニカルエラーが少ないため品質が安定している．（図 24-25）

[製作手順]

①　作業用模型を据置型スキャナーにてスキャンする．

②　得られた模型のスキャンデータ（STL データ）を用いて CAD 上でフレームワークの設計を行う．（図 24-26）

③　フレームワークのみのデザインデータ（NC データ）を CAM（ミリングもしくは付加製造）に出力して加工・造形する．

（2）加工方法

フレームワークにおいても金属ディスクをミリングする方法（図 24-27）と金属粉末を付加製造する方法（図 24-28）が行われている．付加製造には粉末床溶融結合法とよばれる方式が採用されており，金属粉末を光源で溶解と凝固を繰り返しながら，1 層ずつ重ねて造形していく（図 24-29）．金属加工機は大型であるため，マシニングセンターなどが利用されている．そのためフレームワーク製作のための CAD/CAM 利用としてはパターンをワックスもしくは樹脂を用いて付加製造し，従来どおりに鋳造する技工術式も採用されている．

---

*3D プリンター：付加製造法に用いる機器の一部は 3D プリンターとよばれる．

義歯のケア

1. 義歯清掃の重要性

義歯の清掃を怠ると，義歯にデンチャープラークが付着する．デンチャープラークには *Candida albicans*（カンジダ菌）が存在し，義歯に覆われた口腔粘膜の炎症や紅斑を招く．これを義歯性口内炎（図1）とよび，義歯の機械的刺激によって生じる褥瘡性潰瘍とは区別される．口角炎や舌炎を併発することもあり，さらには誤嚥性肺炎など全身の健康を損なう一因にもなりうる．

2. 義歯の清掃法（デンチャープラークコントロール）

義歯の清掃には機械的清掃と化学的清掃の両者を併用する必要がある．義歯使用者や介護者が行うホームケアと歯科医療従事者が行うプロフェッショナルケアに分けられる．

1）機械的清掃

義歯ブラシを用いて流水下で刷掃する（図2）．義歯専用のクリーナー（図3）は補助として有効であるが，一般の歯磨剤の使用は義歯床用レジンを傷つけ，むしろ菌の温床をつくるので避ける．また，超音波洗浄器（図4）は短時間で効果的に洗浄できる．プロフェッショナルケアとして，歯科技工士による義歯の再研磨は有益である．

2）化学的清掃

機械的清掃のみではカンジダ菌などを除去できないため，義歯洗浄剤による化学的清掃が不可欠である（図5）．義歯洗浄剤は毎日の使用が推奨され，歯石や着色の除去，消臭効果も期待される．義歯洗浄剤は有効成分により，過酸化物系，次亜塩素酸系，酵素系，酸系など多数分類されるが，ホームケアには過酸化物系と酵素系を組み合わせた製品が比較的広く使用されている．プロフェッショナルケア用の強力な義歯洗浄剤も市販されている（図6）．

図1 義歯性口内炎．汚れた義歯の装着により床下粘膜に炎症や紅斑がみられる

図2 義歯ブラシを用いて流水下で刷掃．落下時の破損を防ぐためザルや水を張った洗面器の上で実施

3. 夜間の義歯撤去と水中保存

夜間は義歯を外し，専用義歯ケースに入れて水中保管する．この時に義歯洗浄剤を使用する．少数歯残存症例などで義歯がないと一部の歯の負担が大きい場合や対向する粘膜に当たる場合，さらに顎関節症患者などでは，夜間も装着させることもある．その場合でも，入浴時など1日1回は必ず義歯を外す時間を確保し，化学的清掃を行う．

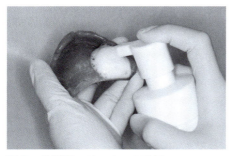

図3　義歯用クリーナーの使用

図4　超音波洗浄器に義歯洗浄剤を併用する

図5　専用義歯ケースに水と義歯洗浄剤を1錠入れ，夜間の就寝中に義歯の化学的洗浄を行う

図6　プロフェッショナルケア用の義歯洗浄剤

参考文献

1) 雨森　洋ほか：部分床義歯の予後に関する臨床的研究（Ⅱ）　第2報　部分床義歯の使用状態について．補綴誌，12：155-171，1968.

2) Uhlig, H.：Zahnersatz für Zahnlose. Quintessenz, Berlin, 1970.

3) 中沢　勇：部分床義歯学．永末書店，京都，1971.

4) 佐野昌雄：要説解剖学．南江堂，東京，1974.

5) Boucher et al.：Prosthodontic treatment for edentulous patients. 7th ed., Mosby Inc., 1975.

6) 渋谷隆司ほか：部分床義歯の予後に関する研究（Ⅱ）　第3報　義歯の破損などについて．補綴誌，20（1）：24-30，1976.

7) Watt, M. D.：Designing Complete Denture. W. B. Saunders, Saint Louis, 1976.

8) 林都志夫編：全部床義歯補綴学．医歯薬出版，東京，1982.

9) 尾花甚一ほか：パーシャルデンチャーの臨床．医歯薬出版，東京，1983.

10) 井田一夫：歯科鋳造の話し．クインテッセンス出版，東京，1987.

11) 藍　稔ほか：QDT別冊/材料からみたパーシャルデンチャー．クインテッセンス出版，東京，1990.

12) 松尾悦郎ほか：標準パーシャルデンチャー．医学書院，東京，1990.

13) 大橋正敬ほか：最新歯科理工学．学建書院，東京，1990.

14) 大谷隆之ほか：義歯修理症例に関する検討　第1報　レジン床破折症例の調査．補綴誌，35（5）：977-982，1991.

15) 権田悦通，杉上圭三：歯科技工士教本　有床義歯技工学　全部床義歯技工学．医歯薬出版，東京，1994.

16) 奥野善彦，大番敏行：歯科技工士教本　有床義歯技工学　部分床義歯技工学，医歯薬出版，東京，1995.

17) Louisj, B., Robert, R. 著，芝　燁彦訳：可撤性局部床義歯の臨床．医歯薬出版，東京，1996.

18) 守川雅男：パーシャルデンチャーその考え方と臨床．クインテッセンス出版，東京，1997.

19) 小出　馨，西川義昌編：補綴臨床別冊/図解・咬合採得．医歯薬出版，東京，2001.

20) 小出　馨，星　久雄編：補綴臨床別冊/基本クラスプデンチャーの設計．医歯薬出版，東京，2002.

21) Phoenix, R. D., Cagna, C. R., Defreest, C. D.：Stewart's clinical removable partial prosthodontics. Quintessence, 2003.

22) 小出　馨，星　久雄編：歯科技工別冊/クリニカル・クラスプデンチャー．医歯薬出

版，東京，2004.

23）Carr, A. B., Mcgivney, G. P., Brown, D. T. : MacCracken's removable partial prosthodontics. Mosby, 2005.

24）小正　裕ほか：新歯科技工士教本　有床義歯技工学. 医歯薬出版，東京，2007.

25）Phoenix RD, Cagna DR, DeFreest CF : Stewart's Clinical Removable Partial Prosthodontics. 4th ed. Quintessence, 2008.

26）三谷春保ほか：歯学生のパーシャルデンチャー　第5版. 医歯薬出版，東京，2009.

27）細井紀雄ほか：コンプリートデンチャーテクニック　第6版. 医歯薬出版，東京，2011.

28）五十嵐順正ほか：パーシャルデンチャーテクニック　第5版. 医歯薬出版，東京，2012.

29）日本補綴歯科学会編：歯科補綴学専門用語集　第4版. 医歯薬出版，東京，2015.

30）市川哲雄ほか：無歯顎補綴治療学　第3版. 医歯薬出版，東京，2016.

31）藍　稔・五十嵐順正編：スタンダードパーシャルデンチャー補綴学. 学建書院，東京，2016.

32）中嶌　裕ほか編：スタンダード理工学　第6版. 学建書院，東京，2016.

33）日本補綴歯科学会：補綴歯科治療過程における感染対策指針. 2019.

索　引

あ

アーク	183
アーライン	29
アイヒナーの分類	108
アタッチメント	138, 174
アップライト部	117
アナライジングロッド	175
アメリカ・フランス併用式埋没法	82, 215
アメリカ式埋没法	82, 214
アルコン型	48
アルコン型半調節性咬合器	172
アルジネート印象材	160
アンダーカット	16, 35, 174, 175
アンダーカットゲージ	175
アンダーカット部	177
アンチモンソンカーブ	10
圧負担能力	15
粗研磨	184

い

インバーテッドスプルーイング	259
インプラントオーバーデンチャー	251
囲繞性	119
移行義歯	21, 110
維持	105, 119
維持機能	117
維持歯	104
維持装置	104
維持腕	119
一次埋没	83
一部レジン型	255
一部金属型	255
入れ歯師	5
印象	32
印象採得	24, 32
印象材	32
印象体の管理	18

う

ウィリアムズの三基本型	14
ウィルソンの彎曲	10

え

エーカースクラスプ	124
エンブレジャークラスプ	125
液槽光重合	271
延長腕鉤	129
遠心鋳造	183
嚥下	3, 4, 23
嚥下機能	19

お

オーバージェット	63
オーバーデンチャー	248
オーバーバイト	63
オトガイ棘	29
オトガイ結節	29
オトガイ孔	29, 35
オトガイ舌骨筋	8
オルタードキャスト法	158, 165
横口蓋ヒダ	28

か

カーボランダムポイント	92
カーボランダム泥	92
カーボンマーカー	175
カンペル平面	11
ガイドプレーン	130, 131, 173
下顎	7
下顎運動	4, 7
下顎運動機能	10
下顎窩	7
下顎後退型	31
下顎骨	7
下顎前突型	31
下顎頭	7
下顎法	61, 68
下顎隆起	29, 35, 162, 169
下唇小帯	29, 42
下唇線	47
下腕	117, 179

加圧印象	33, 159
加圧式鋳造	183
加圧注入法	88
加熱重合法	213
可撤性	6
可撤性補綴装置	5
可動式サベイヤー	176
仮想咬合平面	45
仮想線	47
仮義歯	21, 110
仮設計	176
顆頭	7, 172
顆路	90
顆路傾斜角	49
回転	7
開口運動	8
解剖的学維持	23
解剖学的印象	33, 158
解剖学的形態	19
解剖学的人工歯	59
外側バー	153
外側翼突筋	8
概形印象	24, 33, 158, 159
顎運動	4
顎関節	7, 15
顎舌骨筋	8, 29
顎舌骨筋線	29, 35
顎堤	9, 15, 28
顎堤弓	9, 28
顎堤頂	28, 42
顎堤粘膜	6, 19
顎二腹筋	8
型ごと埋没法	182, 257
干渉部	95
乾式重合法	87
乾熱重合法	87
間接維持装置	116
間接支台装置	116
間接法	180
寒天埋没法	221
関節円板	7
関節突起	7
緩圧型	138
緩衝	35

環状鉤	116, 123, 124
顔貌	14, 15
顔面高	14

き

キャストクラスプ	120
既製トレー	24, 160, 184
基準平面	11
基礎床	44, 168
基底面	19
貴金属合金	183
機械研磨	184
機能印象	33, 158
機能咬頭	90
機能的回復	4
機能的形態	19
機能的人工歯	59
機能的要件	12
義歯の安定	23
義歯の維持	20, 22
義歯の維持・安定	19, 21, 208
義歯の支持	23
義歯の設計	16
義歯の沈下	133
義歯の動揺	115
義歯床	5, 16, 19, 104, 105, 154, 236
——の修理	236
——の沈下	16
——の動揺	16
義歯床下粘膜	100
義歯床研磨面	8, 19
義歯床粘膜面	19, 100
義歯床用レジン	212
拮抗腕	119
吸引（減圧）鋳造	183
吸着	22
臼歯部排列	201, 204
頬	8
頬筋	8
頬小帯	29
頬側咬頭	95
頬棚	29
局部床義歯	5
近遠心鉤	132
近心レスト	129
金合金	254

金属	19
金属歯	57, 205
金属床義歯	252
筋圧形成	23, 40, 158
筋圧形成印象	33
筋圧中立帯	66

く

クラスプ	16, 116, 178
——の先端	174
クラスプ用材料	132
クラトビル型のRPIクラスプ	130
クリステンセン現象	73
クロール型のRPIクラスプ	130
屈曲バー	197

け

ケネディーバー	132, 153
ケネディーの分類	106
形態的回復	4
形態的要件	7
傾斜	62
欠損歯	4
血餅	9
研究用模型	24, 33, 159
研磨	25, 99, 184, 228

こ

コーヌステレスコープ義歯	142, 143
コバルトクロム合金	253
コルベン状	20, 23, 77, 100, 156, 210
コンダイラーガイド	172
コンダイラー型	48
コンビネーションクラスプ	132
コンプリートオーバーデンチャー	248
ゴシックアーチ	53
ゴシックアーチ描記装置	53
ゴシックアーチ描記法	53
固定性	6
固定性補綴装置	5
孤立歯	164
個人トレー	24, 34, 35, 161
個人トレーの外形線	35

個性的排列	62
口蓋ヒダ	28, 77, 208
口蓋小窩	28, 42
口蓋床	19
口蓋皺襞	28
口蓋部	19
口蓋縫線	42
口蓋隆起	28, 35, 162, 169
口角	47
口角線	47
口腔周囲諸筋	8
口腔前庭	29
口腔底	29
口腔内スキャナー	256
口唇	8
口輪筋	8
広頸筋	8
交叉咬合排列	75
後パラタルバー	149
後堤法	43
後方咬合小面	91
咬筋	8
咬合圧	15, 16, 23, 133, 147
咬合圧負担	23
咬合関係	23, 134
咬合器	7, 25, 48, 168
——の下弓	91
——の上弓	91
——の調節	52
咬合器再装着	89, 227
咬合器再装着法	90
咬合器装着	49
咬合高径	13, 95
咬合採得	24, 45, 168
咬合小面	91
咬合床	24, 44, 168
咬合接触	93
咬合調整	90, 173, 227
咬合堤	44, 168
咬合平衡	72
咬合平面	11, 160
咬合平面板	49, 171
咬合面	19
咬合面レスト	134
咬合様式	204
咬合力	6, 12
咬合彎曲	10

279

咬頭嵌合位	90, 206, 227	支持機能	117	重合	25, 49, 81, 212
――での削合	206	支台歯	104	小帯	29
――における選択削合	93	――の骨植	5	小連結子	104, 147, 154
咬頭傾斜	23	支台歯間線	116	小連結装置	104
咬頭傾斜角	58	支台装置		床縁	20
高周波誘導	183		5, 104, 116, 173, 240	床外形線	41, 155, 162
硬口蓋	28	――の修理	240	床翼部	19
硬質レジン	19	仕上げ研磨	185, 229	笑線	47
硬質レジン歯	57, 205	矢状クリステンセン現象	73	上顎結節	29
硬質石膏	39	矢状顆路傾斜角（度）	52	上顎法	61, 68, 70
鉤	116	矢状切歯路傾斜角（度）	52	上弓	172
鉤外形線	174, 179	歯音	13	上唇小帯	29
鉤脚	117	歯牙彎曲	10	上唇線	47
鉤肩	117	歯冠外アタッチメント	139	上腕	117, 179
鉤歯	104	歯冠軸	62	食片	23
鉤尖	117, 174	歯冠内アタッチメント	138	――の圧入	16, 134
鉤体	117	歯間乳頭	209	食物残渣	100
鉤腕	116	歯茎音	13	――の停滞	16
根面アタッチメント	139	歯根膜支持義歯	107	新生骨	9
混合型	14	歯根膜粘膜支持義歯	108	審美性	4, 19, 60, 201, 208
		歯根膜粘膜負担	23	審美的要件	14
さ		歯根膜粘膜負担義歯	23, 108,	人工歯	5, 19, 56, 104, 105,
		159		157	
サブリンガルバー	152	歯根膜負担	23, 108	――の削合	89, 91
セベイヤー	174	歯根膜負担義歯	107, 159	――の修理	238
サベイライン	16, 174	歯槽骨	3, 4, 9, 15	――の選択	15
サベイング	174, 176	――の吸収	15	――の長径	203
作業用模型	3, 4, 24, 33, 38,	――の添加	15	――の追加	241
163		歯槽頂	28, 42, 65	――の排列位置	13
再装着	25	歯槽頂間線	65	――の幅径	203
紐工師	5	歯槽頂間線法則	42, 65, 70	人工歯列弓	9
最終義歯	9, 21, 108	歯槽頂線	42	人工歯咬合面の削合	90
最大豊隆部	174	歯槽堤	9	人工歯削合	206
削合	25, 90, 206	歯槽部	19	人工歯排列	15, 23, 24, 25, 42,
三次埋没	84	歯肉	3, 4	60, 201, 227	
残存歯	15	歯肉形成	25, 76, 208	人工歯列	8
残存歯の歯肉辺縁	16	歯肉唇頬移行部	162	人工装置	3
残存歯歯周組織	15	歯列	9	人工歯の排列	15
残留モノマー	102	歯列弓	9		
残留応力	219	篩分法	13	**す**	
暫間義歯	9, 21, 110	自動削合	92, 98		
		磁性アタッチメント	141	スチームクリーナー	102
し		色調	15	ストッパー	162
		湿式重合法	86, 87, 219	スパー	146
シェードガイド	58, 201	射出成形	268	スピーの彎曲	10
シリコーンコア	224	射出成形機	88	スピルウェイ	99, 228
シリコーンコア法	224	修理	232	スプリットキャスト	49, 81,
シリコーンポイント	99, 184			171, 172	
支持	23, 105, 116				

スプリットキャスト法	49, 89, 227	全面レジン型	255	チェックバイト法	52
スペーサー	36	全面金属型	255	チタン	254
スロット型	48	前パラタルバー	148	チタン合金	254
すれ違い咬合	168	前下方移動	7	治療用義歯	21, 110
水平的顎間関係の決定	53	前後的咬合彎曲	10	着脱方向	174
水平被蓋	52, 63	前後的調節彎曲	73	中パラタルバー	149
垂直被蓋	52, 63	前歯部排列	201	中間欠損	106, 170
据置型スキャナー	256, 269	前処置	173	中間欠損症例	5, 170
		前方運動	227	中心咬合位	90, 93, 206, 227
せ		前方咬合小面	91	鋳造	183
セパレーティングディスク	184			鋳造クラスプ	120
正常型	31	**そ**		鋳造バー	194
正中パラタルバー	149	咀嚼	3, 4, 13, 23, 201	鋳造レスト	188
正中口蓋縫線	28	咀嚼圧	19, 23, 99	鋳造鉤	120, 179
正中線	42, 47, 171, 202	咀嚼運動	8	鋳造床	256
生物学的要件	15	咀嚼機能	6, 60	超音波洗浄器	102
生理的な自浄作用	16	咀嚼筋	8, 15	超硬質石膏	39
性格	15	咀嚼能率	13	調節彎曲	73
性別	15	咀嚼力	6, 13	直接維持装置	116
精密印象	24, 33, 38, 159	双子鉤	125	直接支台装置	116
精密印象採得	34	早期接触部	93, 207, 227		
切縁レスト	136	総義歯	4	**て**	
切削加工法	270	増歯	241	ティッシュストップ	179, 262
切歯孔	35	即時義歯	21, 110	テーパートゥール	175
切歯指導釘	49, 89	側頭筋	8	テレスコープ	174
切歯指導板	49	側頭骨	7	テレスコープ義歯	142
切歯指導標	171	側方クリステンセン現象	73	テンチのコア	81
切歯乳頭	28, 35, 42, 45	側方パラタルバー	149	テンチの間隙	70
切歯乳頭中央	45	側方運動	8, 227	テンチの歯型	81
切歯路	90	側方顆路角	52	テンチの歯型法	90, 227
石膏コア法	222	側方咬合彎曲	10	デンチャープラーク	100
石膏溶解液	228	側方的調節彎曲	73	低温長時間重合法	86
接着	22	測定杆	175	挺出歯	164
舌	8			天然歯	4
舌筋	8	**た**		天然歯列	19
舌小帯	29, 42	タングステンカーバイドバー	37	電解研磨	184
舌側咬頭	95	ダイヤモンドポイント	92		
舌房	208	対合関係	168	**と**	
舌面レスト	136	耐火模型	180, 258	トップスプルーイング	259
尖型	14, 57	耐火模型材	180	トライポッド	178
尖型アーチ	63	大連結子	104, 147	トレー	24, 32
線維組織	7	大連結装置	104	トレー用常温重合レジン	161
線鉤	121, 186	単純鉤	120	陶材	19
選択削合	93, 206	炭素棒	175	陶歯	56, 205
選択的加圧印象	33			等高点	178
全部床義歯	3, 4, 256	**ち**		頭蓋骨	7
		チェックバイト	90	遁路	84

な

内側翼突筋	8
流し込みレジン重合法	220
流し込み法	88
軟口蓋	28

に

ニアゾーン	117
ニスバス法	181
ニュートラルゾーン	66
二次埋没	84
二腕鉤	120
肉芽組織	9

ね

熱処理	184
年齢	15
粘弾性	16
粘着	22
粘膜支持義歯	108
粘膜負担	23
粘膜負担義歯	108, 159
捻転	62

の

ノンメタルクラスプデンチャー	264

は

ハーフアンドハーフクラスプ	126
ハミュラーノッチ	29, 160
バーアタッチメント	140
バークラスプ	116, 123, 129
バー屈曲鉗子	197
バー捻転鉗子	197
バイトフォーク	172
バックアクションクラスプ	126
バランシングランプ	76
バランシングランプ法	76
パーシャルオーバーデンチャー	248
パウンドライン	67
パターン用常温重合レジン	185
パターン用光重合レジン	185
パラタルストラップ	150

パラタルバー	148
パラタルプレート	150
パラトグラム	80
パラトグラム描記法	13
パラレルテレスコープ義歯	142
把持	105, 116, 118
把持機能	117
破折・破損の原因	232
馬蹄形バー	150
白金加金	179, 254
発音	3, 4, 13, 23
発音機能	60, 203
発音障害	13, 77
抜歯窩	9, 35
抜歯創	9
半調節性咬合器	48

ひ

ヒートショック法	86
ビーディング	151, 262
非アンダーカット部	177
非可動式サベイヤー	176
非解剖学的人工歯	59
非緩圧型	138
非貴金属合金	183
被圧変位性	16
微笑線	47, 61
鼻翼幅線	47
表面処理	181, 258
標示線	46

ふ

ファーゾーン	117
フィニッシュライン	263
フィメール	138
フィンガーレスト	36
フェイスボウ	49, 172
フェイスボウトランスファー	49
フェイスボウトランスファー法	90, 227
フック	147
フラスク	213
フラスクイジェクター	219
フラビーガム	35, 162, 169
フランクフルト平面	12
フランス式埋没法	82, 214
フルバランスドオクルージョン	

	73
フレームワーク	158, 252
ブリッジ	3, 6
ブローパイプ	183
ブロックアウト	16, 162, 169, 179, 261
プライヤー	187
ふるい分け法	13
付加製造法	271
部分床義歯	3, 5, 104, 115
——の構成要素	104, 115
複印象	180
複合欠損	106, 168
物理的維持	22
粉末床溶融結合	256, 273

へ

ヘアピンクラスプ	127
ペーパーコーン	99, 184
平均値咬合器	48
平行関係	174
平衡咬合小面	91, 92
閉口運動	8
片側性咬合平衡	72
片側性平衡咬合	23, 73
辺縁形成	23
辺縁封鎖	23
偏心咬合位	93
——での削合	207
——における選択削合	95

ほ

ホースシューバー	150
ボクシング	38, 164
ボックス型	48
ボンウィル三角	11
ポステリアスプルーイング	259
ポストダム	43
補強鞘	175
補助アーム	125
補助支台装置	146
補綴装置	3, 174
補綴治療	3
方型	14, 57
方型アーチ	63
本義歯	21, 108
本測定	176

ま

マイクロ波重合法	87
埋没	25, 81, 182, 212

み

ミリング法	270
磨き砂	229

む

無圧印象	33, 159
無咬頭人工歯	76
無歯顎	4, 14, 28
無ろう付け法	121

め

メール	138

も

モールドガイド	57, 201
モノプレーンオクルージョン	76
モンソンカーブ	10
模型基底部	160
木床全部床義歯	5
餅状	218

ゆ

有歯顎	91
有歯顎者	13
有床義歯	3
遊離端欠損	106, 168
遊離端症例	5
誘導面	130, 173

よ

予備測定	176
翼突下顎ヒダ	29

ら

卵円型	14, 57
卵円型アーチ	63

り

リップサポート	60
リバースバックアクションクラスプ	127
リベース	242
リライニングジグ	246
リライン	242, 243
リリーフ	16, 23, 35, 43, 162, 179, 262
リンガライズドオクルージョン	73
リンガルエプロン	152
リンガルバー	151
リンガルプレート	152
リングクラスプ	125
両唇音	13
両側性咬合平衡	72
両側性平衡咬合	72
隣接面鉤	132
隣接面板	129, 131

る

流ろう	85, 217

れ

レーズ研磨	229
レジン	19
レジンクラスプ	266
レジン歯	56, 205
レジン填入	217
レスト	117, 133
レストシート	137, 173, 174
レスト付き二腕鉤	120, 124
レスト板	188
レスト板圧接法	188
レスト用ワイヤー	188
レトロモラーパッド	29, 42, 45, 100, 160
レトロモラーパッド前縁	42
連結子	5, 104, 147, 174
連結装置	104
連続鉤	131, 153

ろ

ローチクラスプ	129
老人様顔貌	14
ろう義歯	25, 80, 213
——の試適	80
ろう付け法	121

わ

ワイヤー	187
ワイヤークラスプ	121
ワックストリマー	175
ワックスバス法	181
ワックスパターン	179, 181, 259

数

1 線法	121, 186, 188
2 ステップ法	86, 219
2 線法	122, 186, 192
3D プリンター	273
3 点接触咬合	76

B

BULL の法則	95

C

CAD/CAM システム	256, 269

G

Gysi 法	75

I

I バー	129

M

Muller 法	75

N

NC データ	269

R

RPI クラスプ	129

S

Sears 法	76
SPA 要素	15, 57, 201
STL データ	269
S 字状隆起	57, 77, 208

W

Williams の三基本型	14, 57

【著者略歴】

小 正 裕（こまさ ゆたか）
1975 年　大阪歯科大学卒業
2002 年　大阪歯科大学高齢者歯科学講座教授
2017 年　大阪歯科大学医療保健学部学部長・教授
2021 年　大阪歯科大学名誉教授

柿 本 和 俊（かきもと かずとし）
1982 年　大阪歯科大学卒業
1987 年　大阪歯科大学大学院修了
1987 年　大阪歯科大学助手（歯科補綴学第一講座）
2000 年　大阪歯科大学助手（高齢者歯科学講座）
2003 年　大阪歯科大学講師（高齢者歯科学講座）
2017 年　大阪歯科大学医療保健学部口腔工学科教授

鈴 木 哲 也（すずき てつや）
1980 年　東京医科歯科大学歯学部卒業
1985 年　東京医科歯科大学大学院修了
2005 年　岩手医科大学歯学部歯科補綴学第一講座教授
2011 年　東京医科歯科大学歯学部口腔機能再建技工学分野教授
2015 年　東京医科歯科大学大学院医歯学総合研究科口腔機能再建工学分野教授
2020 年　東京医科歯科大学（現 東京科学大学）名誉教授

安 江 透（やすえ とおる）
1986 年　東京医科歯科大学歯学部附属歯科技工士学校実習科修了
1992 年　東京医科歯科大学歯学部附属歯科技工士学校講師
2008 年　東京医科歯科大学歯学部附属歯科技工士学校教務主任
2011 年　東京医科歯科大学歯学部口腔保健学科口腔保健工学専攻口腔保健再建工学講座歯冠修復技工学分野講師
2012 年　東京医科歯科大学大学院医歯学総合研究科医歯科学専攻医療管理政策学修士課程修了
2015 年　東京医科歯科大学大学院医歯学総合研究科医歯理工学専攻口腔機材開発工学分野講師
2019 年　株式会社バイテック・グローバル・ジャパン勤務

永 井 栄 一（ながい えいいち）
1979 年　日本大学歯学部卒業
2003 年　日本大学歯学部附属歯科技工専門学校教務主任（～ 2011 年）
2004 年　日本大学歯学部歯科補綴学教室 II 講座講師
2020 年　日本大学歯学部歯科補綴学第 II 講座兼任講師

椎 名 芳 江（しいな よしえ）
1974 年　日本大学歯科技工士学校卒業
1977 年　日本大学歯学部附属歯科技工専門学校専任教員
2004 年　博士（歯学）
2011 年　日本大学歯学部兼任講師
2016 年　日本大学歯学部附属歯科技工専門学校副教務主任（～ 2018 年）
2018 年　日本大学歯学部附属歯科技工専門学校非常勤講師（～ 2021 年）

若 林 則 幸（わかばやし のりゆき）
1988 年　東京医科歯科大学歯学部卒業
1992 年　東京医科歯科大学大学院修了（歯科補綴学）
1994 年　東京医科歯科大学歯学部附属病院助手（補綴科）
2006 年　岩手医科大学歯学部助教授（歯科補綴学）
2013 年　東京医科歯科大学大学院教授（部分床義歯補綴学）
2017 年　東京医科歯科大学歯学部附属病院長
2020 年　東京医科歯科大学理事・副学長（教育担当）
2024 年　東京科学大学理事・副学長（教育担当）

大 久 保 力 廣（おおくぼ ちかひろ）
1986 年　鶴見大学歯学部卒業
1990 年　鶴見大学大学院歯学研究科
1990 年　鶴見大学歯学部歯科補綴学第一講座助手
2005 年　鶴見大学歯学部歯科補綴学第一講座講師
2009 年　鶴見大学歯学部歯科補綴学第一講座（現 有床義歯補綴学講座）教授

新 保 秀 仁（しんぼ ひでまさ）
2003 年　鶴見大学歯学部歯学科卒業
2003 年　鶴見大学大学院歯学研究科入学
2004 年　Faculty of Uruguay, Uruguay University（Visiting Scientist）
2007 年　鶴見大学大学院歯学研究科修了
2007 年　Texas A & M Health Science Center, Baylor College of Dentistry（Visiting Scientist）
2008 年　鶴見大学歯学部有床義歯補綴学講座学部助手
2012 年　鶴見大学歯学部有床義歯補綴学講座助教
2016 年　USC, Herman Ostrow School of Dentistry（Visiting Scholar）
2020 年　鶴見大学歯学部口腔リハビリテーション補綴学講座学内講師

市川 正幸

1970 年	東京医科歯科大学歯学部附属歯科技工士学校卒業
1972 年	東京医科歯科大学歯学部附属歯科技工士学校実習科卒業
1974 年	Ancer Dental Laboratory inc 入社（米国シカゴ）
1978 年	共生会歯科技工士専門学校勤務
1981 年	鶴見大学歯学部歯科技工研修科勤務
2013 年	鶴見大学歯学部歯科技工研修科講師主任（〜 2017 年）

原田 直彦

2005 年	新潟大学歯学部付属歯科技工士学校卒業
2006 年	鶴見大学歯学部歯科技工研修科修了
2011 年	鶴見大学歯学部歯科技工研修科助手